NORA R

Avec 145 millions de livres traduits en 19 langues, Nora Roberts est connue dans le monde entier et, aux Etats-Unis, pas une semaine ne s'écoule sans que l'un de ses romans ne soit classé sur la prestigieuse liste des meilleures ventes du *New York Times* et de *USA Today*.

Star incontestée dans le monde de l'édition, elle a reçu de nombreuses récompenses et distinctions littéraires. Sa saga familiale « Les MacGregor » a été applaudie par la critique et a déjà remporté un immense succès aux Etats-Unis.

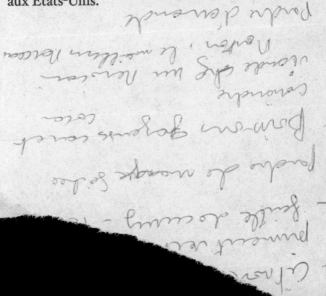

PRÉSENTATION DES PERSONNAGES

Entrez dans le clan très fermé des MacGregor. Ouvrez sans plus tarder *Trois fiancées pour les MacGregor*, le huitième volume de votre saga et faites connaissance avec les trois cousins : Daniel, Duncan et Ian, que leur grand-père, fidèle à ses habitudes, a décidé de marier sans tarder.

QUI SONT-ILS ?

DANIEL CAMPBELL MACGREGOR :

Pour oublier les règles strictes qui ont pesé sur son enfance, Daniel, fils d'Alan MacGregor, est devenu peintre. Artiste reconnu, il lui faut à présent une épouse… C'est du moins l'avis de son grand-père qui organise pour lui une rencontre « inopinée » avec Layna Drake, une jeune femme aussi intelligente que belle.

DUNCAN BLADE :

Homme d'affaires, brillant, le second fils de Serena MacGregor et de Justin Blade, sillonne le Mississippi sur son bateau-casino et se soucie peu de fonder un foyer. Une nonchalance qui exaspère son grand-père au point qu'il lui recommande un jour une séduisante chanteuse à la voix de velours : Cat Farrell.

IAN MACGREGOR :

Comme ses parents, Diana Blade et Caine MacGregor, Ian est avocat. Considéré comme un des meilleurs partis de Boston, il est bien trop indépendant pour songer au mariage. Jusqu'au jour où il fait la connaissance de Naomi Brightstone, une jeune libraire si charmante que son grand-père lui-même, ne tarit pas d'éloges à son sujet.

NORA ROBERTS

Trois fiancées
pour les MacGregor

éditions Harlequin

Cet ouvrage a été publié en langue anglaise
sous le titre :
THE MACGREGOR GROOMS

Traduction française de
MARIE-CLAUDE CORTIAL

HARLEQUIN®

est une marque déposée du Groupe Harlequin

Originally published by SILHOUETTE BOOKS,
division of Harlequin Enterprises Ltd.
Toronto, Canada

Photos de couverture :

Drapé rouge : © PHOTODISC / GETTY IMAGES
Ecossais rouge et vert : © PHOTODISC / GETTY IMAGES
Château et joueur de cornemuse : © ROYALTY FREE / CORBIS
Bateau : © CARL & ANN PURCELL / CORBIS
Femme : © LAURENCE MONNERET / GETTY IMAGES

DANIEL CAMPBELL

Prologue

D'après les mémoires de Daniel MacGregor

Quand on atteint mon âge, les années passent vite, une saison chassant l'autre impitoyablement. Il faut savourer chaque instant, le vivre le plus intensément possible.

Naturellement, j'avais la même impression à trente ans !

Ces dernières années m'ont comblé. Quatre de mes petits-enfants adorés ont trouvé l'amour. Ils se sont mariés et ont fondé une famille. Laura, d'abord, puis Gwen, Julia et Mac. Leurs yeux brillent de bonheur, leurs voix résonnent de satisfaction. Chacun a trouvé l'âme sœur. Cependant, ils y ont mis le temps. Pourquoi ? allez-vous me demander.

A vrai dire, sans moi, ils seraient encore en train de patauger, et Anna n'aurait pas un seul arrière-petit-enfant à gâter. Mais attention, je ne demande pas de reconnaissance. Non. Tant que je serai le chef de cette famille, je continuerai à remplir mes devoirs sans avoir besoin de remerciements. Avec plaisir. Ce qui compte par-dessus tout, pour moi, c'est de voir mes petits-enfants confortablement installés.

On aurait pu croire que tous ces mariages allaient inciter mes autres petits-enfants à suivre l'exemple de leurs frères et sœurs et

9

de leurs cousins. Mais non ! Les MacGregor sont une espèce têtue et indépendante. Et que Dieu en soit loué !

Heureusement, je suis toujours là pour veiller au grain. J'ai vu trois de mes petites-filles dire oui devant l'autel et j'ai encouragé l'aîné de mes petits-fils à en faire autant. Certains disent que c'est de l'ingérence. Moi, je dis que c'est de la sagesse. Et j'ai décidé qu'il était temps d'insuffler un peu de cette vertu à mon petit-fils, Daniel Campbell.

Aujourd'hui, c'est un beau jeune homme, avec un caractère bien trempé, quoiqu'un peu capricieux. Il est aussi très élégant. Je lui ressemblais quand j'avais son âge. Il ne manque donc pas de compagnie féminine. Et c'est justement le problème : avec lui, la quantité prime sur la qualité.

Dieu merci, j'ai trouvé le moyen de régler ce problème.

Dan est un artiste. Je dois avouer que je ne comprends pas grand-chose à sa peinture, mais il a beaucoup de succès. Maintenant, ce garçon a besoin d'une femme qui partagera sa réussite et sa vie. Et avec qui il fondera une famille unie.

Cependant, il ne s'agit pas qu'il épouse n'importe qui. Non, il lui faut une femme qui ait une personnalité, de la matière grise et de l'ambition. Et qui ait envie d'avoir des enfants. Comme celle que j'ai choisie pour lui alors qu'ils étaient encore petits, tous les deux. Je les ai observés tout au long des années. Je les connais comme ma poche, et je sais comment m'y prendre avec mon petit-fils.

Je dois dire qu'il est un peu contrariant, mon Daniel. C'est le genre de garçon qui va trop souvent à gauche quand on lui dit qu'il ferait mieux d'aller à droite. Je suppose que cela vient des huit années pendant lesquelles son père a été Président. Il a été obligé de se plier à un trop grand nombre de règlements.

Quoi qu'il en soit, avec l'aide d'un vieil ami, je vais enfin mettre mon petit Daniel Campbell sur la bonne voie. Nous le surnommons affectueusement Dan, pour le différencier de moi. Evidemment, je compte bien lui faire croire que tout le mérite lui revient à lui, et à lui seul.

Un homme sage n'a pas besoin de remerciements, mais uniquement de résultats.

1.

La lumière entrait à flots par les hautes fenêtres, inondant les couleurs violentes qui zébraient la toile. Debout devant son chevalet, Dan brandissait son pinceau avec la fougue d'un guerrier sur le champ de bataille. Il en avait le visage rude, sculpté au couteau, des yeux bleu glacier, une bouche aux lèvres pleines.

Ses cheveux ondulaient sur ses oreilles, bouclaient sur le col de sa chemise en jean maculée de peinture. Ses manches retroussées découvrant une musculature d'athlète, il éclaboussait la toile de furieux coups de pinceau.

Sa carrure aussi était celle d'un guerrier : épaules larges, taille fine et longues jambes. Il était pieds nus, et ses grandes mains habiles étaient tachées de couleurs.

Son regard reflétait sa rage de vivre mêlée à un mélange de passions qu'il projetait sur la toile, tandis qu'une musique rock rugissait de la chaîne stéréo, faisant vibrer l'air matinal.

Pour lui, la peinture était une véritable bataille, qu'il était bien décidé à gagner. Quand son humeur le poussait à peindre, il travaillait jusqu'à en avoir des crampes dans les mains. Mais s'il n'était pas dans de bonnes dispositions, il pouvait rester des jours entiers, voire des semaines, sans toucher à ses pinceaux.

Certaines personnes prétendaient que Daniel Campbell MacGregor manquait de discipline. Il se contentait alors de hausser les épaules.

— Qui a besoin de discipline ? disait-il en riant.

Coinçant son pinceau entre ses dents, il s'empara d'un couteau pour étaler grossièrement un paquet de peinture vert émeraude. Et son regard brilla de satisfaction.

Il venait enfin d'obtenir ce qu'il voulait, après plusieurs heures d'acharnement. Une fine colonne de sueur serpenta le long de son dos. Une chaleur d'enfer régnait maintenant dans l'atelier. Il s'essuya le front du revers de la main.

Son estomac se mit brusquement à gargouiller, le rappelant à l'ordre. Ce matin, il avait oublié de manger, et aussi de regarder son courrier, et de répondre aux messages téléphoniques. C'est à peine s'il avait jeté un coup d'œil sur les hautes fenêtres qui laissaient entrer la lumière de ce printemps précoce. Il bouillonnait d'une énergie aussi puissante et primitive que la voix de John Mellencamp qui emplissait la pièce.

Examinant son œuvre d'un œil satisfait, il murmura :

— Besoin… Oui, je vais l'intituler simplement : *Besoin*.

Pour la première fois depuis des heures, il se tourna vers les fenêtres. L'atmosphère, remplie des odeurs familières de son atelier, était devenue étouffante. Il traversa la pièce au plancher rustique et ouvrit les deux battants d'une fenêtre.

Enfouissant ses mains dans les poches arrière de son vieux jean râpé, il respira un grand bol d'air. Les fleurs éclatantes des cerisiers commençaient à éclore. Le canal scintillait sous la lumière de l'après-midi. Des joggers filaient le long du sentier qui le longeait.

C'était cette vue imprenable qui l'avait décidé à acquérir cet appartement quand il était revenu s'installer à Washington, où il avait passé son enfance, dont huit années à la Maison Blanche.

Pendant un temps, il avait vécu et travaillé à New York, et cela lui avait plu. Il avait connu aussi la vie à San Francisco, qu'il avait aimée tout autant. Mais pendant toutes ses années entre vingt et trente ans, le mal du pays l'avait taraudé. Et il avait fini par se rendre.

Dan soupira de plaisir. Il aurait été incapable de dire quel était le jour de la semaine, mais le spectacle était indubitablement celui d'une merveilleuse journée de printemps.

Une nouvelle protestation de son estomac lui fit faire volte-face. Il se dirigea vers la cuisine.

L'appartement possédait deux niveaux. L'étage était conçu pour une vaste et confortable chambre, mais Daniel y avait installé son atelier et il dormait sur un matelas à même le sol dans la chambre d'amis. Il n'avait pas encore eu le temps d'acheter un sommier.

La plupart de ses vêtements étaient restés dans les cartons qu'il avait fait venir par bateau deux mois plus tôt. Il avait bien l'intention de les y laisser en attendant d'acheter une armoire.

Au rez-de-chaussée, le vaste salon était entouré de fenêtres encore plus nombreuses. Comme celles de l'étage, elles étaient restées nues. Un canapé qui avait gardé son étiquette, une table ancienne aux pieds torsadés, couverte de poussière, trônaient au milieu de la pièce. Le mobilier se complétait d'un lampadaire à l'abat-jour en métal dentelé. Il n'y avait pas le moindre tapis sur le plancher de pin, qui attendait désespérément un bon coup d'aspirateur.

Le coin repas, près de la cuisine, était vide, et la cuisine elle-même ressemblait à un champ de bataille. Excepté quelques assiettes et quelques verres empilés dans l'évier, toute la vaisselle était restée emballée dans les cartons. D'un geste nerveux, Dan ouvrit le réfrigérateur et poussa un petit grognement de déception. Il n'y avait que deux œufs, trois canettes de bière et une bouteille de vin blanc.

Il aurait pourtant juré qu'il avait fait des provisions quelques jours plus tôt.

Fouillant dans les placards, il trouva quelques tranches de pain rassis, un paquet de café, six boîtes de cornflakes et une seule brique de soupe. Avec un soupir résigné, il ouvrit une boîte de céréales et en engloutit une poignée. Il avait sérieusement besoin d'un bon café, et d'une douche. Par quoi allait-il commencer ? Il n'hésita pas

14

longtemps. Le café d'abord. Il emporterait une tasse dans la salle de bains. Il commençait à le préparer quand le téléphone sonna.

Le voyant lumineux de la messagerie se mit à clignoter. Mâchant encore ses céréales, il prit le téléphone.

— Allô !

— Bonjour, mon grand !

Souriant, il s'appuya contre le comptoir de la cuisine.

— Hé, grand-père ! Quel bon vent ?

— Hum… Je ne sais pas s'il est bon ou mauvais.

Daniel éloigna le récepteur de son oreille. Comme toujours, la voix de son grand-père était assourdissante.

— Tu n'écoutes jamais ton répondeur ? J'ai parlé une dizaine de fois dans cette satanée machine. Ta grand-mère était prête à se déplacer elle-même pour s'assurer que tu n'étais pas mort en dormant.

Dan esquissa un sourire. Daniel MacGregor ne changerait jamais. Il avait toujours utilisé sa femme chaque fois qu'il voulait harceler ses petits-enfants.

— Je travaillais, répondit-il nonchalamment.

— Bon, c'est très bien, mais tu peux souffler un peu de temps à autre, non ?

— C'est ce que je suis en train de faire.

— J'ai une faveur à te demander, Daniel Campell. Mais cela m'ennuie beaucoup.

Il poussa un profond soupir. Dan fronça les sourcils.

— Tu as besoin de quelque chose ? interrogea-t-il.

— Oui, enfin, ce n'est pas moi. Oh, je crois que cela ne va pas te plaire… Et Dieu sait que je ne pourrai pas te le reprocher. Mais je me suis engagé auprès de ta tante Myra…

Inquiet, Daniel l'interrompit.

— Elle a un problème ?

Myra Dittmeyer était sa marraine, et la meilleure amie de sa grand-mère. C'était un membre important du clan MacGregor. Dan l'adorait.

Le remords lui fit faire la grimace. Depuis son retour à Washington, six semaines plus tôt, il n'était pas encore allé la voir.

— Rassure-toi, mon garçon, elle est en pleine forme, répondit vivement Daniel MacGregor. Elle a toujours bon pied bon œil. Mais elle a un autre filleul. *Une filleule*, plus précisément. Layna Drake. Son nom te dit quelque chose ? Je suppose que non. Tu l'as rencontrée seulement une ou deux fois quand tu étais gamin.

Dan fit un effort de concentration. L'image floue d'une fillette aux cheveux ébouriffés lui revint vaguement à la mémoire.

— Que lui arrive-t-il ?

— Elle est de retour à Washington. Tu connais la chaîne de grands magasins Drake's. Elle appartient à sa famille. Elle travaille dans le magasin principal, maintenant, et Myra… enfin, je vais te le dire sans détour. Il y a un bal de charité demain soir, et Myra se fait du souci parce que Layna n'a pas de cavalier. Elle m'a demandé de t'en parler…

— Quoi !

— Je sais, je sais…

Daniel MacGregor poussa un long soupir.

— Je sais… Les femmes s'y connaissent pour nous faire faire ce qu'elles veulent. Je lui ai dit que je te demanderais. Tu me rendrais vraiment un fier service si tu pouvais te libérer pour l'accompagner.

— Je te préviens, si toi et Myra essayez de me marier…

Son grand-père l'interrompit en éclatant de rire.

— Pas encore, mon garçon. Cette fille n'est pas pour toi. Elle est assez jolie et elle a de bonnes manières, mais à l'évidence, vous n'êtes pas faits l'un pour l'autre. Non, non, je n'aimerais pas que tu regardes dans cette direction. Et si tu ne peux pas te libérer demain soir, je dirai à Myra que je t'ai appelé trop tard et que ta soirée était déjà organisée.

— C'est demain soir ? interrogea Dan.

Horripilé, il se passa une main dans les cheveux. Il avait horreur des bals de charité.

— Faut-il y aller en costume-cravate ?

— Hmm… J'en ai bien peur, répondit Daniel d'un ton navré.

Dan ne put retenir un juron. Son grand-père continua :

— Ne t'inquiète pas, je téléphone tout de suite à Myra pour lui dire que tu ne pourras pas y aller. Inutile de perdre ta soirée avec une fille qui va t'ennuyer à mourir. Vous n'avez pas le moindre point commun. Il vaut mieux que tu commences à chercher ta future épouse. Il serait temps que tu songes à créer un foyer, Daniel Campbell. Ta grand-mère te voir déjà devenir vieux garçon. Elle craint que tu vieillisses sans enfants. J'ai pensé à une autre jeune fille… elle est…

— Merci, grand-père, je m'en occuperai moi-même, coupa Dan, de plus en plus furieux.

Les sourcils froncés, il réfléchit à toute vitesse. Si Daniel MacGregor n'avait pas une très haute opinion de la filleule de Myra, cela signifiait qu'il ne passerait pas son temps à lui téléphoner pour savoir comment les choses progressaient avec elle. Peut-être que s'il lui rendait ce petit service, il aurait la paix. Son grand-père cesserait d'œuvrer pour sa descendance. Il soupira. Il n'y croyait pas trop, mais cela valait la peine d'essayer.

— Où et à quelle heure dois-je prendre… Comment s'appelle-t-elle, déjà ?

— Elle s'appelle Layna. Oh, merci, mon grand ! Je te revaudrai cela. Le bal commence à 20 heures à l'hôtel Shoreham. Layna a repris la maison de ville de ses parents. J'apprécie vraiment que tu me dépannes, mon garçon.

Haussant les épaules, Daniel fit glisser quelques flocons de céréales dans sa bouche. C'était bien beau, tout cela, mais dans quel carton allait-il trouver son costume de soirée ?

— Vraiment, tante Myra ?

En sous-vêtements, Layna Drake portait une cascade de soie blanche sur le bras. Elle avait un air mortifié.

— C'est un inconnu ?

— Pas vraiment, ma chérie. Tu l'as déjà vu, quand tu étais petite. Je sais que c'est un peu agaçant, mais Daniel me demande rarement un service. Ce n'est que pour une soirée. Et de toute façon, tu voulais bien y aller ?

— Je voulais y aller avec toi !

— Je serai là quand même. Tu verras, ma chérie, c'est un jeune homme charmant. Un peu irritable, mais charmant quand même.

Avec un sourire radieux, elle effleura d'une main légère ses cheveux blancs comme neige. Malgré son grand âge, elle avait gardé un esprit vif et acéré, et quand la situation l'exigeait, elle pouvait adopter un air fragile, voire désarmé.

— Daniel MacGregor s'inquiète pour son petit-fils, continua-t-elle. Moi aussi, je dois l'avouer. Il le trouve trop solitaire. Mais franchement, qui aurait cru que Daniel allait se jeter sur l'occasion, quand j'ai dit que tu revenais à Washington, et que j'ai mentionné cette fête de charité ?

Myra agita les mains.

— Je ne savais pas comment refuser. Cependant, je me rends compte que c'est une véritable contrainte pour toi.

Ne supportant pas de lui voir ce petit air désolé, Layna s'empressa de dire :

— Cela n'a aucune importance, tante Myra. De toute façon, je devais y aller, à cette fête.

Avec des gestes gracieux, elle enfila sa robe de soie blanche.

— Va-t-il venir me chercher ici ?

Myra regarda sa montre.

— Oh, mon Dieu ! Il ne va pas tarder à arriver ! Nous nous retrouverons là-bas. Mon chauffeur doit se demander où je suis passée.

— Mais…

— Il faut absolument que je parte. Nous allons nous revoir dans moins d'une heure, ma chérie.

Myra se leva et se précipita vers la porte avec une agilité surprenante pour une femme de son âge. En haut de l'escalier, elle se retourna.

— Tu es splendide, dit-elle d'un air admiratif.

Stupéfaite, Layna poussa un profond soupir. C'était typique de sa marraine. Il fallait toujours qu'elle jette des hommes sur son chemin. C'était assommant. D'autant plus qu'après, il n'était pas si facile de s'en débarrasser.

Layna Drake avait rayé le mariage de ses projets une bonne fois pour toutes. Après avoir grandi dans une maison où les bonnes manières primaient sur les manifestations affectives, et où les aventures légères étaient poliment ignorées, elle n'avait aucune intention de se retrouver dans le même genre de relation.

Layna poussa un soupir. Les hommes étaient parfaits pour le décor, tant que c'était elle qui menait la danse. Et pour le moment, sa carrière était bien trop importante pour qu'elle se soucie d'avoir quelqu'un avec qui dîner en tête à tête le samedi soir.

Elle était bien décidée à grimper l'échelle de l'entreprise familiale. Dans dix ans, selon ses estimations, elle serait à la tête de la chaîne de magasins Drake's.

Layna sourit à son miroir. Oui, elle avait des projets grandioses pour sa carrière, et cela seul comptait.

Drake's n'était pas qu'une simple chaîne de magasins. C'était une institution. En restant célibataire, elle pourrait consacrer tout son temps et toute son énergie à l'entreprise familiale pour maintenir sa réputation et son style.

Plantée au milieu de la pièce dans sa robe dont la fermeture Eclair n'était pas remontée, Layna était plongée dans ses pensées. Elle n'était pas comme sa mère, qui considérait Drake's comme son cabinet personnel. Ni comme son père, qui s'était toujours senti plus concerné par les marges de profit que par les innovations ou les traditions. Elle avait elle-même une vision des choses bien personnelle. Pour elle, Drake's représentait à la fois un défi et un plaisir. C'était sa véritable famille.

Certains pouvaient trouver cela triste, mais pour elle, c'était plutôt réconfortant.

D'un geste précis, elle remonta sa fermeture. Elle avait des responsabilités variées chez Drake's, et c'était cela le plus excitant. C'était une somme de travail importante, mais le travail ne lui avait jamais fait peur, au contraire.

En se coiffant, Layna eut un petit rire. Dieu merci, cette fois, sa marraine ne semblait pas avoir la moindre intention de lui faire rencontrer un éventuel futur mari. Elle n'aurait qu'à bavarder tranquillement avec cet étranger pendant toute la soirée. Et Dieu sait qu'elle était experte en la matière !

Se tournant vers sa commode, elle sortit les boucles en perles de culture et diamants qu'elle avait reçues en cadeau pour ses vingt ans. Elle les fixa à ses oreilles et se contempla dans la glace. Hmm, ce n'était pas trop mal… Satisfaite, elle jeta un coup d'œil dans sa chambre. Elle avait été si heureuse de la retrouver. Chaque détail était raffiné, et le mobilier était chaleureux : tête de lit en cerisier sculpté, petites tables anciennes de bois ciré sur lesquelles étaient posés de délicieux bouquets de fleurs ou des objets soigneusement choisis.

Layna redressa fièrement les épaules. C'était sa maison, désormais.

Il y avait un coin salon très confortable en face de la cheminée de marbre, et une coiffeuse en poirier présentant une collection de flacons aux formes audacieuses.

Choisissant le parfum qu'elle adopterait pour la soirée, elle suspendit son geste. Elle aurait mille fois préféré rester chez elle, ce soir. La journée avait été longue, plus de dix heures chez Drake's. Elle avait mal aux pieds, et une faim de loup.

Repoussant ces pensées, elle se tourna vers sa psyché pour s'assurer que sa robe tombait bien. Le corsage, qui laissait ses épaules nues, épousait les lignes de son corps, et la jupe descendait en plis souples jusqu'aux chevilles. Elle enfila la veste assortie, se glissa dans ses chaussures et vérifia le contenu de son petit sac de soirée.

Quand la sonnette retentit, elle soupira. Au moins, ce Daniel Campbell était ponctuel.

Elle se souvenait vaguement de lui, elle était alors bien trop impressionnée par son père, le Président, pour faire attention à autre chose. Cependant, au fil des années, il lui était arrivé d'entendre parler de lui. Fronçant les sourcils, elle se concentra. N'avait-il pas provoqué un scandale, quelques années plus tôt, en sortant avec une danseuse ? Ou une actrice, peut-être ?

Bah, quoi d'étonnant à ce qu'un fils de Président alimente les colonnes des journaux à scandales ? Et le fait qu'il soit le petit-fils de Daniel MacGregor ne pouvait qu'intensifier la lumière des projecteurs. Layna sourit. Elle préférait mille fois travailler dans l'ombre de l'arrière-scène.

Et le pauvre garçon ne devait pas être véritablement un séducteur, s'il n'était même pas capable de trouver lui-même une partenaire pour ses samedis soir.

Affichant son sourire le plus convivial, Layna ouvrit la porte. Seules les années passées à étudier dans un couvent suisse, avec toute la discipline que cela impliquait, l'empêchèrent de pousser un cri de surprise.

L'homme au regard de braise qui se tenait sur le seuil de sa porte avait besoin de son grand-père pour obtenir un rendez-vous ? Elle ne pouvait pas le croire…

— Layna Drake ? demanda Daniel Campbell.

Médusé, il resta un instant sans bouger. Il avait dû se tromper d'adresse. Ce petit roseau scintillant revêtu de soie blanche n'avait rien à voir avec la fillette qu'il se rappelait. Les touffes de cheveux qui se dressaient autrefois sur sa tête comme des pissenlits étaient devenues des boucles dorées, qui encadraient un visage au teint de pêche éclairé par des yeux vert émeraude.

Se ressaisissant aussitôt, il lui tendit la main sans cesser de sourire. Layna la prit en interrogeant :

— Daniel MacGregor ?

— Daniel Campbell, répondit Dan. MacGregor est mon grand-père.

Layna hocha la tête. En temps normal, elle aurait joué les maîtresses de maison en l'invitant à entrer, et elle aurait fait en sorte qu'ils soient tous deux à l'aise. Mais Daniel Campbell n'était pas particulièrement… *sécurisant*. Il était trop grand, trop viril, et son regard était bien trop audacieux.

Sans hésiter une seconde de plus, elle sortit et referma la porte.

— Eh bien, nous y allons ? dit-elle du ton le plus léger possible.

— Nous y allons !

Il hocha la tête. Daniel MacGregor lui avait dit qu'elle était « décontractée ». Hmm… Ce n'était pas précisément la définition que lui-même en aurait donnée. Layna Drake faisait plutôt penser à une princesse de glace, malgré l'aspect glamour qu'elle affichait. Dan retint un soupir. La soirée allait être très longue.

Layna jeta un coup d'œil sur la voiture de sport ancienne garée devant la maison. Elle fronça les sourcils. Comment diable allait-elle pouvoir se plier en deux pour entrer dans cette boîte à sardines, avec la robe qu'elle portait ?

« Tante Myra, pensa-t-elle, dans quelle galère m'as-tu mise ? »

2.

Elle vérifia si la ceinture de sécurité était bien arrimée, et agrippa la poignée, au-dessus de la portière. Il ne lui restait qu'à prier pour ne pas être écrasée comme une mouche contre le pare-brise avant que la soirée ait le temps de commencer.

Il fallait qu'elle parle, de n'importe quoi, pour détourner son esprit de cette image terrifiante.

— Tante Myra m'a dit que nous nous étions déjà vus, quand votre père était… Président, dit-elle d'une voix tendue.

Le dernier mot se coinça dans sa gorge. Dan dirigeait sa petite voiture de sport entre un bus et une limousine.

— C'est ce qu'on m'a dit aussi. Vous venez de réemménager à Washington ?

— Oui.

Elle ferma les yeux pour ne pas voir les énormes poids lourds entre lesquels il se faufilait maintenant. Honteuse, elle les rouvrit courageusement en relevant le menton.

— Moi aussi, dit-il.

Il prit une profonde inspiration. Layna avait un parfum enivrant, à vous faire tourner la tête. Préférant la sécurité, il ouvrit la vitre de sa portière, laissant l'air frais pénétrer dans la voiture.

— Vraiment ? interrogea Layna.

Elle avait le cœur sur les lèvres. Cet homme était fou. N'allait-il pas ralentir ? Ne voyait-il pas que le feu allait passer au rouge ? Elle faillit s'étrangler en refrénant un petit cri tandis qu'il fonçait au feu orange.

— Sommes-nous en retard ? demanda-t-elle d'une voix blanche.

— En retard ?

— Vous paraissez pressé.

— Pas particulièrement.

— Vous avez grillé un feu rouge.

Il releva un sourcil.

— Le feu était orange.

Il fit crisser ses pneus en dépassant une camionnette.

— Je croyais savoir qu'il fallait ralentir en voyant un feu prêt à passer au rouge, hasarda-t-elle. Vous conduisez toujours ainsi ?

— C'est-à-dire ?

— On dirait que vous êtes au volant d'une voiture de gangster, juste après l'attaque d'une banque.

Il réfléchit un instant et un sourire ironique se dessina sur ses lèvres.

— J'ai bien peur que oui.

Il tourna dans la rue où avait lieu la fête de charité et s'arrêta en faisant hurler les freins.

— Cela permet de gagner du temps, dit-il nonchalamment.

Dépliant ses longues jambes, il sortit de la voiture.

Sans bouger, Layna essaya de retrouver son souffle. Elle pouvait remercier le ciel d'être arrivée entière ! Quand Dan se présenta près de sa portière, elle n'avait pas bougé d'un iota.

— Vous allez être obligée de déboucler votre ceinture de sécurité, dit-il en la toisant de son regard bleu.

Il attendit qu'elle se libère de son siège, puis il lui prit la main pour l'aider à s'extirper du véhicule. Ce contact lui envoya une bouffée de parfum tandis qu'il sentait sous les siens la douceur de ses doigts fins aux ongles vernis.

Elle avait des yeux de sirène dans un visage ciselé comme un camée. Il l'observa sans rien dire. En général, le portrait n'était pas son expression favorite, mais il lui arrivait de peindre des visages qui l'intéressaient.

Se retrouvant enfin debout, Layna poussa un soupir de soulagement. Elle avait les jambes un peu flageolantes, mais du moins vivait-elle encore.

— Les gens comme vous ne devraient jamais obtenir le permis de conduire, et, surtout, ils ne devraient pas avoir le droit de conduire ce genre de bolide.

— C'est une Porsche, fit aimablement remarquer Daniel Campbell.

Comme elle ne paraissait pas décidée à bouger, il la prit par la main et l'entraîna vers l'entrée de l'hôtel.

— Si vous vouliez que je ralentisse, pourquoi ne l'avez-vous pas dit ?

— J'étais trop occupée à prier.

Il lui adressa un sourire resplendissant de blancheur et d'humour. Ce qui ne fit qu'ajouter au danger qu'il représentait. Layna soupira imperceptiblement.

— On dirait que vos prières ont été exaucées, dit-il. Mais où diable devons-nous aller ?

Serrant les dents, Layna se tourna vers les ascenseurs. Elle entra devant lui et appuya sur le bouton de l'étage.

Dans son dos, Dan roula les yeux.

— Vous savez… euh…

Comment s'appelait-elle, déjà ?

— Layna, je crains que la soirée ne soit mortelle. Alors, si en plus vous faites la tête…

Les yeux rivés devant elle, elle garda un silence obstiné. Dan aurait dû être content qu'elle se taise. Sinon, elle risquait de lui envoyer une avalanche de sarcasmes.

— Je ne fais pas la tête, finit-elle par dire d'une voix aussi chaleureuse que la mer de glace.

Dès qu'elle fut sortie de l'ascenseur, elle eut une folle envie de marcher sans tenir compte de Dan. Mais sa bonne éducation triompha. Elle se tourna avec grâce et attendit qu'il la rejoigne.

Il la prit par le bras et l'observa ouvertement. Elle avait les joues rouges de colère. Il sourit. C'était étonnant de voir un visage classique à l'expression calme changer du tout au tout sous le coup de la fureur. S'il s'était intéressé à elle, il aurait fait en sorte que ses joues se colorent souvent, et que ses yeux prennent cette lueur exaspérée. Cela lui réussissait à merveille.

Mais comme il ne s'intéressait pas à elle, il allait s'excuser platement pour que la soirée se déroule sans remous.

— Désolé, dit-il.

Layna lui jeta un regard noir. « Désolé » ! C'était tout ce qu'il trouvait à dire, alors qu'il avait failli la faire passer de vie à trépas ? Décidément, ce type n'avait pas les talents de diplomate de son père.

Ils entrèrent dans une immense salle pleine de monde. Layna commença à se détendre. Dieu merci, elle ne serait pas obligée de discuter toute la soirée avec ce malotru. Dès que le savoir-vivre le lui permettrait, elle s'éclipserait pour aller bavarder avec une personne un peu plus civilisée.

— Voulez-vous boire du vin blanc ? demanda-t-il.

— Oui, merci.

Il lui tendit un verre et prit une bière, qu'il regarda d'un air songeur. Heureusement, cette fois, son grand-père adoré n'avait pas eu l'intention de jouer les entremetteurs ! Il tourna brusquement la tête en entendant la voix de sa marraine.

— Les voilà ! s'exclama Myra en se précipitant vers eux, les bras grands ouverts.

Elle les couvait du regard. Ils formaient un couple magnifique. Il fallait absolument qu'elle dise cela le plus vite possible à Daniel MacGregor.

— Daniel Campbell, tu es d'une élégance à faire tourner les têtes ! ajouta-t-elle en riant.

Elle lui tendit la joue, qu'il embrassa affectueusement.

— Ma tante ! J'espère que vous allez danser avec moi !

— Bien sûr ! Mais tes parents viennent d'arriver. Je vais d'abord les saluer. Pourquoi ne viendriez-vous pas vous asseoir un moment près de nous, tous les deux ?

Elle passa les bras autour de leurs épaules.

— Je sais que vous devez voir du monde, et que vous avez envie de danser. La musique est merveilleuse, ce soir. Mais j'ai le droit d'être égoïste pendant quelques minutes.

Avec le talent dû à une longue pratique, elle les entraîna en se frayant un chemin entre les tables ornées de bouquets de fleurs.

Myra avait un petit sourire qui ne quittait plus ses lèvres. Elle se sentait d'une impatience peu commune. Elle avait hâte de voir comment Dan et Layna allaient se comporter l'un avec l'autre, et elle voulait étudier le langage du corps qui pouvait s'établir entre eux. En soupirant de satisfaction anticipée, elle établit mentalement la liste des personnes qu'elle inviterait à leur mariage.

— Regardez qui je vous amène, dit-elle quand ils rejoignirent les parents de Dan.

— Dan !

Shelby Campbell MacGregor bondit sur ses pieds. Sa robe de soie jaune paille bruissa quand elle tendit les bras à son fils.

— Mon chéri, je ne savais pas que tu devais venir !

— Moi non plus !

Il la tint un moment dans ses bras, puis il se tourna vers son père pour lui donner l'accolade.

Les cheveux argentés d'Alan MacGregor luisaient sous les lumières. Un large sourire s'épanouit sur son visage quand il regarda son fils.

— Bon sang, tu ressembles de plus en plus à ton grand-père !

Touchée par leurs effusions de tendresse, Layna restait raide et muette. Même un malotru comme ce Daniel Campbell pouvait aimer ses parents, et visiblement ses parents l'adoraient.

Elle sentit sa mauvaise humeur s'envoler. L'amour qui existait entre eux et la joie qu'ils éprouvaient à se retrouver faisaient chaud au cœur.

Si elle avait rencontré ses propres parents dans des circonstances semblables, ils l'auraient embrassée du bout des lèvres en lui demandant distraitement comment elle allait.

Shelby se tourna vers elle, une question muette dans ses beaux yeux gris.

— Bonsoir !

Sans cacher sa fierté, Myra s'empressa de faire les présentations.

— Shelby, je te présente Layna Drake, ma filleule.

— Je suis enchantée de vous rencontrer, Layna.

Shelby lui tendit la main. Celle de Layna était ferme dans la sienne. Elle hocha la tête. Cette jeune fille, se dit-elle, devait avoir une forte personnalité.

— Vous êtes la fille de Donna et Matthew ?

— Oui. Ils sont à Miami en ce moment.

— Transmettez-leur mes amitiés dès que vous aurez l'occasion de leur parler.

Puis, se tournant vers son mari :

— Alan, voici Layna Drake, la fille de Donna et Matthew, et la filleule de Myra.

— Myra nous a beaucoup parlé de vous.

Il prit sa main, qu'il garda quelques secondes dans la sienne.

— Vous êtes définitivement de retour à Washington ?

— Oui, monsieur. Je suis heureuse d'être revenue. Et c'est un honneur pour moi de vous revoir. Je vous avais déjà vu quand j'étais petite. Je dois avouer que j'étais terrifiée.

En souriant, il tira une chaise vers elle.

— J'étais si terrible que cela ?

— Non, monsieur. Mais vous étiez le Président. Je venais de perdre mes deux incisives, et je me sentais terriblement godiche. Je me souviens que vous m'avez raconté l'histoire de la dent.

Elle sourit.

— J'étais tombée amoureuse de vous.

— Vraiment ?

Shelby éclata de rire. Alan lui adressa un clin d'œil.

— Vous avez été mon premier amoureux imaginaire. Il a fallu au moins deux ans pour que je vous remplace par Dennis Riley. Mais c'est uniquement parce qu'il avait fière allure dans son uniforme de boy-scout !

Fasciné, Dan écoutait leur entretien sans rien dire. Toute cette agitation et cette chaleur dont Layna faisait preuve brusquement, c'était plutôt inattendu. Sa froideur était encore là, il la sentait sous la surface, mais le charme et la vivacité fleurissaient comme un bouton de rose.

Quand elle riait, c'était comme un murmure à travers le brouillard. Elle était sexy, mais discrète. Il fallait reconnaître que c'était un plaisir de l'observer. Elle avait des gestes doux, qu'elle semblait économiser. Ses cheveux dorés dansaient sur ses épaules, et ses lèvres étaient admirablement dessinées.

— Dan, pour l'amour du ciel ! murmura Myra.

Lui donnant un petit coup de coude, elle continua en murmurant :

— Tu ne l'as pas encore invitée à danser !

— Pardon ?

— Invite Layna à danser, dit-elle en luttant pour masquer son impatience. Tu as oublié les bonnes manières !

— Désolé.

« Bon sang ! » pensa-t-il.

Mais il s'exécuta et effleura l'épaule de Layna.

La jeune fille sursauta et tourna vivement la tête. Leurs yeux se rencontrèrent. Elle l'avait complètement oublié. Affichant un sourire poli, elle se prépara à détourner son attention des parents délicieux sur leur malotru de fils.

— Voulez-vous danser ? interrogea-t-il doucement.

Layna sentit son cœur défaillir. Si Daniel Campbell dansait comme il conduisait, elle aurait de la chance si elle finissait la soirée sans un membre cassé !

— Oui, bien sûr, répondit-elle le plus aimablement possible.

Avec l'impression d'entrer dans une arène, elle se leva et le suivit vers la piste de danse.

Dieu merci, la musique était douce. Avec un peu de chance, son cavalier ne lui marcherait pas sur les pieds.

Il s'arrêta au bord de la piste et la prit dans ses bras.

Layna tressaillit. Mais c'était dû à la surprise, uniquement à la surprise… Qui aurait cru qu'un homme aussi grand pouvait danser avec tant de souplesse ? Elle sentait sa main sur sa taille. Une main qui n'était ni rude, ni maladroite, et qui dégageait une grande virilité. Elle eut un petit frisson. Une mince barrière de soie séparait sa peau nue de cette grande main possessive.

Les lumières scintillaient, dansaient sur son visage, sur sa crinière pas tout à fait apprivoisée. Il avait des épaules puissantes. Et des yeux très bleus.

Layna essaya de se ressaisir. Ce genre de pensées étaient vraiment idiotes ! Mais pourquoi ne trouvait-elle rien à lui dire ? Il fallait pourtant rompre ce silence gênant.

— Vos parents sont merveilleux, finit-elle par dire.

— Je les aime beaucoup, dit-il en plongeant ses yeux bleus dans les siens.

Elle était mince comme un saule, ou comme la longue tige d'une rose. Il observa les lumières qui jouaient sur son visage. Sans s'en rendre compte, il serra un peu plus sa taille. Leurs corps s'accordaient comme les pièces d'un puzzle compliqué.

Layna sentit son pouls accélérer sa course. Sans réfléchir, elle glissa une main sur son épaule, ses doigts effleurant le bas de sa nuque. De quoi parlaient-ils, une minute plus tôt ?

— J'avais oublié à quel point Washington peut être belle au printemps.

— Hmm…

Daniel n'en revenait pas. Le désir montait dans ses reins, se lovait dans son ventre. D'où diable pouvait-il être venu ?

— Je veux faire votre portrait, dit-il d'une voix un peu rauque.

— Mais oui…

Elle ne savait pas ce qu'il avait dit. Tout ce qu'elle savait, c'est qu'une femme pouvait se noyer dans les yeux de Daniel Campbell.

— Je crois que la pluie est annoncée pour demain.

Elle laissa échapper un petit soupir quand il plaqua sa main sur son dos.

— Parfait, marmonna-t-il en la couvant du regard.

S'il penchait la tête, il pourrait embrasser cette bouche. Apaiserait-elle ce besoin soudain qui venait le mordre, ou finirait-elle de l'exacerber ?

La musique s'arrêta brusquement. Quelqu'un les bouscula, faisant éclater la fine bulle de verre qui semblait les entourer.

Ils reculèrent et froncèrent les sourcils en même temps.

— Merci, dit Layna d'une voix redevenue ferme.

— Je vous en prie.

Il la prit par le bras, gardant un contact très léger, très impersonnel. Il voulait la ramener à leur table, la laisser là et s'enfuir jusqu'à ce que son esprit s'éclaircisse.

Layna se laissa guider. Elle voulait s'asseoir rapidement avant que ses jambes ne lui fassent défaut.

3.

Agacé, Dan se retourna pour la vingtième fois dans son lit. Il s'était réveillé à l'aube. Ce n'était pourtant pas ce qu'il avait prévu en se couchant. Il avait décidé de commencer ce dimanche par une grasse matinée, puis de s'offrir un énorme petit déjeuner. Ensuite, il aurait passé quelques heures à son club de gymnastique et il serait resté seul avec un bon livre pendant le reste de l'après-midi, à moins qu'il ne soit allé flâner au festival de blues.

Apparemment, la journée commençait mal.

Il essaya de se rendormir, mais chaque fois qu'il commençait à sombrer dans le sommeil, il se mettait à penser à elle. C'était plus irritant que de se lever tôt.

Il n'avait aucune raison de penser à Layna Drake. L'instant de connexion physique entre eux n'avait duré que l'espace d'un éclair, au sein d'une longue soirée plutôt monotone. Ils s'étaient montrés polis l'un envers l'autre, et sociables. Ils avaient bavardé entre eux et avec d'autres personnes. Rien de particulièrement excitant.

Ensuite, il l'avait raccompagnée chez elle, en prenant soin de conduire moins vite, de négocier les virages en douceur et de freiner sans à-coups. Ils s'étaient séparés après s'être serré la main devant la porte de Layna. Et elle avait été aussi soulagée que lui, il en aurait mis sa main au feu.

C'était donc complètement ridicule de ne cesser de penser à elle ! Cependant, malgré tous ses efforts, il n'arrivait pas à se débarrasser des sensations qu'il avait éprouvées à son contact pendant qu'ils dansaient.

Au fond, l'explication était simple : il était intrigué par son visage, rien de plus. D'un point de vue purement artistique.

Incapable de se rendormir, il partit de bonne heure au club de gymnastique et fit de son mieux pour noyer son impatience dans la sueur. Au bout d'une demi-heure, il avait déjà l'esprit plus clair. Il retourna chez lui avec une faim de loup, prêt à dévorer son petit déjeuner.

Il mit la radio et tourna le volume au maximum. Puis, retroussant ses manches, il se rendit dans la cuisine et déposa des tranches de bacon dans une poêle à frire. Sa bonne humeur était revenue. Il se mit à chanter à tue-tête sur le disque de John Foggerty, tout en préparant des œufs brouillés.

Quand le téléphone sonna, il prit l'appareil d'une main et, de l'autre, fit glisser le bacon dans une assiette.

C'était Daniel MacGregor.

— Tu es enfin revenu ! Baisse un peu la musique, mon garçon, tu vas devenir sourd ! hurla-t-il.

— Attends une minute.

Dan chercha la télécommande. Elle était introuvable, comme chaque fois qu'il en avait besoin. En maugréant, il entra dans le salon pour baisser le volume manuellement. De retour dans la cuisine, il attrapa une tranche de bacon bien croustillante.

— Je suis déjà allé au club et je me préparais à graisser mes artères.

— Des œufs au bacon ?

Daniel MacGregor soupira d'envie.

— Cela me rappelle mes petits déjeuners de célibataire… Ta grand-mère est très stricte. Elle se fait du souci pour mon cholestérol. J'aurai de la chance si j'arrive à voir du bacon en peinture un de ces jours.

— Moi, je me régale, dit Dan d'un ton malicieux.

Il mastiqua bruyamment une tranche bien croustillante.

— Crois-moi, c'est fabuleux, ajouta-t-il.

— Espèce de sadique !

Daniel soupira encore.

— Quand je pense que je t'appelais pour te remercier de m'avoir rendu service hier soir ! Maintenant, j'espère que tu as passé une soirée horrible avec la filleule de Myra.

— Disons que j'ai survécu.

— J'en suis ravi. Je sais que tu as mieux à faire de ton temps. C'est une jeune fille tout à fait charmante, mais ce n'est pas ton type. Nous cherchons quelqu'un qui soit plus proche de toi.

Enfournant l'avant-dernière tranche de bacon, Dan fronça les sourcils.

— Merci, mais je peux chercher moi-même.

— Eh bien, qu'attends-tu ? Au lieu de t'enfermer avec tes tubes de peinture et tes toiles, tu ferais mieux de faire la cour à une jeune femme qui te plaise. Sais-tu que ta grand-mère se fait un sang d'encre en t'imaginant tout seul dans cet appartement, avec ces odeurs chimiques ?

Bien que son grand-père ne puisse pas le voir, Dan secoua la tête. Il était trop habitué à ce genre de remontrance pour prendre la peine de protester. Préférant savourer la dernière tranche de bacon, il grommela :

— Hummm…

— Permets-moi de te dire que ton appartement est un vrai trou à rat. A ton âge, on a besoin d'une belle maison, d'une femme et d'enfants. Mais je ne t'ai pas téléphoné pour te rappeler les devoirs auxquels tu aurais dû penser tout seul. Je voulais te dire que j'ai apprécié ce que tu as fait pour moi. Je sais ce que tu as dû vivre. Cela m'est arrivé, à moi aussi, avant que je ne rencontre ta grand-mère. J'en ai passé des soirées à mourir d'ennui en face d'une fille qui n'avait absolument rien d'intéressant à dire ! Cela dit, il est temps que tu enterres ta vie de garçon. Mais je comprends que tu attendes de trouver l'âme sœur. Une jeune fille qui ait les pieds sur terre et, en même temps, de l'esprit. Tout ce que n'a pas la petite Linda.

— Layna, marmonna Dan.

Il se sentait irrité. Mais pour quelle raison précise, il n'aurait su le dire.

— Elle s'appelle Layna, répéta-t-il la bouche pleine.

— C'est vrai. Drôle de nom, tu ne trouves pas ? Enfin, cette soirée est derrière toi et tu n'auras pas à recommencer. Mais dis-moi, quand vas-tu venir voir ta grand-mère ? Elle se plaint de ne jamais avoir ta visite.

— Je viendrai bientôt.

Dan jeta le restant de bacon dans la poêle. Puis, à sa grande surprise, il s'entendit demander :

— Qu'a-t-elle qui ne va pas, Layna ?

— Qui ?

Dans le bureau de sa maison-forteresse, à Hyannis Port, Daniel couvrit le téléphone avec sa main au moment où il éclatait de rire.

— Layna, répéta Dan entre ses dents. Qu'est-ce qu'elle a qui ne va pas ?

— Oh ! Rien du tout. C'est une jolie fille, bien élevée, si j'ai bonne mémoire. Non, je disais cela parce qu'elle n'est pas pour toi. Elle est plutôt glaciale, tu ne trouves pas ? Comme ses parents. Il est certain qu'elle leur ressemble, ils ne peuvent pas la renier ! Ils sont raides comme des passe-lacets, si je me souviens bien d'eux. Bon, assez bavardé, mon garçon… Je te laisse prendre ton petit déjeuner. Essaie de trouver le temps de venir nous voir avant que ta grand-mère me rende folle.

— Promis, grand-père. Embrasse-la pour moi.

— Bien sûr.

Daniel MacGregor raccrocha et se frotta les mains. Combien de temps son petit-fils allait-il attendre avant d'aller voir la jolie Layna Drake ?

Dan n'avait plus faim. Il posa son assiette dans l'évier, et rangea son carnet de croquis, ses crayons et ses fusains dans une vieille sacoche en cuir qu'il jeta sur son épaule. Il allait marcher, pour prendre le temps de réfléchir. C'était curieux, mais le coup de téléphone de son grand-père l'avait rendu perplexe.

Il soupira. Naturellement, son grand-père avait raison, mais en même temps, c'était un peu agaçant qu'il élimine avec tant d'assurance l'idée de le voir fréquenter Layna Drake. Il passa une main nerveuse dans ses cheveux en bataille. Oui, c'était agaçant, mais pas plus que lorsque Daniel MacGregor jetait à ses pieds les femmes qu'il avait sélectionnées pour son mariage.

Il soupira une nouvelle fois. Dieu merci, il n'avait pas dit son dernier mot. Il choisirait lui-même la femme qu'il épouserait. Si tant est qu'il veuille se marier... Il ne pensait pas à Layna de cette façon. Il voulait seulement dessiner son visage. Et puisque la jeune femme avait plus ou moins accepté, la veille, il valait mieux qu'il s'y mette le plus vite possible. Après quoi, il passerait à autre chose.

Sans qu'il y pense vraiment, ses pas l'amenèrent chez Layna. Elle ne répondit pas quand il sonna à sa porte. Vaguement déçu, il se balança d'un pied sur l'autre et jeta un coup d'œil sur les fenêtres grandes ouvertes, d'où s'échappait un concerto de Chopin. Tendant la main pour sonner encore une fois, il hésita. Ce serait plus malin de sa part d'aller faire quelques croquis dans la rue, mais presque malgré lui, sa main se posa sur la poignée de la porte.

Haussant les épaules, il essaya d'ouvrir. Elle n'était pas fermée à clé. Il entra.

— Layna ?

Il jeta un coup d'œil curieux autour de lui. Elle ne l'avait pas fait entrer, la veille, quand il l'avait raccompagnée. Les murs avaient la teinte chaude du pain légèrement grillé. Un bouquet de tulipes blanches trônait sur une console.

Deux dessins accrochés au mur attirèrent son attention. C'étaient des scènes de rue très vivantes. L'auteur avait un bon coup d'œil

36

pour les détails. S'approchant de l'escalier, il posa une main sur la rampe brillante et leva les yeux vers le premier étage. Layna se trouvait peut-être là-haut ? Mais il allait commencer par la chercher au rez-de-chaussée.

Elle n'était ni dans le salon ni à la bibliothèque. Une odeur de cuir et de rose flottait dans la maison, meublée avec le plus grand raffinement. Dan regarda dans la salle à manger, puis dans la cuisine. Toujours pas de Layna. Apparemment, elle aimait le style classique. Ici et là, quelques taches de couleur rompaient l'aspect traditionnel et bien rangé de son intérieur.

Examinant le rez-de-chaussée, il se fit une bonne idée de ses goûts et de son mode de vie.

Il s'approcha de la fenêtre de la cuisine, qui donnait sur un petit patio bordé de fleurs. Layna était de l'autre côté, occupée à planter en alternance des tulipes blanches et des pensées aux couleurs éclatantes.

Elle portait des gants de jardinier, un chapeau de paille à large bord et un tablier marron sur un pantalon beige et un fin sweater d'été.

Dan eut un sourire amusé. La vue de Layna faisait penser à ces magazines qui vantent le matériel adéquat pour se livrer au plaisir du jardinage. Compétence et élégance…

La lumière était parfaite. Elle filtrait doucement à travers les branches qui commençaient à se vêtir de bourgeons verdoyants. Restant où il s'était arrêté, il traça rapidement trois esquisses sur son carnet de croquis.

C'était étonnant de la voir travailler avec une telle précision. Elle retournait la terre à l'aide de la bêche, puis elle versait un peu d'engrais liquide ; ensuite, elle prenait doucement la plante et la plaçait exactement au centre du trou qu'elle avait creusé, avant de combler le trou avec la terre.

Elle alignait les plants comme des petits soldats.

Se décidant à sortir dans le jardin, il ouvrit la porte et la laissa se refermer derrière lui. Elle claqua.

Layna sursauta. Elle s'était tant concentrée sur ses plantations qu'elle ne l'avait pas vu venir. Stupéfaite, elle lâcha sa bêche et les fleurs voltigèrent.

— Désolé de vous avoir fait peur, dit-il en souriant.

Layna posa une main sur son cœur.

— Que… que faites-vous ici ? Comment êtes-vous arrivé ?

— Par la porte. J'ai sonné, mais vous n'avez pas répondu.

Il posa sa sacoche sur la table en fer qui se dressait au milieu du patio. Un gros livre de jardinage y était ouvert. Il le feuilleta rapidement, puis il se baissa pour ramasser les fleurs.

Layna le fusilla du regard.

— Qui vous a permis de vous introduire chez moi ?

— Vous. Vous avez laissé votre porte ouverte. Je vous avais dit que je passerais, et…

— C'est faux ! objecta-t-elle, de plus en plus irritée.

Une fragrance de savonnette à la lavande l'assaillit. Daniel Campbell avait une odeur troublante, et il se déplaçait comme un grand fauve.

Espérant faire prendre une autre tournure à ses pensées, elle répéta, obstinée :

— Vous ne m'avez rien dit de tel !

— Si, hier soir. A votre place, je planterais celles-ci en parterre rond plutôt qu'en rangées. Et j'en mettrais un peu plus.

Les yeux étrécis, il se pencha brusquement vers elle et prit son menton entre ses doigts.

— Je vous ai dit que je voulais faire votre portrait.

Elle se détourna vivement pour se libérer de ce contact. Son cœur s'était mis à battre précipitamment. Secouant la tête, elle se concentra sur ses plantations, bien décidée à ignorer cet homme, aussi horripilant que troublant. Mais pour qui se prenait-il, à la fin ? Il se croyait tout permis. Il commençait par entrer chez elle sans y être invité, puis il venait la critiquer. Certes, elle était débutante dans l'art de planter des fleurs, mais il aurait pu y mettre les formes ! Et puis, il ne lui avait jamais parlé de cette histoire de portrait !

— Je ne savais pas que vous vouliez faire mon portrait, affirma-t-elle.

— Mais si, rappelez-vous. Nous étions en train de danser. La lumière est très bonne, en ce moment. C'est idéal.

Il se leva pour prendre son carnet.

— Continuez votre travail, si vous préférez.

S'accroupissant sur ses talons, Layna réfléchit.

Il lui avait annoncé cela quand ils dansaient ? Elle n'arrivait à se rappeler qu'une seule et unique chose : pendant qu'elle dansait avec Dan, elle avait été victime d'une crise d'amnésie momentanée. Elle avait tout oublié.

Et maintenant, il était assis au beau milieu du patio, ses jambes immenses allongées devant lui, et il croquait son portrait sans lui demander son avis.

Elle leva les yeux vers lui. Il lui adressa un sourire étincelant.

— Vous n'avez pas besoin de poser. Faites comme si je n'étais pas là !

Elle secoua imperceptiblement la tête. Qu'elle fasse comme s'il n'était pas là ? C'était aussi facile que d'ignorer une gigantesque panthère couchée dans le salon.

— Je n'arrive pas à travailler quand vous me regardez ! Je veux finir de planter ces fleurs avant qu'il se mette à pleuvoir.

— Il ne vous en reste plus qu'une dizaine. Accordez-vous une petite pause.

Du bout du pied, il éloigna l'autre chaise de la table.

— Asseyez-vous, et parlez-moi.

Poussant un soupir, Layna se leva et enleva ses gants.

— N'avons-nous pas constaté que nous n'avions rien à nous dire ? demanda-t-elle, agacée.

— Ah bon ?

Il savait comment faire du charme à un modèle récalcitrant. Il se servait impitoyablement de son sourire.

— Vous aimez la musique, et moi aussi. Parlons musique ! Chopin correspond très bien à votre style.

Fourrant ses gants dans les poches de son tablier, elle rétorqua sèchement :

— Je suppose que le crin-crin des cornemuses correspond parfaitement au vôtre !

Il releva un sourcil amusé et interrogateur.

— Vous avez quelque chose contre la cornemuse ?

Elle souffla un peu bruyamment avant de consentir à s'asseoir.

— Ecoutez, Dan, je ne veux pas être désagréable, mais…

— Vous ne le serez jamais à moins de le faire exprès. Vous êtes trop bien élevée. Hmm… joli sourire.

Il dessinait vite tout en parlant.

— Dommage que vous soyez si mordante, ajouta-t-il.

— Je ne le suis pas… avec les gens que j'apprécie.

Il se contenta de sourire.

— Vous voyez : là, vous avez été désagréable délibérément.

Elle ne put s'empêcher de rire. Mais son rire se transforma en un petit cri de surprise quand il se pencha vers elle pour lui enlever son chapeau.

— Il fait de l'ombre à vos yeux, expliqua-t-il en le posant sur la table.

— C'est bien pour cela que je le porte, rétorqua-t-elle.

L'examinant d'un air scandalisé, elle s'appuya contre le dossier de la chaise.

— Corrigez-moi si je me trompe, mais il me semble que nous n'avons pas précisément trouvé de terrain d'entente entre nous.

Il hocha la tête.

— Et alors ?

Elle ouvrit la bouche, mais la referma aussitôt. C'était ridicule de se sentir insultée parce qu'il paraissait d'accord avec elle sur ce point précis.

— Et alors, que faites-vous ici ? Cela rime à quoi, que vous soyez venu faire mon portrait ?

— Votre visage m'intéresse. Il est énergique, mais d'une énergie toute féminine. Des yeux attirants, une architecture classique. Je n'ai pas besoin d'être personnellement attiré par une femme pour faire son portrait.

— J'apprécie votre franchise, dit-elle froidement.

— Non. Je vous ai énervée.

Il tourna une page et commença une nouvelle esquisse.

— C'est une réaction bien féminine. Vous êtes irritée parce que nous sommes d'accord sur le fait que je ne suis pas plus votre type que vous n'êtes le mien. Cela ne m'empêche pas de vous trouver belle, parce que vous l'êtes. Tournez un peu la tête à gauche. Il faut que vous releviez vos cheveux.

Joignant le geste à la parole, il se pencha vers elle et passa une main légère sur sa joue. Paralysée, Layna retint son souffle tandis que son cœur recommençait à tambouriner dans sa poitrine. Brusquement, les rayons filtrés du soleil étaient trop chauds. Elle avait la gorge sèche. Furieuse contre elle-même, elle lutta pour se ressaisir. Elle était vraiment stupide, avec ses réactions instinctives.

— Vous avez une peau magnifique, dit-il doucement, d'une voix un peu lointaine.

Faisant glisser ses doigts jusqu'à son menton, il les promena sur le contour de sa joue. Puis il descendit sa main sur son cou. Le pouls de Layna battait furieusement. Il voulait l'embrasser là, à cet endroit précis, pour le sentir palpiter sous ses lèvres.

Prenant sur lui, il se redressa et s'empara d'un fusain. Cependant, ses doigts paraissaient aussi engourdis que son cerveau. Comment diable allait-il arriver à dessiner ?

Layna s'éclaircit la voix.

— Je croyais que… que vous faisiez de la peinture abstraite…

— Je peins selon mon inspiration. Je peins ce qui m'intéresse.

Il plongea un regard pénétrant dans le sien et se mit à dessiner.

— Apparemment, vous m'intéressez. Sur un certain plan.

Layna se redressa. Il fallait absolument qu'elle se détende !

— Il y a deux ou trois ans, vous avez fait une exposition à New York. Je ne l'ai pas vue, mais j'en ai entendu parler par une amie.

— Ce n'est pas grave que vous ne l'ayez pas vue. De mon côté, je fais rarement mes achats chez Drake's…

Layna laissa échapper un petit rire. Fasciné, Dan la dévora des yeux.

— Bien, je suppose que nous avons assez échangé d'insultes subtiles… Et maintenant ?

— Nous pourrions essayer de faire la conversation. Etes-vous contente d'être revenue à Washington ?

— Très. J'ai toujours aimé cette maison, ce quartier.

Jetant un coup d'œil sur les pensées qu'elle venait de planter, elle fronça les sourcils.

— Croyez-vous vraiment que j'aurais dû les planter autrement ?

— Pardon ? Ah, vous parlez des fleurs… Je voulais dire que vous devriez faire des rangées moins alignées, les planter d'une façon désordonnée. Un peu comme ce que Monet avait fait dans son jardin de Giverny.

— Oui, vous avez raison.

Elle fit une pause. Son regard s'adoucit et un sourire léger se dessina sur ses lèvres tandis qu'elle imaginait le résultat.

— J'ai tendance à suivre les directives que l'on me donne quand j'apprends. De cette façon, on risque moins de faire des erreurs.

Elle inclina légèrement la tête sur le côté. Les taches de lumière scintillaient sur son visage, le rendant de nouveau rêveur et doux.

— Mais vous, vous considérez les choses d'un œil d'artiste. Et je ne pense pas que vous craigniez de faire des erreurs.

— En principe, non.

Il soupira. Cette fois, il avait bien peur d'en commettre une. Pourquoi s'était-il lancé dans le portrait de Layna Drake ? Et pourquoi tout, ici, était-il envoûtant : la lumière, la musique, et l'air qui transportait une odeur de terre retournée et de fleurs fraîches ?

— Je prépare soigneusement mon travail et je dévie rarement du projet que je me suis fixé, dit-il.

Elle hocha vaguement la tête. Quelque chose en lui la tentait de se jeter impulsivement dans une folle aventure, l'exigeait presque. Elle imaginait que ce voyage serait aussi fou et aussi rapide que le trajet qu'ils avaient fait la nuit précédente.

Le genre de trajet où une femme risquait de tomber de très haut, et de se faire très mal…

Dan rangea ses pinceaux et ses couleurs dans sa sacoche.

— Bon, ce sera suffisant pour aujourd'hui, décréta-t-il.

Il voulait partir avant de se conduire de façon stupide. Avant de toucher de nouveau Layna, par exemple.

— Je vous remercie, dit-il d'un ton bref.

— Je vous en prie…

Elle se leva en même temps que lui, bien décidée à le raccompagner. Mais elle ne bougea plus, et il resta planté là, à moins de un mètre d'elle. C'était une situation extrêmement inconfortable, et dangereuse. Comme s'il devinait ses pensées, il dit d'un ton un peu brusque :

— Ne me raccompagnez pas, je connais le chemin.

Sans la regarder, il fit un pas vers la porte. Il savait bien que si elle rentrait dans la maison avec lui, il ne pourrait s'empêcher de faire ce geste stupide. Et que ce serait peut-être pire. Peut-être l'attirerait-il contre lui, et goûterait-il longuement sa bouche pulpeuse. Et arrivé là, il ne pourrait sans doute plus s'empêcher de prendre encore beaucoup plus, pendant que la musique de Chopin continuerait à résonner autour d'eux. S'éclaircissant la voix, il marmonna :

— Très bien… Euh… Au revoir. Et merci.

— Au revoir.

Il attrapa sa sacoche et se dirigea vers la maison. Il était sur le point d'y entrer, quand une force irrésistible l'obligea à se retourner. Les cheveux inondés de soleil, Layna était encore debout au milieu du jardin, ses grands yeux verts et rêveurs fixés sur lui.

— Il y a une exposition Dali qui commence mercredi au Smithsonian Institute. Je vous prendrai à 19 heures, dit-il.

Layna resta stupéfaite. Elle avait envie de crier : « Non ! Certainement pas ! » Mais au lieu de cela, elle s'entendit répondre :

— D'accord. C'est une très bonne idée.

Hochant la tête, il se précipita dans la maison et rejoignit la porte d'entrée.

Ce n'est qu'en la franchissant qu'il commença à se traiter de tous les noms.

4.

Il avait une dizaine de raisons valables pour annuler ce rendez-vous. Il aurait préféré aller seul à l'exposition. En général, c'est ce qu'il faisait. C'était la façon la plus sûre de se concentrer sur ce qu'il voyait. Ensuite, il aurait peut-être rencontré une femme intéressée par l'art moderne, avec laquelle il aurait terminé la soirée en discutant autour d'un verre ou d'un dîner tardif.

Dan soupira. Oui, il avait l'habitude de faire les choses ainsi.

Mais il n'annula pas ce rendez-vous. Ni le suivant. C'était stupéfiant, mais il appréciait la compagnie de Layna. Cela n'avait aucun sens. Elle n'aimait que l'art figuratif, elle préférait voir sur les toiles des choses qu'elle pouvait reconnaître.

Ils se retrouvèrent en train de discuter âprement devant un café fumant ou un verre de vin. Sans savoir comment, ils avaient réussi à se donner trois rendez-vous, de la manière la plus civilisée qui soit. Dan releva un sourcil étonné. Layna était-elle aussi stupéfaite que lui de voir qu'ils appréciaient mutuellement leur compagnie ?

Et aujourd'hui, ils en étaient à leur quatrième rendez-vous. Le quatrième en deux semaines. Il n'en revenait pas. Il fallait bien reconnaître que c'était plutôt... *inattendu*, et pour le moins bizarre.

Reculant devant une toile, il continua de l'examiner. Il travaillait souvent l'aquarelle quand il changeait de sujet. Il n'avait pas eu l'intention de faire un portrait. Les esquisses qu'il avait faites d'après

Layna n'avaient été qu'un exercice. Mais elles l'avaient taraudé jusqu'à ce qu'il se rende et qu'il prenne son pinceau.

Il hocha légèrement la tête. L'aquarelle serait parfaite pour Layna. Des tons froids, des lignes douces. Il n'avait pas choisi une esquisse de son sourire. Il avait été attiré par cette étude rapide de Layna regardant droit devant elle, une expression grave sur le visage, le regard lointain.

Il soupira. En réalité, il s'en rendait compte maintenant, c'était l'expression d'une femme mettant un homme au défi de briser la glace pour trouver la chaleur. Mais s'il relevait le défi, que se passerait-il ensuite ? Serait-ce un éclair ou un frisson ? Une lente combustion ou une explosion ?

Il ne cessait de se répéter mentalement ces questions. C'était à devenir fou. Mais c'était excitant, aussi.

Le fait de la peindre de cette façon était à la fois intrigant et frustrant. *Il fallait qu'il sache.* Il ne pourrait jamais rendre ce visage vivant s'il ne savait pas ce qui se cachait derrière.

Oui, il venait enfin de comprendre cela. Soulagé, il se détendit tandis que les coins de sa bouche se relevaient imperceptiblement. Naturellement, c'était cela, la raison pour laquelle il n'avançait pas. Il voulait la peindre, mais c'était impossible tant qu'il ne la connaîtrait pas mieux.

Il poussa un grand soupir de satisfaction. Posant son pinceau, il se servit un fond de café froid. Alors qu'il commençait à le siroter, la sonnerie de la porte d'entrée retentit. Il se précipita pour ouvrir. Sa mère se tenait sur le seuil, un large sourire aux lèvres.

— Je te dérange dans ton travail, dit Shelby.

— Pas du tout, je fais une pause-café.

D'un seul bras, il la serra contre lui.

— Je suis obligé de t'en préparer, ajouta-t-il en riant. Celui que je bois est froid, et je n'ai qu'un fond de tasse.

Shelby se mit à rire à son tour.

— Cela m'apprendra. Quand j'ai su que tu revenais t'installer ici, je m'étais pourtant promis de ne jamais passer chez toi à l'improviste.

Elle sourit affectueusement et le suivit dans la cuisine.

— Mais Julia m'a envoyé de nouvelles photographies de Travis, et ton père n'est pas à la maison. Il fallait absolument que je les montre à quelqu'un !

— Tu as eu une bonne idée. Fais voir !

Dan poussa de l'autre côté de la table une pile de courrier qu'il n'avait pas encore ouvert, quelques assiettes sales et un carnet de croquis. Sa mère sortit un paquet de photos de son sac et le lui tendit.

— Regarde-les pendant que je m'occupe du café ! dit-elle.

Elle parcourut la cuisine d'un regard effaré. Décidément, son fils avait un mode de vie qui correspondait point par point à l'idée qu'on se faisait des artistes. Mais après tout, si cela lui convenait, elle n'y voyait aucun inconvénient.

— Bon sang, il est magnifique, tu ne trouves pas ? s'exclama Dan.

— Il te ressemble beaucoup quand tu avais son âge.

— Ah oui ?

Dan sourit. C'était stupide, mais il était ravi. Il leva les yeux de la photo où son neveu arborait un large sourire édenté.

— Ces gènes MacGregor, tout de même ! dit Shelby en imitant Daniel. C'est vraiment une bonne lignée !

Elle sourit.

— A propos de MacGregor, as-tu des nouvelles récentes de Daniel ?

— Oui. Il m'a téléphoné avant-hier. Il voulait me remercier de lui avoir rendu un petit service, l'autre soir, et il m'a encore dit que je devrais aller les voir plus souvent. Il paraît que grand-mère se fait de nouveau du souci.

Le rire de Shelby se mêla au bruit du moulin à café.

— A l'entendre, on pourrait croire qu'Anna passe ses journées à se morfondre !

Elle versa le café dans le filtre et inclina la tête.

— Quel service lui as-tu rendu ? interrogea-t-elle d'un ton léger.

Continuant à regarder les photos, il répondit d'un air distrait :

— Layna Drake. Tante Myra voulait que je l'accompagne à la fête de charité. Elle l'a demandé à grand-père.

Shelby se mordilla l'intérieur de la joue pour ne pas éclater de rire.

— Vraiment ? Et tu l'as cru ? Tu es devenu bien crédule !

— Hein ?

Il cligna des paupières.

— Non, maman, détrompe-toi, ce n'est pas sa mise en scène habituelle pour que ses petits-enfants se marient et lui fassent des bébés ! Il pense qu'elle n'est pas du tout mon genre. Il m'a dit tout de suite qu'il avait accepté pour que Myra lui fiche la paix.

Shelby ouvrit la bouche et la referma aussitôt. Une lueur amusée dans les yeux, elle observa son fils. Décidément, Dan était plus naïf qu'elle n'aurait cru !

— Je vois… Et toi, comment l'as-tu trouvée ?

— Elle est très bien. Beau visage. Je veux faire son portrait.

— Tu vas…

Shelby faillit lâcher les tasses qu'elle venait de sortir du placard.

— Mais tu ne fais jamais de portraits !

— Si, parfois.

Dan était très absorbé par les photos. Il voulait en choisir une qui lui servirait de modèle pour peindre le portrait du petit Travis. Ce serait un cadeau pour sa sœur.

Ouvrant la bouche pour parler, Shelby préféra une fois de plus rester silencieuse. En effet, Dan avait déjà peint quelques portraits.

Mais uniquement de la famille, de personnes qui comptaient beaucoup pour lui.

Layna Drake, à quel point comptait-elle pour lui ?

— Tu lui as demandé de poser pour toi ?

— Non, je travaille d'après des esquisses.

— Alors, tu l'as revue.

— Deux ou trois fois.

Il leva les yeux sur Shelby.

— Pourquoi ?

— Pour rien. Je te demande cela par pure curiosité ! Je connais un peu ses parents. J'ai l'impression qu'elle ne leur ressemble pas du tout.

— A ton avis, c'est plutôt bien ou plutôt dommage ? demanda-t-il avec un geste nerveux. Elle ne semble pas avoir envie de parler de sa famille.

— Eh bien…

Shelby se retourna et s'appuya contre le comptoir.

— Je dirais que ce sont des gens assez superficiels. Quant à elle, elle me semble avoir un peu plus de consistance, sous ses apparences flatteuses. Personnellement, je préfère les demi-teintes. Pas toi ?

— Oui…

Dan sourit.

— C'est exactement ce que je cherche pour son portrait. C'est bizarre, mais je l'aime bien, je ne sais pas pourquoi.

— Elle n'est pas comme les femmes que tu as l'habitude de fréquenter.

Le front de Dan se rembrunit, à la façon typique des MacGregor. Shelby s'empressa d'ajouter :

— Mais je ne m'en plains pas ! Ce n'est pas non plus une critique. Je ne fais que constater. Les femmes que tu fréquentes ont le genre bohème, ou flamboyant. Layna Drake n'a ni l'un ni l'autre.

— J'ai seulement dit que je l'aimais bien, rectifia Dan un peu plus sèchement qu'il n'en avait l'intention.

Regardant Shelby, il se radoucit et prit un air malicieux.

— On m'a dit que ma mère avait été une bohémienne flamboyante dans sa jeunesse !

Shelby releva ses fins sourcils arqués et joua le jeu. Les yeux pétillants, elle répondit :

— Hmm… j'en ai entendu parler. Mais qu'est-elle devenue ?

— Son style est devenu à la mode, et c'est elle qui a gardé la première place dans mon cœur.

— Oh…

Touchée et ravie, elle s'approcha de son fils et appuya la joue sur sa tête.

— Je suis si heureuse que tu sois revenu à Washington, là où je peux me faire croire à moi-même que je passe chez toi par hasard, dit-elle en riant.

Dan rit à son tour.

— Papa aussi prétendait passer ici par hasard hier, dit-il en riant.

Il lui enlaça la taille et la serra contre lui.

— Continuez comme cela, tous les deux, murmura-t-il.

Elle poussa un petit soupir.

— Nous ne voulons pas devenir envahissants.

— Vous ne l'avez jamais été. Mais vous êtes toujours avec moi, même quand vous n'êtes pas présents.

Elle l'embrassa tendrement sur les cheveux, puis elle se dégagea et versa le café dans les tasses.

Dan brandit une photographie de Travis.

— Est-ce que je peux garder celle-ci ?

— Bien sûr. Je peux voir tes croquis ?

Ravi, il hocha la tête. Elle feuilleta lentement le carnet, jusqu'à ce qu'elle trouve les esquisses de Layna.

— Elle est très jolie, murmura-t-elle.

Elle eut un petit soupir.

— Et apparemment elle te plaît beaucoup.

— Disons qu'elle a un visage intéressant.

Shelby tourna son regard vers lui. Le soutenant sans ciller, il haussa les épaules.

— Grand-père a raison, elle n'est pas du tout mon genre.

— Oui, il est rare que Daniel MacGregor se trompe.

Un sourire mystérieux aux lèvres, elle s'assit en face de lui et resta songeuse. Ce Daniel MacGregor était rusé comme un renard. A l'heure qu'il était, il devait déjà être en train d'organiser la cérémonie de mariage !

Shelby sirota son café. Jetant un coup d'œil à sa montre, elle poussa un petit cri.

— Mon Dieu, il est temps que je parte ! J'ai une foule d'emplettes à faire.

Elle finit sa tasse et se leva. Entre deux achats, elle jetterait un coup d'œil sur les journaux. Il y avait certainement des critiques sur l'exposition de son fils.

L'assistante de Layna passa la tête par la porte du bureau. Posant sur sa supérieure hiérarchique un regard rempli d'admiration, elle murmura avec déférence :

— Madame Drake, il y a une Mme MacGregor qui veut vous voir.

Layna leva les yeux de son catalogue d'échantillons.

— MacGregor ? répéta-t-elle, étonnée. Shelby MacGregor ?

— Oui, l'ex-première dame des Etats-Unis. Elle est à l'accueil. Je n'arrive pas à le croire.

— Oh...

Emue, Layna passa une main agitée dans ses cheveux. Vérifiant si son bureau était en ordre, elle ordonna :

— Faites-la entrer.

Elle se leva rapidement, lissa sa robe, rajusta sa veste et frotta ses lèvres l'une contre l'autre. Apparemment, elles n'avaient plus de rouge. Tant pis, elle n'avait pas le temps d'en remettre, car Shelby entrait déjà dans son bureau.

— Madame MacGregor… Quel plaisir de vous voir !

— Je suis désolée de vous déranger dans votre travail, mais je faisais quelques courses dans le quartier, et j'ai eu l'idée de vous rendre une petite visite.

— Je suis ravie. Mais asseyez-vous, je vous en prie ! Puis-je vous offrir quelque chose ? Un café ? Un thé ?

— Non, je vous remercie.

En souriant, Shelby s'assit sur une chaise capitonnée à haut dossier. Sans cesser de sourire, elle examina discrètement la jeune femme et son lieu de travail. A en juger par ce qu'elle voyait, Layna avait des goûts classiques, teintés de notes originales qui apportaient beaucoup de chaleur.

— Je ne vais pas vous faire perdre votre temps, dit-elle d'une voix très douce. Je cherche des vêtements simples. Vous avez une très belle collection pour cette saison.

— Merci. Je commence déjà la collection d'automne.

Essayant de cacher sa surprise, Layna souriait.

— Le tissu écossais revient en force cette année.

— Voilà qui plairait à mon beau-père. Vous ne le connaissez pas, je crois ?

— Si, je suis allée le voir à Hyannis, l'automne dernier. J'accompagnais ma marraine. Elle ne voulait pas faire le voyage toute seule. Il a une maison fantastique, et votre belle-famille est vraiment adorable.

— C'est vrai.

L'air pensif, Shelby hocha la tête. Le complot commençait à prendre forme. Sans quitter Layna des yeux, elle déclara :

— De tous ses petits-enfants, c'est Dan qui ressemble le plus à Daniel MacGregor.

Une petite lueur s'alluma dans les yeux de Layna tandis que ses joues se coloraient légèrement.

Shelby soupira silencieusement. Seigneur ! Cette petite avait mordu à l'hameçon. De sa voix la plus ferme possible, Layna reprit :

— J'ai l'impression qu'ils sont très exubérants, tous les deux.

Shelby se mit à rire.

— Comme tous les MacGregor. Ils sont exigeants, charmants, frustrants, généreux. Depuis que je suis mariée à l'un d'eux, je peux dire que le mot « ennui » a disparu de mon vocabulaire. Il est remplacé très souvent par le mot-clé « chaos ».

— Vous devez affronter le chaos avec beaucoup de succès, commenta Layna en souriant.

— Oh, Layna, j'adore le chaos !

En riant, Shelby se leva.

— J'aimerais beaucoup que nous déjeunions ensemble un de ces jours.

— Je serais ravie, moi aussi.

— Eh bien, je vais consulter mon agenda et nous fixerons un rendez-vous.

Shelby prit sa main et la garda un instant dans les siennes.

— Quand l'homme est exubérant, dit-elle, la femme doit être intelligente et habile. Vous me faites l'effet d'une femme intelligente et habile, Layna.

— Oh… merci.

— Je vous téléphonerai très bientôt, dit Shelby en se dirigeant vers la porte.

Elle sortit d'un pas alerte, un sourire sur les lèvres. Elle allait d'abord appeler son beau-père, le rusé Daniel MacGregor. Elle commencerait par lui reprocher de se mêler de la vie de son petit-fils, et ensuite elle lui dirait qu'elle approuvait entièrement son choix.

Elle rit sous cape. Voilà qui allait désarçonner ce vieux diable de Daniel… Assez longtemps, il fallait l'espérer, pour que Dan et Layna se rendent compte qu'ils étaient amoureux l'un de l'autre.

*
* *

Les clubs surpeuplés et bruyants le stimulaient. Dan aimait s'y arrêter parfois. Il écoutait la musique, observait le va-et-vient des clients. Mais, surtout, il devinait leurs émotions et leurs pensées. Quand il venait dessiner dans un établissement comme le Blues Corner, il ne croquait ni des visages ni des corps, mais des sentiments.

Subjuguée, Layna l'observait. Il donnait de grands coups de crayons qui laissaient des balafres sur son carnet. On aurait dit qu'il voulait le taillader. Elle ne comprenait pas cette manière de dessiner, mais c'était fascinant. Aussi fascinant que l'homme qui créait ces dessins.

Adossé au mur, il portait un jean et un T-shirt noirs. Ses cheveux, qu'il avait rejetés en arrière, étaient attachés avec une fine cordelette de cuir. Les lampes jetaient dans la salle une lumière bleutée, que la fumée rendait floue. Il n'y avait plus une seule place libre autour des tables. Sur l'étroite scène, un jeune homme aux cheveux longs jusqu'aux épaules grattait nonchalamment une guitare. A côté de lui, un saxophoniste poussait des notes aiguës sur son instrument, tandis qu'un pianiste très maigre donnait le rythme.

Perchée sur un haut tabouret, une vieille femme noire au visage ridé comme une pomme chantait les misères de l'amour, d'une voix à la fois douce et rugueuse.

Layna ne comprenait pas plus cette musique que les dessins de Dan. Cependant, ces airs touchaient une corde sensible au fond d'elle-même. Ils la rendaient triste. Mais en même temps, cette musique donnait l'impression que l'amour valait la peine d'être vécu, malgré toute la douleur qu'il engendrait.

Soupirant imperceptiblement, Layna sirota son vin. Avec une petite grimace, elle posa son verre sur la table. Le mot « vin » ne devait pas avoir la même signification pour elle et pour les tenanciers de ce club. Elle glissa un regard vers Dan. Il lui avait très peu parlé, depuis qu'il l'avait amenée dans ce lieu. Elle se redressa. Que faisait-elle ici, au juste ? Pourquoi avait-elle accepté l'invitation de Daniel Campbell ?

Fronçant les sourcils, elle se fit une promesse : c'était la première et la dernière fois qu'elle venait dans ce club, où elle se sentait complètement déplacée.

Battant la mesure avec le pied, elle ravala une boule qui s'était formée dans sa gorge. La voix de velours de cette chanteuse lui déchirait le cœur.

— Elle est merveilleuse, n'est-ce pas ? dit Dan.

Layna hocha la tête sans rien dire. Avec la fumée de la table voisine qui flottait autour de sa crinière bouclée, Daniel Campbell ressemblait à une espèce de dieu bohémien. Et comment ignorer les muscles sinueux de ses bras, soulignés par les manches de son T-shirt ? D'une voix un peu rauque, elle répondit :

— Oui, mais pourquoi faut-il que cette musique soit si triste ?

— Le blues atteint en profondeur. Il s'empare de ce qui fait souffrir. Mais ensuite, il laisse souvent le cœur plus léger.

— Ou en mille morceaux, murmura-t-elle.

Il leva les yeux de son carnet de croquis, qu'il posa sur la table.

— La musique est censée toucher ceux qui l'écoutent, les mettre dans un certain état d'âme.

— Etes-vous en train de dessiner des états d'âme ?

— Oui. Et la musique.

La dévorant des yeux, il inclina légèrement la tête sur le côté. Layna avait enroulé ses cheveux en chignon sur sa nuque. Cette coiffure la changeait beaucoup, la faisant paraître plus fragile.

— Et vous, comment vous sentez-vous, Layna ?

— Très détendue.

— Vous ne paraissez jamais vraiment détendue. Savez-vous à quoi vous ressemblez ?

— Non, mais je vais bientôt le savoir.

— A un être parfait. Un peu trop parfait. Je ne vous ai jamais vue un peu décoiffée.

Impulsivement, il tendit la main. D'un geste rapide, il détacha la pince qui retenait ses cheveux.

— Voilà. Vous êtes un peu moins parfaite, maintenant.

— Pour l'amour du ciel !

Elle passa des doigts affolés dans ses cheveux puis elle tendit la main pour récupérer sa pince.

— Rendez-la-moi !

— Certainement pas ! Je préfère mille fois vous voir avec les cheveux défaits.

En souriant, il les ébouriffa doucement.

— Cela vous va très bien. Ils sont juste un peu en désordre. C'est très sexy. Surtout avec cet éclair de colère dans vos yeux et cette moue boudeuse sur vos lèvres.

— Je ne boude jamais !

— Vous ne voyez pas votre bouche en ce moment !

Il attarda son regard brillant sur ses lèvres. Layna sentit son cœur battre plus vite.

— J'aime vraiment votre bouche, murmura-t-il. En fait…

— Attendez !

Elle posa une main sur son torse. C'était ridicule, elle le savait. Ne s'était-elle pas demandé pourquoi il ne l'avait pas encore embrassée ? Et ce qu'elle éprouverait quand il se déciderait à le faire ? Mais maintenant, elle en avait presque peur. Elle devait rassembler toutes ses capacités défensives, si elle voulait survivre.

— Nous avons déjà beaucoup attendu, dit-il doucement.

Refermant une main sur la sienne, il posa l'autre sur sa nuque.

— Nous devons passer par là tôt ou tard. Voir ce qu'il y a entre nous. Ou ce qu'il n'y a pas…

Il baissa la tête et prit sa lèvre inférieure entre ses dents.

— Voyons dans quel état d'âme nous sommes, dit-il.

Il prit lentement sa bouche. Il voulait absorber son goût, sa texture, ses mouvements. Un goût « sombre », avec un soupçon de vin frais, léger. Texture douce. Mouvements fluides.

Il en voulait davantage.

Entrouvrant les lèvres, Layna poussa un petit gémissement qui vibra avec les trémolos du saxophone. Il la sentit bientôt trembler dans ses bras.

Dieu du ciel, pourquoi avait-il attendu si longtemps ? L'attirant plus près, il approfondit son baiser. Plus rien n'existait autour de lui.

Layna avait le vertige. Elle se noyait dans ces bras si forts, et pourtant si doux. Brusquement, l'air était devenu trop dense pour qu'elle puisse respirer, et la musique s'insinuait dans ses veines, communiquant à son pouls un rythme effréné.

Elle ne s'était pas attendue à cela. Elle avait eu beau réunir tout son arsenal de défense, elle se retrouvait impuissante face à cet assaut. L'esprit embrumé, elle se tendit comme un arc. C'était bon et douloureux à la fois.

Dan fit un violent effort pour se dominer. Il devait se rappeler l'endroit où ils se trouvaient. La main de Layna était encore dans la sienne.

— Et maintenant, Layna, allons-nous finir ce que nous avons commencé, ou nous arrêter là ?

— Je ne sais pas…

Comment pouvait-il attendre d'elle une décision rationnelle, alors qu'il lui faisait complètement tourner la tête ?

— Si vous me laissez prendre la décision…

Il lui adressa un sourire charmeur avant de se pencher encore sur elle et d'effleurer ses lèvres.

Layna recula.

— Non, non…, dit-elle vivement. Il faut que nous prenions du recul pour avoir une vue d'ensemble sur la situation.

— Hmm… Je vois deux adultes libres comme l'air, et qui ont une forte attirance l'un pour l'autre.

— Moi, je ne sais pas très bien ce que je vois, pour l'instant.

Totalement paniquée, elle attrapa son sac de soirée, se leva et se précipita vers la sortie.

5.

Dan la rattrapa sur le trottoir. Il bouillonnait d'impatience et de désir. La saisissant sans ménagement par le bras, il la fit pivoter sur ses talons.

— Attendez ! Où est le problème ? Vous n'aviez qu'à me dire : « Non merci, cela ne m'intéresse pas », au lieu de vous enfuir.

Brusquement furieuse d'être échevelée, elle rejeta ses cheveux en arrière.

— Eh bien, non merci, cela ne m'intéresse pas ! répéta-t-elle.

— Menteuse !

— Idiot !

Se libérant, elle partit à grandes enjambées. Comme Dan la suivait, elle allongea encore le pas.

— On ne peut pas dire que vous vous soyez débattue, tout à l'heure, fit-il remarquer.

Lui jetant un regard noir, elle prit une profonde inspiration. Elle n'allait pas se donner en spectacle devant la foule qui se pressait aux terrasses des cafés. Rien au monde ne la pousserait à se ridiculiser en faisant une scène à cet individu.

De sa voix la plus glaciale, elle rétorqua :

— C'était surtout de la curiosité de ma part. Maintenant, ma curiosité est satisfaite. Au revoir et merci !

— Excusez-moi, mais il me semble que je suis un peu concerné par votre petite expérience. Je vous ai sentie fondre dans mes bras comme neige au soleil.

— Ce n'était rien d'autre qu'un simple baiser, dit-elle entre ses dents.

Un vent de panique souffla de nouveau en elle. Il fallait que ce soit un simple baiser, qui ne tire pas à conséquence. Elle ne voulait plus éprouver ce qu'elle avait éprouvé, ni désirer ce qu'elle avait désiré.

— Un simple baiser, c'est ce que vous donnez à votre grand-mère le jour de son anniversaire, insista-t-il sur un ton persifleur.

Changeant son sac d'épaule, il fronça les sourcils. Pourquoi s'obstinait-il ? Quand une femme déclenchait le signal « arrêt », il fallait freiner et s'arrêter. Fin de l'histoire.

Mais bon sang, il avait encore le goût de sa bouche sur les lèvres…

— Layna, dit-il doucement en posant une main sur son bras.

Elle le repoussa.

— Je ne me laisserai pas mettre au pied du mur de cette façon.

— Vous vous mettez au pied du mur vous-même. Si vous vouliez rester tranquille une minute…

Layna se mit presque à courir. Il poussa un juron.

— Ecoutez-moi !

La prenant par les deux bras, il l'obligea à s'arrêter et l'examina d'un regard pénétrant. Elle avait les joues trop pâles. Et au fond de ses yeux, il y avait plus d'affolement que de colère.

— Vous avez peur. Je vous ai effrayée, dit-il en secouant la tête.

Cette constatation aurait dû le désoler, mais ce n'était pas le cas. Il avait plutôt envie de sourire.

— Je vous imaginais plus courageuse.

Layna tressaillit. Pour la première fois de sa vie, elle eut envie de frapper un être humain.

— Cette conversation ne m'intéresse absolument pas ! Si vous voulez bien m'excuser, je rentre chez moi !

— Nous pouvons en finir avec cette conversation et passer à autre chose, suggéra-t-il malicieusement.

Haletante, elle voulut se libérer. Elle ressentait maintenant une excitation teintée de peur, qui faisait battre son cœur beaucoup trop vite.

— Je… je ne veux pas, souffla-t-elle.

Mais les lèvres de Dan étaient déjà sur les siennes. Pas pour une exploration paresseuse, cette fois. Il ne s'agissait plus d'une tentative de séduction lente et douce. Sa bouche possessive était devenue conquérante, dévorante. Une fois de plus, Layna se sentit fondre. Un feu d'artifice éclata derrière ses paupières closes tandis qu'une chaleur torride l'envahissait tout entière. Elle ne pouvait faire qu'une chose : s'agripper à Dan, et chevaucher avec lui cette vague déferlante.

La tête renversée, elle lui rendit son baiser au centuple. Elle sentait le cœur de Dan battre violemment contre le sien. Il émit bientôt une espèce de râle et la serra dans ses bras, goûtant longuement ses lèvres pulpeuses au parfum enivrant. Sans s'en rendre compte, il la souleva de terre. Jamais il n'avait perdu de vue sa propre force. Mais, cette fois, il avait perdu la tête. C'était effrayant.

Il la reposa sur ses pieds et fit deux pas en arrière. S'éclaircissant la voix, il murmura :

— Je crois que, maintenant, la balle est dans votre camp.

Et il tourna les talons.

Pendant des jours, Dan se traita de tous les noms. Il voulait absolument présenter des excuses à Layna, mais il n'arrivait pas à se décider.

Un matin, après une nuit blanche parmi tant d'autres, il prit une ferme décision : désormais, il allait éviter de penser à elle. C'était la seule solution satisfaisante. Il ne voulait pas s'impliquer dans une relation sentimentale qui lui ferait perdre sa chère liberté. Soulagé d'avoir pris cette décision, il se mit au travail avec une ardeur décuplée. Mais au bout de quelques heures, la pensée de Layna s'insinua de nouveau dans son esprit. Et aussitôt il devint d'une humeur massacrante.

Le lendemain, il reçut un appel téléphonique de son père : ses grands-parents venaient leur rendre une courte visite. C'était parfait ! Voilà qui allait lui changer les idées. Il les aimait tendrement. Et il pourrait repartir avec eux vers le nord, pour passer quelques jours en compagnie de Julia, de Cullum et de leur fils Travis. Il en profiterait aussi pour revoir d'autres cousins qu'il avait un peu perdus de vue depuis quelque temps. Oui, c'était une excellente idée.

Rasséréné, il esquissa un sourire. C'était un des avantages de sa vie de célibataire, un avantage qui n'avait pas de prix : il pouvait emballer quelques toiles, des pinceaux et ses tubes de couleur, et partir quand bon lui semblait. Cette constatation lui rendant le cœur plus léger, il se mit à sifflotter joyeusement. Oui, la dernière chose dont il avait besoin, c'était une femme accrochée à ses basques. Dieu sait que Layna Drake était le genre de femme à lui compliquer sérieusement la vie. Sans parler du fait qu'elle devait avoir besoin d'un argent fou, sophistiquée comme elle était.

Une petite brise se leva, apportant les effluves des dernières fleurs de cerisiers.

De l'autre côté de la rue, une jeune fille brune aux longues jambes fuselées, vêtue d'un short et d'un long T-shirt, passa d'un pas vif en tenant au bout d'une laisse un labrador noir au poil lustré. Elle tourna la tête et lui décocha un sourire engageant. Sans réagir, il la regarda s'éloigner. Elle lui jeta un coup d'œil par-dessus son épaule, renouvelant sa silencieuse invitation.

Dan soupira. Que lui arrivait-il ? En temps normal, il aurait parlé à cette inconnue, peut-être même aurait-il pris rendez-vous avec elle pour boire un verre, faire sa connaissance… Mais aujourd'hui, la belle inconnue le laissait indifférent. Incrédule, il secoua la tête. Cette réaction ne lui ressemblait vraiment pas.

Les jeunes filles brunes au chaud sourire et aux longues jambes avaient toujours fait vibrer en lui une corde sensible. Alors pourquoi diable était-il obsédé par une blonde glaciale qui n'avait jamais une mèche de cheveux en désordre ?

Il fallait qu'il change de décor, c'était son seul salut. Il allait passer deux ou trois semaines à Boston et à Hyannis Port. Il jouerait avec les enfants, et il serait bien étonnant que Julia et Cullum ne l'occupent pas avec un peu de bricolage. Il pourrait ainsi se débarrasser de cette idée fixe qui portait un nom féminin : Layna Drake.

Il grimpa les quelques marches qui conduisaient à l'allée. Des impatiens rouge vif encadraient la porte. Dan hocha légèrement la tête d'un air satisfait. Sa mère aurait planté les mêmes, il le savait. Elle aimait les couleurs vives. Elles ajoutaient une touche éclatante à la discrétion et à la dignité d'une maison de ville. Dignité et éclat. C'était la description exacte de ses parents. Il sourit d'attendrissement et de fierté filiale.

Ses parents s'étaient mariés, ils avaient créé un foyer, une famille. Il les chérissait, mais il ne voulait pas suivre cette voie toute tracée. Perdu dans ses pensées, il s'arrêta sur le pas de la porte. Soudain, le rire de son grand-père résonna par la fenêtre ouverte.

Il entra sans frapper. Une odeur de fleurs et d'huile de citronnelle flotta jusqu'à ses narines. Le rire de Daniel MacGregor continuait à cascader, contagieux, et un murmure de voix s'échappait du salon. Dan redressa les épaules. C'était bon à entendre, c'était chaleureux et réconfortant. Il sentit sa mauvaise humeur s'envoler comme par enchantement.

Poussant la porte du salon, il entra d'un pas décidé. Mais son sourire se figea sur ses lèvres. Layna était assise près de Daniel, et ils discutaient et riaient ensemble comme deux amis qui se seraient retrouvés après une longue séparation.

Dès qu'il le vit, Daniel bondit sur ses pieds.

— Ah, te voilà enfin !

Il vint vers lui avec une agileté surprenante pour un homme de quatre-vingt-dix ans. Il se tenait toujours droit comme un i, et même sa crinière d'un blanc immaculé n'arrivait pas à le vieillir. Quant à ses yeux bleu vif, ils pétillaient de plaisir.

S'approchant de lui, il lui donna une accolade un peu rude. Comme Dan ne quittait pas des yeux la jeune fille, il repartit d'un rire guilleret.

— Il était temps que tu arrives, mon garçon ! Toutes ces femmes ont failli me noyer sous un déluge de thé. C'est du whisky qu'il me faut ! Shelby, ce garçon veut un whisky, et je vais l'accompagner !

— Deux doigts, Shelby, pas plus ! dit Anna MacGregor avec une autorité tranquille.

Elle se mit à rire tandis que son mari se répandait en lamentations.

— Dan, mon chéri, je suis si heureuse de te voir !

— Grand-mère !

Elle le prit dans ses bras, et il dut se plier en deux pour l'embrasser. Comme toujours, il trouvait en Anna une grande douceur, qui n'avait d'égal que sa fermeté. Fermant les yeux, il se laissa bercer un instant par cette sensation unique.

Layna détourna le regard. Il y avait tant d'amour inconditionnel et de complicité entre cette femme et son petit-fils… Il était presque cruel d'en être témoin : cela réveillait un besoin inassouvi tout au fond d'elle.

Elle ne voulait pas voir cet amour et cette confiance réciproques. Ce genre de sentiments n'étaient pas pour elle.

Anna prit le visage de Dan entre ses mains.

— Tu as l'air fatigué, murmura-t-elle.

— J'ai trop travaillé.

Il lui déposa encore un baiser sur la joue, puis il regarda délibérément derrière Layna.

— Heureux de te revoir, tante Myra.

Quand il l'embrassa, Myra s'empara de sa main.

— Te souviens-tu de Layna, mon grand ?

— Oui.

Se tournant vers la jeune femme, il la regarda droit dans les yeux.

— Comment allez-vous ?

Layna tressaillit. Sentant ses mains trembler, elle les laissa sagement sur ses genoux et se contenta de répondre avec un petit hochement de tête :

— Très bien, merci.

Myra força presque Dan à s'asseoir près d'elle.

— Tiens-lui compagnie, mon chéri. Je dois dire deux mots à Daniel au sujet d'un… investissement, improvisa-t-elle.

Layna se força à sourire. Dès que Myra se fut éloignée, elle dit à voix basse :

— Je suis désolée. Je ne pensais pas que vous viendriez. Tante Myra m'a demandé de la conduire ici. Elle voulait voir vos grands-parents. Nous sommes invitées à dîner, mais je peux trouver une excuse pour m'éclipser.

S'appuyant contre son dossier, Dan essaya de prendre un air désinvolte, tout en maugréant intérieurement. Il aurait dû attendre d'avoir son verre de whisky à la main avant de s'asseoir à côté d'elle !

— Cela ne me dérange pas, ne changez rien pour moi, dit-il de sa voix la plus douce.

— Je ne veux pas gâcher votre soirée en famille. La dernière fois que nous nous sommes vus, c'était un peu tendu entre nous, et…

— Aucune importance. J'ai tout oublié, coupa-t-il impatiemment.

Il leva un sourcil plein de défi.

— Pas vous ?

— Mais si !

Se drapant dans sa dignité, elle releva le menton.

— Quand vous êtes parti du club, on aurait dit un gamin qui vient de se faire voler ses billes. C'est pourquoi j'ai cru que vous ne seriez pas très content de me revoir.

— Si j'ai bonne mémoire, c'est vous qui êtes sortie du club comme un lapin effrayé.

Il eut un sourire sarcastique.

— Rassurez-vous, vous ne me gênez pas, Layna.

— Regarde-les, Daniel !

Myra parlait du coin de la bouche, en les observant discrètement.

— On peut voir l'air crépiter autour d'eux.

— Je ne comprends pas pourquoi il leur faut tout ce temps, se plaignit Daniel. Ce garçon la regarde d'un air farouche. Je le dis et je le répète : il me cause bien du souci.

— Ils ont dû se chamailler un peu. Je te l'avais bien dit, Layna a fait la tête pendant plusieurs jours. Je suis contente que tu sois venu t'en rendre compte toi-même. Cette soirée va les aider à se réconcilier.

Daniel soupira.

— Ils m'auront donné du fil à retordre. Mais ne t'inquiète pas, Myra. Nous les marierons cet été.

Il tira voluptueusement sur son cigare. Puis, avec un sourire vainqueur, il ajouta :

— Tu as ma parole !

« Et Daniel MacGregor n'a qu'une parole », pensa-t-il en voyant Myra entraîner la jeune femme dans l'atelier de Shelby. Sans perdre une minute, il s'approcha de Dan.

— Hmm… Jolie petite, dit-il d'un ton faussement désinvolte.

Il sortit un cigare.

— Un peu maigrichonne, cependant.

65

Agacé, Dan rétorqua :

— Elle est très bien comme elle est.

Puis, regardant son grand-père d'un air amusé :

— Si grand-mère entre dans cette pièce pendant que tu fumes, elle va te scalper.

— Elle n'y verra que du feu, affirma Daniel en tirant une bouffée.

Visiblement, il se délectait.

Il se tourna vers son fils en agitant les sourcils.

— Alan, je vais prendre un grand verre de whisky, maintenant.

— Je tiens à ma peau, répliqua Alan, mi-sérieux, mi-rieur.

— Espèce de lâche ! marmonna Daniel.

S'enfonçant dans son fauteuil, il jeta un regard luisant d'envie sur le verre de whisky de son petit-fils.

Dan soupira.

— J'ai compris, dit-il en lui tendant son verre.

— Merci, mon garçon. Enfin quelqu'un qui n'a pas peur de sa pauvre vieille grand-mère ! Voyons, de quoi parlions-nous ? Ah oui, cette petite Layna… D'après Myra, elle est très prise par son travail. Elle n'a pas le temps d'avoir une vie sociale.

Dan haussa les épaules.

— Cela ne regarde qu'elle, c'est son choix.

— Hmm.. N'empêche que Myra se fait du souci jour et nuit pour elle. Je suis heureux d'avoir eu l'occasion de la voir. Je sais ce qu'il faut à cette jeune fille. Un homme solide… un banquier, par exemple, ou un cadre…

— A première vue, elle me paraît assez grande pour choisir elle-même. Un banquier ! C'est tout ce que tu as trouvé ? Bon sang, grand-père… elle n'a certainement pas besoin de toi pour…

— Certainement, certainement, mon garçon, mais un petit coup de pouce n'a jamais fait de mal à personne. Comment veux-tu qu'elle trouve l'âme sœur si elle ne voit personne en dehors de son travail ?

Surtout que je connais l'homme qu'il lui faut. Il est ici même, à Washington.

Faisant une pause, il porta son cigare à sa bouche. Puis il jeta le premier prénom qui lui passait par la tête.

— Henry a déjà fait son chemin. Il a une bonne situation, et un bel avenir devant lui. En somme, tout ce qu'il faut pour créer un foyer et rendre une femme heureuse. Je lui téléphonerai dès demain.

Bondissant de son siège, Dan vint se camper devant lui. Il l'incendia du regard.

— Attends un peu ! Ne me dis pas que tu as l'intention d'appeler ce col blanc pour lui faire rencontrer Layna…

Daniel le regarda d'un air innocent.

— Pourquoi pas ? C'est un chic type, et il vient d'une bonne famille. C'est le moins que je puisse faire pour Myra.

— Le moins que tu puisses faire, c'est de t'occuper de tes oignons. Layna n'a pas envie d'être jetée en pâture à un banquier !

— « Jetée en pâture » ! Comme tu y vas, mon garçon.

Cachant son envie de rire, il fit les gros yeux.

— Figure-toi que j'ai l'intention d'arranger un rendez-vous parfaitement acceptable entre ces deux jeunes gens.

Il balaya l'air avec son cigare.

— Et je me demande bien ce que cela peut te faire ! Que représente Layna pour toi ? Tu ferais mieux de chercher la femme qu'il te faut, tu n'aurais pas le temps de monter sur tes grands chevaux pour une histoire qui ne te regarde pas !

Serrant les poings, Dan ne put s'empêcher de s'écrier :

— Rien ! Elle ne représente rien pour moi !

Daniel toussota pour s'empêcher de rire. C'était charmant. Son petit-fils mordait à l'hameçon comme il n'aurait jamais osé l'espérer.

— Je suis heureux de l'entendre. Vous n'êtes pas faits l'un pour l'autre, cela crève les yeux. Il est clair que tu as besoin d'une jeune femme forte, qui te donnera des enfants resplendissants de santé.

Guettant la moindre réaction de son petit-fils, il continua avec un sourire ironique :

— Et qui ne fera pas un drame si son vernis à ongles est écaillé ! Cette petite est trop classique, trop élégante pour toi.

— Je crois que je suis le meilleur juge pour savoir ce qu'il me faut, dit froidement Dan.

Daniel se leva et lui jeta un coup d'œil suspicieux.

— Tu ferais bien de tenir compte de la sagesse et de l'expérience de tes aînés !

— La sagesse et l'expérience des aînés… ! s'exclama Dan.

Ecumant de colère, il fit une pause. Daniel baissa les paupières. Ce n'était pas le moment que Dan lise sa joie dans ses yeux. D'un air impassible, il le regarda traverser la pièce à longues enjambées furieuses et sortir dans le corridor pour appeler Layna.

Alan MacGregor avait assisté à la scène sans intervenir. Mais dès que son fils se fut éloigné, il murmura :

— Qu'est-ce que tu mijotes, Daniel MacGregor ?

— Regarde, écoute et tire ta conclusion, répondit Daniel en éclatant de rire.

La voix de Layna résonna dans le corridor. Une voix à glacer un régiment.

— Qu'est-ce qui vous prend ? Pourquoi hurlez-vous ainsi ? demanda-t-elle à Dan.

— Venez !

Il l'attrapa par un poignet et l'entraîna vers la sortie.

— Quoi ? Laissez-moi !

— Nous partons.

— « Nous » ? Vous, peut-être, mais moi, je reste ici. Je n'ai aucune envie de partir tout de suite.

Dan n'hésita pas. La seule solution était à portée de main. Ou de bras, plus précisément. Il souleva Layna comme une plume et prit la porte. Daniel était aux anges.

— C'est ce qu'on appelle un MacGregor ! Un vrai ! Il est…

68

Faisant une pause, il regarda Alan d'un air effaré.

— Seigneur, voilà ta femme et la mienne !

Il lui fourra son verre de whisky et son cigare dans les mains et se précipita vers la porte latérale.

— Dis-lui que je fais un tour dans le jardin, ordonna-t-il avant de s'échapper.

Shelby entra la première. L'air étonnée, elle interrogea :

— Qu'y a-t-il ? Pourquoi tous ces cris ?

Elle parcourut le salon des yeux.

— Où est Dan ? Où est Layna ?

Les yeux étrécis, elle regarda Alan.

— Où est ton père ?

Alan contempla son cigare.

— Eh bien… Ce que j'ai de mieux à te dire, c'est que…

Souriant, il tira une bouffée tandis que sa mère et Myra et entraient dans la pièce.

— Mon père a dit à Dan que Layna ne pouvait pas lui convenir. Naturellement, Dan était hors de lui. Comme prévu. Après avoir vitupéré contre les MacGregor, il a emporté une Layna furieuse hors de la maison.

— Il l'a *emportée* ?

Myra porta une main à son cœur. Ses yeux s'emplirent de larmes romantiques.

— Oh, quel dommage d'avoir manqué cela ! Je savais bien qu'un rien allait le pousser à…

Prenant conscience des regards étonnés qui l'entouraient, elle essaya de se rattraper.

— Enfin, je voulais dire que…

Anna poussa un profond soupir.

— Myra ! Je n'arrive pas à croire qu'après toutes ces années, tu aies encore encouragé Daniel dans ce sens.

Elle se tourna vers son fils.

— Et toi, Alan, qui crois-tu tromper avec ce cigare ? Va chercher ton père !

Elle s'assit et croisa tranquillement les mains.

— Il va nous raconter toute l'histoire.

6.

— Vous êtes fou !

Terriblement choquée, Layna resta un instant pétrifiée. Ce n'est qu'en arrivant dans l'allée qu'elle commença à se débattre. Fixant sur lui un regard stupéfait, elle ordonna calmement :

— Laissez-moi ! C'est ridicule ! Posez-moi par terre, Daniel Campbell. Reprenez vos esprits !

Il valait mieux ne pas s'énerver. Si elle criait, elle risquerait d'aggraver la situation.

— C'est pour votre bien, marmonna-t-il.

Il regardait droit devant lui.

— Si je ne vous avais pas emmenée d'ici, vous auriez été mariée à une espèce de banquier nommé Henry, sans avoir le temps de dire ouf !

Layna resta bouche bée. Elle n'avait jamais entendu dire qu'il y avait des fous dans la famille MacGregor. Ou alors, c'est qu'on les avait bien cachés. Ce qui, au fond, n'était pas impossible.

— Bon, la plaisanterie a assez duré ! décréta-t-elle d'un ton coupant.

Des enfants commençaient à les suivre en poussant des grands cris et en riant. Une femme à sa fenêtre interrompit l'arrosage de ses fleurs pour observer la scène.

— Je vous ai demandé de me remettre sur mes pieds.

— Vous ne retournerez pas dans cette maison. Vous n'avez pas idée du mauvais tour que ce vieux chenapan peut vous jouer. Je l'entends d'ici : « Layna, laissez-moi vous présenter Henry. C'est le fils d'un vieil ami. Il est banquier. » Il ferait cela d'une manière anodine, et le lendemain, vous vous retrouveriez avec la bague au doigt.

Layna avait de plus en plus de mal à contenir sa colère.

— Je refuse d'être trimballée comme un paquet !

C'était exactement l'impression qu'elle avait. Dan ne semblait fournir aucun effort pour la porter. Il continuait à marcher à vive allure, son regard sombre fixé devant lui. C'était à la fois horriblement gênant et étourdissant de se sentir comme une plume dans ses bras d'acier. Elle soupira.

— Laissez-moi ici, et je vous promets de tout oublier. J'oublierai que vous m'avez mise dans une situation impossible devant votre famille et tante Myra. J'oublierai tout. Mais surtout, je vous oublierai, vous, espèce d'idiot !

Comme si elle n'avait pas prononcé un mot, Dan poursuivit :

— Il est sournois. Sournois et rusé. Et maintenant, il s'intéresse à vous. Dieu vous vienne en aide !

Layna écumait de rage. Toute la maîtrise dont elle avait fait preuve jusque-là commençait à s'envoler. Sans chercher à la retenir, elle se mit à tambouriner des poings contre les épaules musclées de Dan. Mais elle ne fit que se meurtrir les doigts. N'en pouvant plus, elle hurla :

— Pouvez-vous me dire de quoi vous parlez ?

— Il a fait la même chose avec ma sœur. Maintenant, elle est mariée et elle a déjà un fils. Ensuite, cela a été le tour de mes cousines. Trois cousines. Et voilà qu'il a la folie des grandeurs. Il se prend pour un entremetteur de première catégorie. Il a décidé que sa prochaine victime, ce serait vous.

Layna continuait à le frapper, du plat de la main cette fois, sur le côté de la tête. Mais c'était comme si elle tapait sur du granit.

— Vous êtes fou à lier ! De qui parlez-vous ? Je vous préviens, si vous ne me laissez pas tout de suite…

— De Daniel MacGregor, bien sûr. Attendez, nous allons en parler à l'intérieur.

— A l'intérieur de quoi ?

En guise de réponse, il ouvrit une porte d'un coup d'épaule.

— A l'intérieur ? Où donc ? Je veux que vous me lâchiez tout de suite !

— Chez moi. Naturellement, vous ne pouvez pas deviner ce qu'il est en train de mijoter. Personne ne pourrait le deviner. Vous me remercierez quand nous aurons tiré tout cela au clair.

— Vous remercier ?

Rouge de colère, elle ne vit pas tout de suite le couple qui prenait l'ascenseur en même temps qu'eux. Comme si de rien n'était, Dan leur adressa un sourire charmant.

— Bonsoir, vous allez bien ?

— Très bien, et vous ?

— Merveilleusement bien. Avec ce temps magnifique !

Layna ferma les yeux quand la porte de l'ascenseur se referma en glissant silencieusement. Le couple ne paraissait pas surpris le moins du monde. Apparemment, Daniel Campbell était accoutumé à transporter chez lui des femmes comme des baluchons. Pourquoi être gênée, alors qu'elle n'en était qu'une parmi tant d'autres ?

Se forçant à calmer les battements précipités de son cœur, elle déclara de sa voix la plus neutre :

— Il est clair que votre mode de vie et le mien sont dramatiquement opposés. Et bien que nous ayons un vague lien de famille et que nous soyons voisins, je pense que ce ne serait pas un problème de nous éviter mutuellement. A partir de maintenant et jusqu'à la fin de nos jours !

Elle prit une profonde inspiration et souffla lentement.

— Je me répète, mais je voudrais que vous me posiez par terre, Daniel Campbell !

Dan lui jeta un regard en coin. Layna avait les yeux brillants de fureur. Et son parfum était grisant. Frais, légèrement sexy. Comme elle tournait la tête, ils se retrouvèrent face à face, leurs visages très près l'un de l'autre. Trop près. Leurs bouches s'effleurèrent presque, mais c'était sa faute à elle. Qu'est-ce qu'un homme était censé faire, dans ce genre de circonstances ?

Il plaqua ses lèvres sur les siennes. Il la sentit tressaillir. Elle se débattit mollement pendant une fraction de seconde, avant de l'embrasser avec fougue. Il but avidement le long baiser qu'elle lui donnait.

— Vous m'avez manqué, murmura-t-il.

Oubliant tout, Layna se lova dans ses bras. Elle ne cherchait plus à lutter. Elle glissa ses longs doigts fuselés dans sa crinière et émit un râle qui ressemblait à un ronronnement. Il le reçut comme une décharge électrique dans les reins.

La porte de l'ascenseur s'ouvrit, resta un instant ouverte et se referma avant qu'il ait les idées assez claires pour la bloquer avec l'épaule.

Layna chercha de nouveau sa bouche. Il sentait son cœur battre contre le sien à un rythme effréné, qui faisait courir son sang plus vite dans ses veines. A présent, il éprouvait un besoin brûlant, insoutenable.

Il arracha ses lèvres aux siennes et poussa un juron. L'esprit embué, Layna entrouvrit des yeux brillants de désir.

— Qu'y a-t-il ?

— J'essaie de trouver cette fichue clé, marmonna-t-il.

Il fallait qu'il ouvre cette porte immédiatement, qu'il emmène Layna chez lui.

— Qu'y a-t-il ? demanda-t-elle encore.

La raison lui revenant brusquement, elle s'écria :

— Attendez ! C'est…

— La voici !

Il ouvrit rapidement la porte et la referma derrière lui d'un coup de pied. Penchant la tête sur Layna, il écrasa de nouveau sa bouche avec ses lèvres.

— Attendez !

— Nous parlerons plus tard !

Relevant la tête, il plongea son regard brûlant dans ses yeux.

— Nous allons d'abord finir ce que nous avons commencé.

— Non, écoutez…

Elle avait le souffle court. Les mots lui échappaient. Pour la première fois de sa vie, elle eut follement envie de s'abandonner au plaisir. Elle pouvait avoir une folle aventure… Pourquoi refuser ?

— Oui, vous avez raison. Nous parlerons plus tard, dit-elle d'une voix rauque, avant de l'embrasser de nouveau.

Il voulait la caresser. Il la posa sur ses pieds, contre le mur, et promena sur son corps ses grandes mains d'artiste. Elle était mince comme un roseau, gracieuse, étonnante. Brusquement, il releva son sweater au-dessus de sa tête et retraça avec ses lèvres le chemin que ses mains avaient suivi.

Des lèvres goulues, comme si une part de lui craignait qu'elle ne disparaisse, qu'elle ne lui échappe. Il la voulait tout entière : la courbe de danseuse de ses épaules, le renflement si merveilleusement féminin de ses seins, le long torse fin. Sa peau, douce comme le satin, devenait chaude sous sa bouche.

La prenant par les hanches, il la souleva de terre et se remit à la dévorer.

Elle poussa un cri et promena frénétiquement ses mains sur ses épaules, tandis que ses jambes lui enserraient la taille. De violents accès de désir la submergeaient, la poussant dans un monde où la chaleur était brutale et où il n'y avait qu'une seule réponse.

— Maintenant, tout de suite…, murmura-t-elle.

Les mots lui brûlaient la gorge. Ses doigts tremblaient quand elle lui arracha sa chemise et commença à lui mordiller le cou.

La seconde suivante, ils étaient sur le plancher, se débattant avec leurs vêtements, haletant comme des animaux dans leur besoin de chair. Et leur chair était déjà humectée par la rosée du désir.

Dans un geste brusque, il se retourna pour se retrouver face à elle. Ses yeux étaient d'un bleu étincelant quand il la souleva de nouveau par les hanches.

— Maintenant, dit-il dans un souffle. Tout de suite.

Il s'introduisit en elle. Ils restèrent un instant sans bouger, buvant leurs sensations. Leurs cœurs battaient à grands coups. Elle essaya de retenir cet instant, de rester au bord de cette limite aussi dangereuse que délicieuse.

Mais son corps ne lui obéissait pas. Il en voulait beaucoup plus, et il se mit à bouger.

Elle s'arqua contre lui, noyée dans le flot du plaisir. Elle gémit quand il lécha sa peau, frissonna quand sa bouche se referma sur son sein.

Leur rythme s'accéléra. Eperdus, ils chevauchaient à l'unisson.

Il était insatiable. Layna avait un goût qui décuplait son envie d'elle. Il faisait courir ses mains sur son dos, sur ses cuisses. Chaque gémissement, chaque râle qui sortait de sa bouche lui apportait un nouveau frisson. Puis il sentit ses ongles mordre sa chair ; elle se tendit contre lui comme un arc. Fermant les yeux, il bascula vertigineusement avec elle.

Il se sentait merveilleusement détendu. Il aurait pu dormir une semaine entière, avec Layna blottie contre lui. Il lui caressa les cheveux d'une main paresseuse.

Qui aurait pu imaginer que sous son apparence froide et composée, Layna Drake dissimulait une nature de chat sauvage ? Il ne pouvait que se réjouir d'avoir ouvert la porte de sa cage.

Layna entrouvrit les yeux et promena un regard effaré autour d'elle. Couchée par terre, elle était en tenue d'Eve. A côté d'elle,

Daniel Campbell était, lui aussi, dans son plus simple appareil. Leurs vêtements froissés jonchaient le sol. Elle eut un brusque accès de panique. Elle venait de passer une nuit brûlante avec un homme qu'elle n'était même pas sûre d'apprécier !

Elle avait complètement perdu la tête. Mais aussi, était-ce sa faute si elle se sentait privée de pensée et de raisonnement dès qu'il la touchait ? Cet homme avait le chic pour la chambouler. C'était la première fois de sa vie qu'elle se comportait de cette façon. Jamais elle ne s'était jetée ainsi à la tête de qui que ce soit. Cette nuit, elle s'était comportée comme une vraie Messaline !

Mais il y avait plus surprenant encore : elle ne s'était jamais sentie aussi bien. Ce n'était sans doute qu'une simple réaction physique. Refermant les yeux, elle lutta pour retrouver son bon sens, au milieu de toute cette confusion qui brouillait sa pensée. Après tout, elle était célibataire depuis… un bon moment. Son corps avait simplement trahi ses convictions. Que diable, elle était une femme, elle avait des besoins basiques, elle n'avait pas fait vœu de chasteté !

Et cette… *expérience* était certainement aussi basique que possible.

Mais maintenant, il était temps de se ressaisir.

S'éclaircissant la voix, elle marmonna :

— Eh bien…

C'était tout ce que son cerveau embrumé pouvait produire pour l'instant. Elle se mit à chercher désespérément son sweat-shirt, qu'elle trouva rapidement. Puis elle chercha son soutien-gorge. Il était introuvable. Elle fronça les sourcils. Bon sang, où était-il passé ?

Dan entrouvrit les paupières et resta sans bouger, les yeux fixés sur elle. Elle avait les cheveux défaits, tombant en cascade sur ses épaules. Sa peau avait une jolie teinte rose.

— Que fais-tu ? interrogea-t-il entre deux bâillements.

— Je m'habille.

— Pourquoi ?

Elle secoua la tête. Tant pis pour le soutien-gorge ! Elle n'allait pas partir à sa recherche en rampant autour de la pièce. Elle se décida à répondre.

— Je n'ai jamais… il ne m'est jamais arrivé… enfin, ce n'était que du sexe.

— Mais très haut de gamme…

Elle retint son souffle. Prenant son courage à deux mains, elle tourna les yeux vers lui. Elle se doutait bien qu'il devait sourire, et elle ne s'était pas trompée. Il arborait un sourire aussi étincelant que satisfait, et fabuleusement masculin. Ses yeux d'un bleu éclatant scintillaient de plaisir. Quelques mèches de sa magnifique crinière en bataille lui retombaient sur le front. C'était un spectacle qui ne pouvait laisser indifférente.

Elle se sentit faiblir, tandis qu'une idée fascinante s'insinuait lentement dans son esprit : il ne tenait qu'à elle de se blottir contre lui et de prolonger cette nuit délirante. Mais à sa grande surprise, elle s'entendit dire :

— Je ne me conduis jamais de cette façon.

Puis elle enfila rapidement son sweat-shirt.

Relevant un sourcil, Dan se mit en position assise et interrogea d'un ton sarcastique :

— Jamais ? C'est un principe ?

— Jamais. Ce qui s'est passé entre nous n'était qu'une combustion spontanée, si j'ose dire. Nous sommes deux adultes libres comme l'air et consentants. Cependant…

Elle se rapprocha de lui pour ramasser son pantalon. Il en profita pour glisser une main sous son sweat-shirt.

— Je vais partir, dit-elle d'une voix faible.

— Comme tu voudras.

Effleurant ses joues de sa bouche, il la sentit trembler.

— Nous avons fait une grossière erreur, nous ne pouvons pas… Nous ne sommes pas sur la même longueur d'onde. Nous avons fait une erreur.

— Et puisque tu n'aimes pas faire d'erreurs, nous devrions recommencer jusqu'à ce que nous ayons tout juste !

Il souleva son sweat-shirt et l'attira contre lui.

Comment avait-elle fait pour se retrouver dans son lit ? Si l'on pouvait appeler ainsi un matelas jeté par terre au milieu d'une pièce bourrée de papiers.

Sidérée, les yeux rivés au plafond, Layna soupira. Pourquoi n'avait-elle pas réagi ? Elle était responsable de ses propres actions, et même de s'être laissé séduire. Elle était la seule à blâmer pour s'être mise dans cette situation.

Mais au fond, dans quelle situation était-elle ? Elle n'avait pas la moindre expérience en ce qui concernait le comportement téméraire et spontané dont elle venait de faire preuve. Elle s'était toujours conduite comme une femme sensée, qui avait un but précis et rationnel dans la vie.

Ce genre de détour ne pouvait apporter que des déconvenues et des désillusions.

Essayant de prendre un ton ferme, elle déclara :

— Je dois partir.

Dan émit un petit grognement.

— Ma chérie, vous me tuez.

Chaque fois qu'elle prétendait vouloir partir, il se sentait poussé à la retenir.

— Je parle sérieusement, ajouta-t-elle d'une voix mal assurée.

Comme il roulait pour s'installer sur elle, elle lui donna une claque sur les pectoraux.

— Cela doit cesser, dit-elle.

— Très bien, appelons cela un interlude.

D'un air joyeux, il lui déposa un baiser sur le bout du nez.

— Je meurs de faim. Tu veux qu'on déjeune chez un Chinois ?

— Je veux partir.

— D'accord, allons chez un Italien. Nous mangerons des pâtes, c'est excellent pour retrouver de l'énergie.

Layna le regarda d'un air effaré. Comment pouvait-il lui donner envie de rire et, en même temps, de s'arracher les cheveux ?

— Tu ne m'écoutes pas !

— Layna…

Se rasseyant, il redressa ses puissantes épaules. Cela faisait des semaines qu'il ne s'était pas senti aussi bien.

— Nous savons tous les deux que nous sommes très bons au lit. Ou par terre. Et sous la douche. Si tu pars maintenant, nous allons espérer tous les deux que tu reviendras dans moins d'une heure. Alors, au lieu de partir, laisse-moi commander quelque chose à manger.

Comme les draps étaient tombés sur le plancher, Layna s'empara d'un oreiller qu'elle serra contre elle en s'asseyant.

— Cela ne se reproduira plus, affirma-t-elle.

— Tu es partante pour des spaghettis sauce bolognaise ?

— D'accord.

— Il suffit de demander.

Il attrapa le téléphone et passa une commande à un restaurant italien.

— Il livre dans une demi-heure, annonça-t-il après avoir raccroché. J'ai une bonne bouteille de merlot. Je vais la mettre à rafraîchir.

Il se leva, enfila un jean et descendit dans la cuisine.

Layna resta assise sans bouger pendant une longue minute. Elle soupira. Et voilà, elle avait encore laissé faire ! Elle repoussa ses cheveux d'une main nerveuse. Très bien, elle allait agir d'une façon sensée, pour une fois : rejoindre Dan dans la cuisine, déjeuner avec lui et parler de leur situation.

Ensuite, elle partirait et ne le reverrait plus jamais.

7.

— Tu vis dans une vraie porcherie ! s'écria-t-elle.

Assise à la table de la cuisine, elle sirotait un verre de vin en mangeant quelques pâtes du bout des dents.

Dan coupa en deux un morceau de pain à l'ail et lui en tendit une moitié.

— Je pense souvent à embaucher une gouvernante, mais je ne supporte pas qu'il y ait quelqu'un près de moi quand je travaille.

— Tu n'as pas besoin d'une gouvernante, mais d'un équipement lourd. Depuis quand habites-tu cet appartement ?

— Quelques mois.

— Il y a des cartons pleins. Tu n'as pas encore tout déballé.

Il haussa les épaules.

— Je vais les vider tôt ou tard.

— Je me demande comment tu peux réfléchir au milieu de ce bazar... Cela ne te gêne pas pour travailler ?

Il lui adressa un sourire bref, mais éclatant de blancheur et d'ironie.

— Au contraire. Ma sœur prétend que je vis ainsi parce que j'ai passé toute mon enfance dans un univers tiré au cordeau. A la Maison Blanche, il y avait toujours quelqu'un pour remettre le moindre objet à la bonne place.

Layna releva ses fins sourcils.

— Tu ne crois pas qu'il serait temps de sortir de la rébellion ?

— Je n'en ai aucune envie. Mais toi, tu aimes que tout soit bien rangé, si je ne me trompe ?

— J'ai grandi dans une maison où chaque chose avait sa place. Crois-moi, cela simplifie la vie.

— La simplicité n'est pas toujours satisfaisante.

— Je crois que nous pouvons être d'accord sur un point : nous n'avons pas un large terrain d'entente, pour ne pas dire que nous n'en avons aucun. C'est pourquoi cette… situation est une erreur.

— Etre amants, ce n'est pas une « situation », c'est un fait. Et si j'aime le désordre alors que tu aimes l'ordre, cela n'a pas grand-chose à voir avec le fait que je te désire.

— Nous ne pouvons pas développer une relation valable.

— Ma chérie, nous avons une relation, toi et moi.

— La sexualité n'est pas une « relation ».

Les sourcils froncés, elle enroula des spaghettis autour de sa fourchette.

— J'ai l'impression que nous avons eu une relation, ou quelque chose qui y ressemblait énormément, avant d'avoir une relation sexuelle.

Secouant la tête, Layna se mordilla l'intérieur de la joue. C'était pénible à reconnaître, mais Dan venait de dire la vérité.

— Je ne veux pas une relation durable. Je n'aime pas l'influence que cela a sur les gens.

— Vraiment ? interrogea-t-il.

Même si son ton était encore léger, son regard devint plus acéré.

— De quel genre d'influence parles-tu ?

— La plupart des couples se trompent mutuellement, ou il y en a un qui subit en faisant semblant d'ignorer l'attitude de l'autre.

Elle fit une pause. Les circonstances exigeaient la simple honnêteté.

— Depuis longtemps, mes parents ont trouvé un arrangement qui leur convient, mais ce n'est pas ce que je cherche, personnellement. Les Drake ont tendance à être… égoïstes.

Elle soupira. Le mot était faible, mais elle n'en trouvait pas de plus juste.

— Or, le fait d'avoir une relation assidue avec quelqu'un exige une certaine dose de compromis et de générosité.

— Tu as eu une enfance pénible ? murmura-t-il.

— Non, non…

Elle poussa un soupir. Il était difficile d'expliquer à quelqu'un ce qu'elle ne comprenait pas complètement elle-même.

— Au contraire, j'ai eu une enfance très agréable. Nous vivions dans une maison magnifique, et j'ai eu la chance de pouvoir voyager. J'ai reçu une excellente éducation, sans parler d'autres avantages.

Dan secoua la tête. Si quelqu'un lui avait posé la même question, ces aspects se seraient trouvés à la fin de sa liste. Même en ayant été élevé dans l'aquarium de la vie politique, il avait reçu l'amour, la chaleur, l'attention et la compréhension de sa famille.

— Est-ce que tes parents t'aimaient ? s'enquit-il d'une voix incroyablement douce.

Elle hésita. Cette question, elle se l'était souvent posée à elle-même. La gorge sèche, elle répondit :

— Bien sûr.

Baissant les paupières, elle prit son verre et but une gorgée.

— Nous ne sommes pas comme vous… Ma famille n'a pas autant d'ouverture d'esprit, ni autant de cœur que la tienne… ni cette faculté de témoigner de l'affection. C'est une façon d'être très différente, voilà tout.

Elle leva les yeux vers lui.

— Je me rappelle t'avoir vu au journal télévisé. Tu étais avec tes parents et tes sœurs. On sentait tout ce qu'il y avait entre vous. C'était admirable. Mais moi, je ne suis pas habituée à cela.

Elle fit encore une pause. Il était surprenant qu'elle se soit mise à parler avec si peu de retenue. Etait-ce dû au vin, ou au fait que Dan savait aussi bien écouter qu'observer ?

— Le mariage de mes parents leur convenait, poursuivit-elle. Ils vivaient leur vie, ensemble et chacun de leur côté. Ils savaient être très discrets quant à leurs aventures. Les Drake n'ont jamais toléré le scandale. Je comprends cela, mais je préfère éviter de m'engager.

Dan hocha pensivement la tête. Layna se rendait-elle compte que sa famille la rendait triste ? Et croyait-elle vraiment que ce qu'elle disait et ce qu'elle éprouvait était inévitable ?

— C'est comme pour les fleurs, continua-t-elle.

— Quelles fleurs ?

— Les pensées et les tulipes. Instinctivement, je les ai plantées en rangées bien droites.

Elle agita les mains.

— Pour moi, c'était évident, logique. Ta logique à toi, c'était de faire tout le contraire, de les mélanger au hasard. Tu avais peut-être raison. C'est beaucoup plus beau ainsi, plus original… Mais je m'en sors mieux en suivant un plan bien établi.

Dan hocha la tête. Layna parlait avec une telle sincérité que c'en était touchant. Il avait envie de la prendre sur ses genoux et de la serrer dans ses bras.

— Tu peux changer tes plans quand tu prends conscience que d'autres sont plus intéressants, dit-il.

— J'évite d'en changer même quand j'en vois les inconvénients. Mon principal projet est de me concentrer sur ma carrière. Je veux que rien ne vienne m'en détourner. J'aime vivre seule.

— Moi aussi. Mais j'aime aussi être avec toi. Je me demande bien pourquoi. Tu n'es pas du tout mon genre.

— Vraiment ? dit-elle froidement. Et quel est ton genre ?

Amusé, il s'arrêta de manger pour l'observer.

84

— Tu es cultivée, sophistiquée, tu as une grande maîtrise de toi-même, et des opinions bien arrêtées. Tu as aussi tendance à être un peu snob et distante.

Brusquement, les yeux de Layna s'étaient mis à flamber de fureur. C'était délectable. Il garda son sourire tandis qu'elle disait :

— Et toi, tu es négligé, arrogant, égoïste, et ton comportement a tendance à être irrationnel ! Je peux dire que le genre d'homme qui m'intéresse est exactement à l'opposé.

Sans paraître en prendre ombrage, il lui servit un verre de vin.

— Parfait. Voilà au moins un point important qui vient d'être éclairci, dit-il d'un ton léger. Mais cela n'empêche pas que je continue à te désirer. Et que je t'aime beaucoup, pour des raisons bizarres... De plus, je sais qu'il faut absolument que je fasse ton portrait à l'huile.

— Si tu crois me flatter...

— Je ne dis pas cela pour te flatter.

Il fit une pause puis il continua pensivement :

— Je pourrais le faire. Cependant, tu as déjà entendu tout ce que je pourrais te dire, et je n'aime pas perdre mon temps. Tu es très belle, et tes airs de femme frigide sont très attirants, surtout depuis que je connais le feu qui couve sous la glace. Nous sommes tous les deux libres, en bonne santé, et nous sommes attirés l'un par l'autre. C'est tout simple, et si nous acceptons cette évidence, nous pouvons nous en contenter.

Layna resta un instant silencieuse. Ce qu'il venait de dire était d'une logique à toute épreuve. Dans ces conditions, pourquoi se sentait-elle brusquement effrayée, et un peu triste ?

Elle hocha pensivement la tête.

— Si c'est le cas, nous devrions être capables de reconnaître les limites qu'il y a entre nous, dit-elle.

Dan se rembrunit.

— Je déteste ce mot.

Il était horripilant de l'entendre parler ainsi, alors qu'elle était assise en face de lui, vêtue du vieux peignoir que sa mère lui avait offert

85

pour Noël, des années plus tôt. Alors que son odeur, et celle de la douche qu'ils avaient partagée, hantait encore ses sens… Plongeant son regard dans le sien, il continua :

— Et si le vieux MacGregor veut t'imposer Henry le banquier, renvoie-le aussitôt.

— Je ne connais aucun Henry, banquier ou autre. Et je ne vois vraiment pas pourquoi tu crois que ton grand-père voudrait m'imposer un banquier. Je n'ai pas besoin de changer de banque.

— C'est un mari qu'il veut t'imposer.

Se mettant à rire, elle attrapa son verre de vin et le vida d'un trait.

— Je te demande pardon ? finit-elle par dire.

Dan sourit, ravi de voir son expression à la fois incrédule et choquée.

— Je voulais t'en parler, et nous avons été détournés de ce sujet. Il t'aime beaucoup.

— Henry ?

— Non, pour l'amour du ciel ! Tu n'as pas encore rencontré Henry, je crois ? Je parlais de mon grand-père.

Layna posa son verre et leva ses deux mains.

— Je ne comprends pas. Ton grand-père a plus de quatre-vingt-dix ans, et il a fait un mariage heureux…

Dan faillit éclater de rire.

— Je ne pense pas que tu fasses exprès de ne pas comprendre. Bon, reprenons au début. Daniel MacGregor t'aime beaucoup. Il trouve que tu es une belle jeune femme pleine de qualités. Cela est suffisant pour qu'il décide que tu as besoin, près de toi, d'un beau jeune homme plein de qualités. Il rêve de te voir mariée, et que vous fassiez tous deux beaucoup d'enfants. C'est une idée fixe : crois-moi, il est complètement obsédé.

— Je ne me souviens pas qu'il y ait jamais fait allusion. Il m'a parfois parlé de ta grand-mère, disant qu'elle s'inquiétait parce que tu n'étais pas encore marié pour fonder une famille.

— Ah ! s'écria-t-il en posant bruyamment son verre sur la table.

Elle sursauta.

Dan pointa un doigt sur elle.

— Ah ! répéta-t-il. Nous y voilà ! Ma grand-mère n'a rien à voir avec cela. C'est lui. Il l'utilise pour nous culpabiliser, et nous faire faire ce qu'il veut. Avant d'avoir le temps de t'en rendre compte, tu te retrouves en train d'acheter des couches pour bébé. Je l'ai déjà vu à l'œuvre. Il se concentre sur l'un de nous à la fois. Pour lui, c'est un projet comme un autre. Il sort de son chapeau le parfait partenaire et il te le met dans les pattes, tout en prétendant qu'il n'y est pour rien. Mes cousines sont tombées comme des mouches dans le bonheur nuptial, mais ce n'est pas suffisant pour lui. Tant que l'un de nous restera célibataire, il ne baissera pas les bras. Cet homme est infatigable.

Layna avait croisé les mains, attendant patiemment la fin de la tirade.

— D'accord, je ne vais pas discuter avec toi. Tu le connais mieux que moi. Bien que je n'arrive pas à croire qu'il puisse manipuler des adultes pour qu'ils s'engagent dans une voie aussi sérieuse que le mariage. Mais puisque tu le dis…

Elle soupira.

— Quoi qu'il en soit, je n'ai aucune intention de me marier, et son petit manège ne me concerne donc en aucune façon, s'il existe vraiment.

— C'est bien là que tu fais erreur. Et il compte précisément là-dessus. C'est grâce à ton incrédulité qu'il te prendra à son hameçon.

Il attrapa sa fourchette et la lui agita sous le nez avant d'y enrouler d'autres spaghettis.

— Il s'intéresse à toi, Layna. C'est un soulagement pour moi, car cela signifie qu'il ne m'a plus dans sa ligne de mire pendant quelque temps. Mais je me sens le devoir de t'avertir. Il fera cela en douce, il prendra un air détaché pour vous dire qu'il connaît ce jeune homme très brillant. Ensuite, il trouvera le moyen d'organiser une rencontre entre lui et toi.

— Entre Henry et moi ?

— Exactement. Tu dois donc faire comprendre tout de suite à ce vieux fouineur que tu n'es intéressée ni par cet Henry-là ni par un autre.

Incapable de résister, Layna se mit à rire.

— Tu m'as bien dit qu'il s'agissait d'un banquier ? Je me demande s'il a le sens de l'ordre. Ton grand-père te l'a-t-il décrit ?

— Vas-y, ris ! On va voir si tu riras encore quand tu choisiras ta robe de mariée.

— Je suis flattée que ton grand-père s'intéresse à mon avenir.

— Cela fait partie de sa tactique pour entortiller les gens, murmura Dan.

Layna réfléchit un instant. Puis elle repoussa son assiette et se pencha en avant.

— C'est pour cette raison que tu as perdu la tête et que tu m'as emmenée de chez tes parents de cette façon ridicule ? Tout cela parce que ton grand-père a dit qu'il voulait me présenter à un banquier ? Hmm… Je dirai que cela ressemble étrangement à de la jalousie.

— De la jalousie ?

Il lui envoya un regard furieux.

— Voici les remerciements, pour t'avoir sauvée ? Des insultes !

Tranquillement, Layna se leva, prit son assiette et la porta dans l'évier, déjà surchargé de vaisselle sale.

— C'était une simple remarque.

— Je n'étais pas jaloux, j'étais… inquiet pour toi.

— Hmm…

— Si j'avais été jaloux, j'aurais menacé de mettre Henry en mille morceaux.

— Je vois…

Regardant d'un air navré la pile d'assiettes sales, elle soupira. Puisqu'elle était là, autant charger la machine et la faire tourner.

— Ensuite, je l'aurais pourchassé jusqu'au bout de la terre.

— Comme c'est passionnant ! As-tu terminé tes pâtes ? demanda-t-elle.

Il repoussa brusquement sa chaise et se jeta sur elle pour la faire pivoter. C'était ridicule, mais elle éprouva un frisson de plaisir.

— Je ne suis pas jaloux, Layna, affirma-t-il.

D'un geste rageur, il la souleva presque du sol et plongea un regard pénétrant dans le sien. Une lueur de défi mêlé d'amusement pétilla dans les yeux verts de Layna. Il se mit à rire.

— Au diable cette histoire ! marmonna-t-il avant de l'embrasser.

Non, il n'était pas jaloux ! Dan se passa une main dans les cheveux. Il se trouvait dans l'obscurité. Layna dormait à côté de lui. Non, il n'était pas jaloux, il… *protégeait* seulement ce qu'il avait décidé de s'approprier.

De s'approprier temporairement, pour être plus précis.

Il aimait avoir Layna près de lui. Pourtant, elle lui avait fait un horrible marchandage : il avait dû nettoyer la cuisine, condition *sine qua non* pour qu'elle accepte de retourner au lit avec lui. Il aimait ces regards tranquilles, mesurés, qu'elle lui lançait pendant qu'ils discutaient. Et les regards profonds, gourmands, qu'elle avait quand ils se livraient à un corps à corps amoureux.

Il aimait le son de sa voix. Qui redevenait calme quand ils parlaient art ou musique. Ou rauque quand elle prononçait son nom dans le noir.

Et il était touché par la jeune fille qu'elle avait été, et désolé qu'elle ait eu si peu d'affection et d'occasions de s'amuser. Elle avait parlé d'autres avantages, mais il avait l'impression qu'ils avaient été plutôt rares. Et ce manque de chaleur et d'amour l'avait fait renoncer à la possibilité de créer une famille.

Il soupira. Tout cela était terriblement triste.

Non pas qu'il soit lui-même pressé d'en arriver là. Mais un jour, certainement... quand le moment serait venu, et qu'il aurait rencontré la femme de sa vie, il aurait envie d'avoir des enfants, une maison pleine de bruits et de couleurs.

Quelque part, au fond de cette femme qui pouvait paraître si froide, battait un cœur qui voulait s'ouvrir et partager, un cœur qui voulait être chéri.

Il la voyait encore dans le vieux peignoir qu'il lui avait prêté. Elle avait roulé les manches effilochées jusqu'aux coudes. Elle était pieds nus, les cheveux lisses, la bouche pulpeuse.

Et ce regard sincère qu'il avait lu dans ses yeux pendant qu'elle lui avait expliqué qu'ils ne pouvaient rien vivre ensemble.

Maintenant, elle était lovée près de lui, dans un T-shirt trop grand qu'il lui avait prêté. Ils avaient découvert au moins un point commun entre eux : tous les deux préféraient dormir la fenêtre ouverte.

Il secoua la tête et se gratta le front. Non, décidément, il n'était pas jaloux. Il glissa un bras possessif autour de ses épaules et l'attira contre lui. Il aimait simplement sa présence. Tant que cela durerait.

8.

Reculant de quelques pas, Dan examina le portrait. C'était stupéfiant. Il n'allait pas faire preuve de fausse modestie. On lui avait dit, plus d'une fois, qu'il avait une assurance frisant l'arrogance, quand il s'agissait de son art. Il secoua la tête. Non, ce n'était pas cela. Il peignait ce qu'il ressentait, ce qu'il voyait, ce qu'il savait ou désirait savoir. Et il était rarement déçu par ses tableaux.

Cependant, il était rarement subjugué par ce qu'il avait créé avec son cœur et ses mains.

Cette fois, c'était grâce à son modèle. Layna le subjuguait.

Il n'avait pas travaillé à partir d'un croquis, mais de mémoire. En revivant un moment précis qui s'était logé dans sa tête, et qui avait refusé d'en être délogé tant qu'il ne l'aurait pas reproduit sur la toile.

Il avait eu l'intention de peindre une autre aquarelle, avec des tons pastel, discrets. Qui correspondaient à l'image de Layna. A son style. A son type de femme.

Mais finalement, il s'était retrouvé en train de préparer la toile pour de la peinture à l'huile, et il avait choisi des tons vifs, des bleus électriques, qu'il avait passés à larges coups de pinceaux.

Il avait peint Layna au lit, dans son lit à elle. Cela faisait maintenant plus de dix nuits qu'ils avaient passées ensemble, chez elle ou chez lui. Mais quel que soit le lieu, ils avaient chaque fois éprouvé une frénésie qui les laissait tous deux pantelants.

Et voilà qu'elle lui renvoyait son regard. Il lui avait peint des yeux brillants, aux paupières lourdes, une bouche douce et légèrement retroussée par un sourire un peu mystérieux, affirmation de la conscience qu'elle avait de sa féminité.

Ses cheveux brillants étaient lisses et souples. En s'asseyant au milieu des draps froissés, elle avait passé plusieurs fois une main paresseuse dans sa chevelure pour la remettre en ordre. Il commençait à connaître cette habitude.

Dan soupira. Pourquoi cet instant précis s'était-il gravé aussi profondément dans sa mémoire ? C'était peut-être la façon dont elle avait tourné la tête en lui adressant cette esquisse de sourire. Et la façon dont la lumière de la lampe éclairait ses épaules. Elle avait caché sa poitrine avec son bras, probablement moins par pudeur que par habitude, là encore.

Il n'arrivait pas à chasser de son esprit ces moments d'intimité. Grâce à eux, il avait créé une œuvre plus intéressante que toutes les précédentes. Plus vivante. Il hocha la tête. Oui, ce tableau semblait le connaître et lui renvoyer son regard.

— Qui diable es-tu ? murmura-t-il.

C'était une expérience plus troublante que toutes celles qu'il avait vécues. Il avait cru connaître la réponse à cette question, mais à présent, il n'en était plus très sûr.

D'un geste brusque, presque furieux, il jeta son pinceau et marcha à grands pas vers la fenêtre. Quand Layna s'était-elle introduite en lui de cette façon ? Et comment avait-il pu la laisser faire ? Bon sang, se pouvait-il qu'il soit tombé amoureux d'elle ?

Il se remit à examiner le tableau. Quelle était vraiment la part réelle de Layna dans cette œuvre ? Et quelle était la part qui correspondait à la femme qu'il souhaitait voir en elle ?

Il enfonça ses poings dans ses poches. Au fond, il ne savait pas très bien ce qu'il souhaitait qu'elle soit, mais il n'avait pas envie de passer seulement ses nuits avec elle. Il fronça les sourcils, secoué par la constatation qu'il venait de faire. En fait, *il n'avait jamais eu envie de passer seulement ses nuits avec elle.* Malgré le désir brûlant qu'il éprouvait pour son corps.

Oui, Layna faisait déjà partie de sa vie, et lui de la sienne. C'était difficile à admettre, et Layna ne l'admettrait certainement jamais. Elle l'avait incité à déballer ses cartons, et il avait acheté un vrai lit. Il s'était laissé convaincre par Layna d'y ajouter un encadrement en cuivre repoussé, même s'il craignait que cela ne donne à sa chambre une note trop féminine.

Mais elle avait eu raison. Ce lit s'harmonisait parfaitement avec le reste du mobilier. Et non seulement il l'avait remerciée d'avoir eu cette idée, mais il y avait pris du plaisir !

Ils étaient allés ensemble à l'opéra, à une foire de rue, à un match et à un spectacle de ballet.

Pour des raisons bizarres, ce mélange de styles et de goûts avait semblé s'ajuster à la perfection.

Pensivement, Dan se mit à arpenter son atelier. C'était bien beau, mais il y avait peu de chances pour que cela dure. Il ne devait pas oublier que Layna ne correspondait pas du tout à la femme de ses rêves. Et puis, il avait autre chose à faire pour l'instant.

Se rapprochant de la fenêtre, il l'aperçut sur le trottoir d'en face. Elle avait une démarche rapide et gracieuse. Elle avait troqué son tailleur très stylé, un de ceux qu'elle portait pendant ses heures de travail, contre un large pantalon bigarré et une chemise ajustée qui évoquait le citron vert. Elle transportait un énorme sac de provisions sur lequel était imprimé le logo de Drake. Il l'observa d'un œil amusé tandis qu'elle regardait plusieurs fois des deux côtés avant de traverser la rue.

Il avait beau se dire qu'il aurait préféré être seul aujourd'hui, il ne put s'empêcher d'ouvrir la fenêtre et de se pencher.

Au même instant, Layna leva la tête et s'arrêta en le voyant. D'une main, elle se protégea les yeux du soleil et soupira. Son cœur battait déjà plus vite. C'était ridicule, elle le savait bien, mais chaque fois, elle subissait un grand choc sensoriel.

Avec sa carrure, Dan remplissait toute la largeur de la fenêtre.

— Bonjour !

Elle sourit et essaya de ne pas rougir. Il la regardait avec une telle intensité !

— Est-ce que tu travailles encore ? interrogea-t-elle.

Dan hésita. S'il disait oui, elle repartirait pour ne pas le déranger. En général, aucun des deux n'empiétait sur les heures de travail de l'autre.

— Non, tu peux monter.

Layna avait une clé. Dan releva un sourcil étonné. C'était encore une chose qui s'était passée spontanément, sans qu'ils la programment. Comme un homme qui viendrait juste d'atteindre la surface d'un rêve, il se passa lentement les doigts dans les cheveux, puis sur le visage.

Il se dirigea vers le haut de l'escalier, juste au moment où elle entrait dans la maison. Ils restèrent sans bouger, les yeux dans les yeux.

Dan soupira. Il se sentait attiré comme par un aimant vers Layna. « Dieu, comme je te désire ! pensa-t-il. Combien de temps cela va-t-il durer ? »

— J'espérais que tu serais chez toi. Je voulais juste déposer ce sac, dit-elle.

Il hocha vaguement la tête. Il avait besoin d'aide ! Qu'allait-il faire avec cette femme ? L'esprit ailleurs, il demanda :

— Qu'est-ce que c'est ?

— Un couvre-lit.

Elle se força à lui adresser un sourire plein d'assurance.

— Tu vas voir, il est tout simple, et assez masculin pour ne pas déranger l'atmosphère qui règne chez toi….

Il releva les sourcils. Visiblement, Layna prenait goût à arranger sa maison. Ce qui ne le dérangeait pas. Il voulait bien vivre dans un environnement ordonné, tant qu'on ne lui demandait pas de mettre de l'ordre lui-même. Cependant, il dit d'un ton où perçait une pointe d'ironie :

— Quelle extraordinaire maîtresse de maison ! Monte-le ici, tu veux bien ?

Piquée, Layna se raidit un peu.

— S'il ne te plaît pas, tu pourras toujours t'en servir comme descente de lit. Cela dit, il serait mieux sur ton lit que la guenille que tu utilises.

En arrivant en haut de l'escalier, elle lui jeta le sac à la tête.

— Et ne me remercie surtout pas !

— Je t'aurais déjà remerciée si tu m'avais laissé placer un mot, au lieu de me faire la morale !

— Ce n'était pas de la morale, mais un simple commentaire issu d'une simple constatation.

Laissant tomber le sac par terre, il se tourna vers elle et l'attrapa par la main alors qu'elle s'apprêtait à redescendre l'escalier.

— Où vas-tu ?

— Chez moi. Et la prochaine fois que j'aurai une impulsion pour te faire un petit cadeau, je réfléchirai, crois-moi !

— Personne ne t'a demandé de m'acheter des draps, ni de laver ma vaisselle, ni de faire le marché.

Layna refréna la colère qui l'envahissait. Avec un calme glacial, elle rétorqua :

— C'est noté. Et je me garderai bien de recommencer, tu peux me faire confiance. Et de passer chez toi sans te prévenir. Apparemment, je ne suis pas la bienvenue quand il n'est pas l'heure de sauter au lit.

Les yeux flamboyants, Dan fronça les sourcils et fit quelques pas en arrière. Il fulminait.

— Il n'est pas question de sexe.

Incapable de se faire confiance, cependant, il tourna les talons et entra précipitamment dans son atelier.

Layna ne fit rien pour masquer sa colère. Mais sa voix trahissait aussi qu'il l'avait blessée.

— Vraiment ? Alors, de quoi est-il question ? interrogea-t-elle en lui emboîtant le pas.

— Je n'en sais rien.

Il fit volte-face pour l'affronter, prêt à se battre. Mais au lieu de cela, il la regarda comme il avait regardé son portrait quelques instants plus tôt.

— Je ne sais pas, répéta-t-il en soupirant.

Il alla se planter devant la fenêtre.

— Tu es tombée sur un de mes mauvais moments, Layna. Le problème, c'est que j'en ai beaucoup.

Posant ses mains sur l'appui de la fenêtre, il se pencha en avant. Il fallait absolument qu'il s'éclaircisse les idées. La présence de Layna les rendait systématiquement floues.

Layna l'observa en silence. Visiblement, il venait de passer d'un état d'irritation à un état d'abattement. Elle avait envie de s'approcher de lui et de l'apaiser, mais cette impulsion l'agaçait. Ce n'était pas à elle de l'apaiser, ni de tolérer ses sautes d'humeur.

Prenant une profonde inspiration, elle se tourna vers la porte. Elle devait partir, s'éloigner de Daniel Campbell. Elle se souviendrait de ces dernières semaines comme d'une période d'expérience, d'apprentissage de la vie. Mais ses bonnes résolutions restèrent sans effet. Se retournant lentement, elle jeta un coup d'œil circulaire autour d'elle.

Cette pièce portait l'empreinte de Dan du sol au plafond, et dans les moindres recoins. Depuis les toiles appuyées contre les murs jusqu'au capharnaüm formé par les tubes de peinture, les pots, les brosses et les pinceaux. Elle était pleine d'odeurs fortes qui, curieusement, étaient à la fois étrangères et familières. Celle de Dan, combinaison d'odeur animale et de savonnette, se mêlait à l'essence de térébenthine et aux peintures fraîches.

C'était une vaste pièce, très lumineuse, et emplie de sa présence. Hochant imperceptiblement la tête, elle se tourna vers les tableaux : sillons de couleur, formes et textures discordantes. L'un d'eux avait un climat sombre, un autre éclatait de joie.

Layna soupira. Elle ne comprenait pas vraiment sa peinture. Mais elle éprouvait des réactions contradictoires en la regardant. C'était probablement le reflet des réactions qu'elle éprouvait envers l'artiste lui-même.

— Des états d'âme, oui… je vois.

Elle alla lentement vers un chevalet.

— Tu as beaucoup d'états d'âme différents. Ceci fait sans doute de toi ce que tu es.

Il la regarda en train d'observer ses travaux.

— Et toi, tu es stable, équilibrée. Ce qui fait de toi ce que tu es. Nous sommes complètement différents, toi et moi. Bon sang, Layna, peux-tu m'expliquer ce que nous faisons ensemble ?

Elle cligna des paupières mais continua son observation. Après tout, elle s'attendait à ce qu'il tire cette conclusion. Ignorant le pincement qui lui tiraillait le cœur, elle secoua la tête. Au fond, cela n'avait aucune importance.

— Je me pose souvent la même question, répondit-elle d'une voix faussement calme.

Elle haussa les épaules. Il valait mieux rester prosaïque. Elle continua :

— Je suppose qu'il ne s'agit que d'une attirance physique.

— Tu crois ?

— J'en suis sûre.

Elle indiqua le tableau qu'il avait terminé quelques heures avant qu'elle n'entre dans sa vie et ne bouleverse tout.

— Je ne vois que des sentiments extrêmes, une passion dévorante. C'est primitif, dangereux, et pas très confortable à regarder.

— C'est un *besoin*, murmura-t-il.

— Oui. Les besoins sont assouvis, puis ils changent.

— Même quand on préférerait que ce soit différent.

Il tendit une main vers elle.

— Viens là et dis-moi ce que tu vois.

Elle traversa l'atelier, mais ne prit pas sa main. Elle ne voulait pas commettre l'erreur de le toucher alors que leur histoire tirait manifestement à sa fin. Quelle que soit l'intensité de la douleur qui lui brûlait le cœur.

Dan répéta d'une voix chaude :

— Dis-moi ce que tu vois.

Comme elle restait délibérément écartée de lui, il s'approcha d'elle et la fit pivoter. Puis il ôta le drap qui recouvrait son portrait.

Layna resta muette de stupeur. Sans s'en rendre compte, elle croisa un bras sur sa taille, reproduisant l'attitude qu'elle avait sur le tableau. Son cœur battait très fort, beaucoup trop fort. Elle avait la bouche sèche, et aucun son ne pouvait en sortir.

— Ce n'est pas du tout ce que j'avais l'intention de peindre, dit-il. Je ne m'attendais pas à ce résultat. Ni à la sensation qu'il procure. Je viens juste de le finir. Ensuite, j'ai regardé par la fenêtre et je t'ai vue.

— Tu… tu as fait un très beau portrait.

— J'avais un beau modèle.

Prise de panique, Layna secoua légèrement la tête. C'était trop… *intime*. Cette femme, sur la toile, n'avait rien pour la protéger — ni bouclier, ni masque. Et cette femme savait certainement des choses qu'elle-même ne savait pas. Prenant son courage à deux mains, elle parvint à articuler :

— Je ne suis pas comme cela.

— C'est ainsi que je t'ai vue, à ce moment-là. Pleine de puissance et de plaisir. Ce n'était pas ce que j'avais l'intention de peindre, a priori, mais c'est ce qui est sorti spontanément de moi.

Il lui effleura la joue, puis il laissa glisser ses doigts vers son menton, qu'il releva doucement.

— Cela me renverse. Pourquoi n'avons-nous pas brûlé d'un seul coup ce qu'il y avait entre nous, Layna ? Pourquoi ne puis-je pas en avoir assez de toi ?

— C'était ton programme ?

— Un peu, oui. Mais ce programme ne fonctionne pas, c'est le moins que je puisse dire. Et tu commences à m'inquiéter sérieusement, murmura-t-il en penchant la tête vers elle.

Il posa sur ses lèvres un baiser léger comme une aile de papillon. Mais elle le ressentit jusqu'au plus profond d'elle-même.

— Nous devrions faire une petite pause, nous éloigner quelque temps l'un de l'autre, suggéra-t-elle d'une voix mal assurée.

— Tu as mille fois raison, chuchota-t-il en levant l'autre main, qu'il posa sur sa nuque.

— Nous nous sommes vus constamment pendant des semaines.

Lui enlaçant la taille, elle se serra contre lui.

— Nous devrions prendre un peu de vacances.

— Cela me paraît raisonnable.

Elle soupira et posa sa tête contre son épaule puissante.

— Le problème, c'est que je n'en ai pas envie.

— Moi non plus.

— Je veux dire que je n'ai pas envie de tomber amoureuse de toi, Daniel Campbell. Je ne suis pas équipée pour cette aventure. Ce serait une catastrophe.

— Je sais.

Fermant les yeux, il frotta doucement sa joue contre la sienne et interrogea :

— A quel point es-tu près de tomber amoureuse de moi ?

— A un point effrayant.

— Moi aussi.

— Seigneur, nous ne pouvons pas laisser cela se produire. Cela gâcherait tout, au moment où…

Les lèvres de Dan l'empêchèrent de terminer sa phrase. Et de continuer à penser raisonnablement. Tout s'embrouilla dans sa tête, tandis que ses sentiments remontaient à la surface, là où elle ne pouvait pas leur échapper.

— Reste avec moi, Layna, tout simplement.

Cette fois, ce ne fut pas une chevauchée sauvage, mais une promenade romantique. Il n'y eut pas de violents accès volcaniques, mais une chaleur frémissante qui tremblait juste au centre de son cœur. Ni séduction ni exigences, mais une rencontre, tandis qu'il l'emportait vers le lit qu'ils avaient choisi ensemble.

Tendrement, patiemment, sous les rayons du soleil qui filtraient par les fenêtres ouvertes, il la caressa et fit voler en éclats tous ses espoirs de défense.

Le plaisir fut calme, naturel comme la respiration, doux comme la brise qui voletait sur sa peau pendant que Dan la déshabillait.

Elle se tendit vers lui. Elle voulait connaître encore cette sensation lente, somptueuse.

Son corps de guerrier lui était familier, désormais. Ses muscles d'acier, ses grandes mains, ses épaules larges et puissantes. Mais elle ne connaissait pas encore cette façon de bouger en elle, qui faisait battre son cœur à grands coups réguliers.

Lui aussi, il voulait encore et encore se sentir entouré de cette sensation soyeuse, il voulait entendre Layna soupirer paresseusement, et voir les longs frissons qui la parcouraient. Comme elle se donnait, il prit mille précautions, l'emmenant lentement vers le sommet, tout en observant son visage qui frémissait sous la lumière.

Il se glissa en elle. C'était stupéfiant qu'il ait à ce point envie de se donner, et qu'il éprouve un tel besoin de voir ses yeux s'élargir et s'obscurcir, de l'entendre murmurer son nom.

Il la dévora des yeux jusqu'à ce que sa vue se brouille. Puis il couvrit encore sa bouche de la sienne tandis que leurs corps volaient en éclats.

Layna était affolée. Si elle ne se forçait pas à s'éloigner de lui pour réfléchir, pour trouver un plan, pour se rappeler ce qu'elle désirait par-dessus tout, elle était perdue. Elle ferait une erreur monumentale, qu'elle ne pourrait jamais rattraper.

Elle se leva brusquement et s'habilla.

Les yeux encore embrumés, Dan la contempla.

— Qu'est-ce que tu fais ?

Se mettant à trembler, elle se boutonna de travers.

— Je rentre chez moi. Nous devons réfléchir sérieusement.

— Layna, reste.

— Non, cela ne fait que tout embrouiller. Et tout va beaucoup trop vite.

Il se leva, et enfila son jean.

— Tu comptes beaucoup pour moi.

Elle releva vivement la tête. Ses yeux brillaient d'émotion.

— Je sais… je pense que…, bafouilla-t-elle, de plus en plus paniquée. Je n'arrive plus à réfléchir. Je vais passer quelques jours loin de toi. Nous nous trompons peut-être… Ce n'est sans doute qu'un mélange d'émotions dans ce qui est censé n'être qu'une simple liaison.

— Naturellement.

Il fourra ses mains dans ses poches. S'il ne faisait pas cela, il allait la prendre encore dans ses bras, ce qui ne résoudrait rien, sauf sa propre frustration.

— Est-ce que ce n'est pas le problème ?

— Je ne sais pas quel est le problème.

Et c'était bien ce qui l'effrayait le plus. Elle s'en rendait soudain compte. Dès qu'elle le regardait, elle oubliait tout. Ses projets, son programme bien ordonné.

— Nous devons d'abord réfléchir chacun de notre côté avant que… cette « situation » ne devienne de plus en plus compliquée. Nous allons éviter de nous voir pendant quelques jours, et nous calmer.

Sans rien dire, il s'appuya contre le mur et releva un sourcil.

— Et si nous n'y arrivons pas ?

— Il sera temps d'y réfléchir.

— Je te désire, Layna.

Elle sentit son pouls s'affoler.

— Je le sais, répondit-elle en cherchant son souffle. S'il n'y avait que cela, ce ne serait pas un problème.

— Pourquoi en faire un problème ? Moi, je n'en vois aucun.

— Moi, si. Je veux prendre le temps d'y penser.

Elle allait partir quand il prononça encore son nom. Elle s'arrêta net, mais elle n'osa pas se retourner. Elle secoua vivement la tête et se précipita dans l'escalier.

Dan soupira. Il aurait pu lui courir après, la rattraper avant qu'elle n'arrive dans la rue. La convaincre de rentrer chez lui, ou l'entraîner de force si nécessaire. Puis l'emmener au lit. Là, ils ne connaissaient aucune complication.

Mais ensuite ?

Poussant un juron, il s'écarta du mur et retourna à grands pas furieux dans son atelier. Il resta éloigné de la fenêtre. Il ne voulait pas la voir partir. Il se planta devant les deux toiles, intitulées *Layna* et *Besoin*. Pourquoi représentaient-elles maintenant la même chose pour lui ?

9.

Layna ne rentra pas chez elle. Même si sa maison avait toujours été son refuge, c'était le dernier endroit où elle souhaitait aller.

Elle soupira. Elle avait pourtant été heureuse, en vivant seule. Sa vie et son travail la passionnaient. Ses ambitions étaient claires et simples. Elle voulait renforcer la réputation de la chaîne Drake's à Washington, en faire les magasins les plus raffinés et les plus prestigieux de la côte Est. En réussissant cela, elle renforcerait sa propre réputation. Ce ne serait pas seulement un autre magasin Drake's géré par la fille des créateurs de la chaîne. Ce serait celui de Layna Drake, une femme d'affaires pleine de bon sens, et dotée d'un œil aigu pour la mode.

Elle adorait les voyages en Europe, que ce travail impliquait. Milan, Paris, Londres. C'était un régal de se rendre aux salons, de découvrir de nouveaux designers. Elle était particulièrement douée pour cela. Depuis quelques années, elle avait aiguisé ses talents, développé son propre style, et elle avait appris tous les rouages du métier.

Le travail avait un sens pour elle. Plus que les gens.

En soupirant, elle ralentit son allure. Comment pouvait-elle savoir si elle était amoureuse ? Elle n'avait jamais eu à se poser ce genre de question. Les hommes qu'elle avait admis dans sa vie étaient agréables, faciles à vivre. Ils étaient… dépourvus de dangerosité, il fallait bien l'admettre. Aucun d'eux ne lui avait fait éprouver l'envie de modifier ses projets, ni de faire des compromis.

Mais surtout, aucun d'eux n'avait fait battre son cœur comme Dan le faisait.

Et il valait mieux que cela continue ainsi. Après tout, ses parents avaient vécu en bonne intelligence. Ils éprouvaient l'un pour l'autre plus d'amitié que d'amour, ce qui n'avait pas entravé leur carrière.

Mais elle ne voulait pas reproduire le mariage creux dont elle était issue ! D'ailleurs, elle ne voulait pas se marier… N'était-ce pas là toute la question ?

Prenant une longue inspiration, elle hocha la tête. Bien sûr que toute la question était là. La seule chose qu'elle avait à faire, c'était de prendre des distances par rapport à Daniel Campbell et de calmer ses émotions. Ensuite, elle pourrait retourner à la vie qu'elle aimait.

Elle allait prendre quelques jours de congé, faire un petit voyage, n'importe où, le principal étant de s'éloigner, pour ne pas avoir la tentation de retourner chez lui.

Pourquoi diable fallait-il qu'il habite à quelques rues de chez elle ?

— Layna !

Elle releva brusquement la tête et composa un sourire. Myra venait de surgir en face d'elle. Machinalement, elle embrassa sa marraine sur la joue.

— Je viens juste de sortir pour ma promenade du soir, dit joyeusement Myra. Je voulais passer une minute chez toi.

Inclinant la tête sur le côté, celle-ci observa Layna d'un œil critique. Allons bon, que se passait-il ? Sa filleule était d'une pâleur… Et elle avait un regard si triste !

— Ma chérie, tu ne vas pas bien ?

— Non. Enfin, si…

S'efforçant de sourire, Layna continua d'une voix plus ferme :

— Viens prendre le thé à la maison.

— Quelle bonne idée, ma chérie !

Myra glissa un bras sous le sien.

— Pendant que nous prendrons le thé, tu me raconteras ce qui te rend malheureuse. Je devrais peut-être dire *qui* te rend malheureuse...

— Je ne suis pas malheureuse. J'ai quelques soucis, comme tout le monde.

Elle ouvrit la porte de sa maison.

— Installe-toi dans le salon. Je vais faire chauffer l'eau.

— Non, je préfère m'installer dans la cuisine. Nous pourrons parler tout de suite, ajouta-t-elle d'un air innocent.

Elle sourit. Si elle ne la quittait pas d'une semelle, Layna n'aurait pas le temps de mettre au point sa défense.

— Tu as fait une promenade ? demanda-t-elle.

— Non. Enfin, oui, on peut appeler cela une promenade...

Elle remplit la bouilloire et sortit d'un placard une théière en porcelaine. Elle la réchauffa, avant d'y verser trois mesures de thé à la bergamote.

— Quelle magnifique soirée ! dit-elle en essayant de prendre un air plus gai.

— C'est vrai, ma chérie, magnifique ! L'été approche, nous allons bientôt avoir trop chaud. Profitons de ce mois de mai si agréable. Cette douceur printanière se prête aux promenades. C'est si romantique...

Elle soupira.

— As-tu une histoire romantique en ce moment, Layna ?

— Je ne sais pas...

Continuant de s'activer, elle sortit les tasses, versa de la crème dans un petit pot.

— Les histoires romantiques ne m'intéressent pas.

— Et pourquoi donc ?

— Je ne suis pas équipée pour. Comme tous les Drake. Dans notre famille, on est plutôt équipés pour les affaires.

— Voyons, ma chérie, ce que tu dis est ridicule !

— Pourquoi ? interrogea Layna d'un ton plus sec qu'elle ne souhaitait.

Soudain en colère, elle fit volte-face.

— Tu connais mes parents, tu connais mes grands-parents. Peux-tu m'affirmer dans le blanc des yeux qu'ils ont fait un mariage d'amour, un mariage romantique ?

En soupirant, Myra se laissa aller contre les coussins du petit banc adossé au mur.

— Non, je ne peux pas. Je reconnais que ta mère m'a beaucoup déçue dans ce domaine, Layna. Elle a épousé ton père parce qu'elle a trouvé qu'ils étaient d'humeurs compatibles, tous les deux, que leurs modes de vie s'accordaient bien, et surtout parce qu'elle savait qu'elle aimerait beaucoup s'appeler Mme Drake. Je ne veux pas la critiquer. Après tout, elle savait ce qu'elle voulait, et elle l'a eu. Sa vie la satisfait. Et l'aspect positif, c'est qu'elle t'a mise au monde.

— Je ne la critique pas non plus, dit Layna d'un ton las. Mais je ne veux pas d'une vie comme la sienne. J'aime vivre seule, et m'organiser comme je veux.

Elle se tourna vers la théière.

— Je n'ai l'intention ni de me marier, ni d'avoir des enfants.

— Alors pourquoi es-tu malheureuse ?

— Je suis juste un peu troublée. Mais je vais retrouver mes esprits.

— Es-tu amoureuse ?

— Je ne sais pas ce que c'est, être amoureuse, tante Myra.

— Ce n'est pas une question de savoir, mais de sentiments.

Layna secoua la tête. Sentant la panique monter en elle, elle éleva la voix.

— Je ne veux pas éprouver ce genre de sentiment !

De plus en plus affolée, elle s'empara du plateau et le posa sur la table. A son grand soulagement, ses mains ne tremblèrent pas quand elle servit le thé.

— Cela te fait peur ? interrogea impitoyablement Myra.

— Et pourquoi n'aurais-je pas peur ? Ne crois-tu pas que ma mère a éprouvé quelque chose qui ressemblait à de l'amour, quand elle a eu cette aventure avec son professeur de tennis ? Ou mon père, quand il partait en voyages d'affaires, soi-disant accompagné de sa secrétaire ?

Myra gonfla les joues.

— Alors, tu le savais ?

— Naturellement. J'étais au courant de ces histoires, et des autres. Les enfants ne sont pas aussi stupides que les adultes aiment le croire. Je ne veux pas me mettre dans ce genre de situation, je ne veux pas me marier, être trompée ou tromper mon mari.

— Tous les mariages ne se passent pas ainsi, ma chérie. Herbert et moi, nous avons eu cinquante années de bonheur, d'amour et de fidélité. Je continue à penser à lui chaque jour. Et il me manque autant chaque jour.

— Je sais.

Emue, Layna se pencha vers elle et lui prit la main, qu'elle pressa affectueusement.

— Mais vous étiez une exception, Herbert et toi. Je ne vois que des coupes adultérins, pendant mes voyages d'affaires. Je trouve cela si triste… Et ce n'est pas mieux quand je vois une femme intelligente perdre le sens de sa propre valeur parce qu'elle tombe amoureuse. Les histoires d'amour durent si rarement !

— La peur de l'échec bloque toute chance de réussite.

— Peut-être, mais la prudence et le sens pratique sont souvent une garantie de réussite.

Un peu irritée, Myra agita la main.

— Tu es trop jeune pour te refermer de cette façon !

— Je suis assez vieille pour connaître mes limites.

Layna sourit, adoucie par les remontrances de sa marraine.

— J'ai décidé de prendre quelques jours de repos, de changer de décor. Quand je reviendrai, je me rendrai probablement compte que j'ai déjà vécu tout ce que je peux espérer vivre avec cet homme.

107

Levant sa tasse, Myra esquissa un fin sourire. « Nous verrons cela », pensa-t-elle.

— Eh bien, j'ai de la chance, dit-elle gaiement. Je venais justement te demander si tu avais un peu de temps libre. Je veux faire un petit voyage, mais je suis devenue incapable de me déplacer seule.

Elle posa sa tasse en demandant intérieurement pardon pour ce petit mensonge. En réalité, elle voyageait facilement, et aussi souvent qu'elle en avait envie.

Layna hésita.

— A vrai dire, j'avais l'intention…

— Je déteste m'imposer, coupa Myra, mais puisque tu veux toi-même partir quelques jours…

Elle fit un effort pour paraître fatiguée.

— Depuis quelque temps, j'ai toujours peur de ne pas savoir m'orienter dans les aéroports. Naturellement, je pourrais louer une voiture avec chauffeur. Mais c'est plus facile de partir seule quand on est jeune.

Elle poussa un long soupir. Touchée, Layna se laissa convaincre.

— D'accord, tante Myra, tu peux compter sur moi. Nous pourrons partir après-demain si tu veux.

— Tu es adorable, ma chère petite. Je me demande ce que je deviendrais sans toi. Oh, et tu seras si heureuse de passer quelques jours à Hyannis Port ! Daniel et Anna seront ravis.

Layna faillit s'étrangler.

— Daniel et Anna MacGregor ? Mais, tante Myra, je… je ne veux pas m'imposer !

— Ne dis pas de bêtises. Ils seront très contents de t'avoir quelques jours. Je vais m'occuper des billets d'avion.

Elle allait se lever d'un bond, mais elle se ravisa. Si elle ne voulait pas que Layna voie son petit manège, elle devait paraître le plus fragile possible, et se déplacer lentement. Avec un sourire faussement accablé, elle ajouta :

— Je vais les réserver par téléphone. Dieu merci, c'est une chose que je suis encore capable de faire.

Puis, hochant la tête, elle sourit à sa filleule.

— Je suis si heureuse que tu viennes avec moi, ma chérie ! A mon âge, on ne sait jamais combien de temps on va pouvoir profiter encore de la présence de ceux qu'on aime.

Elle lui tapota la main.

— Maintenant, je vais te laisser.

Elle se força à se lever et à marcher lentement. Une fois hors de la maison et hors de vue, elle accéléra le pas, un sourire déterminé aux lèvres, les yeux luisants de plaisir.

Elle avait vingt-quatre heures pour arranger la situation. C'était plus qu'il n'en fallait. Il suffisait qu'elle téléphone à Daniel MacGregor et qu'il se mette à l'œuvre de son côté.

Jetant un coup d'œil impatient par la fenêtre de son bureau, Daniel fronça les sourcils. Pourquoi diable n'arrivaient-ils pas ? Il n'avait que quelques jours pour mettre au point son petit stratagème, et il ne pouvait pas commencer avant que le premier personnage ne soit en piste.

Il ne doutait pas que tout se passerait bien. D'autant plus que Duncan, son petit-fils, avait pris l'avion pour lui faire une visite impromptue. Se détendant, Daniel sourit. Dieu bénisse ce garçon ! C'était exactement celui qu'il lui fallait pour clouer Dan sur place.

Oui, la chance lui souriait pour ce projet particulier. Et pourquoi pas ? C'était un beau projet, un projet d'amour.

Pianotant du bout des doigts sur la table, il hocha pensivement la tête. Si tout allait comme il le désirait, il n'aurait eu qu'une participation très discrète. Et c'était préférable ainsi. Ses petits-enfants avaient tendance à lui reprocher de s'immiscer dans leur vie.

— Grand-père ? Tu es là ?

Daniel se frotta les mains de plaisir et tourna un visage souriant vers le second fils de sa fille, qui venait d'entrer dans son bureau. Il l'examina d'un œil admiratif. Beau garçon, ce Duncan, grand comme son père, avec les yeux sombres de sa grand-mère, et l'impertinence de sa mère.

« Sans parler de son inclination pour le jeu, qu'il tient de moi », pensa Daniel.

Il se redressa avec fierté. Pour Duncan aussi, il avait de beaux projets, mais chaque chose en son temps.

Duncan tendit les bras et lui sourit de toutes ses dents éclatantes de blancheur. Remuant légèrement le nez, il chuchota :

— Comment, pas de cigare ?

Daniel joua le jeu.

— Je ne vois pas de quoi tu parles.

— Moi non plus ! dit Duncan d'un air malicieux.

S'installant dans un profond fauteuil de cuir, il croisa ses longues jambes et tira nonchalamment un cigare de sa poche. Sans quitter son grand-père des yeux, il se le passa sous le nez, le respira longuement, voluptueusement.

Daniel était aux anges.

— Quel garçon adorable !

— Hé ! C'est le mien !

Une lueur amusée dans les yeux, Duncan coinça le cigare entre ses dents et annonça d'une voix convaincante :

— Mais je veux bien le partager si tu me racontes ce que tu es en train de mijoter !

Daniel prit un air offensé.

— Rien du tout ! Je m'apprête seulement à accueillir ma plus vieille et ma plus chère amie, et sa filleule.

— Je parierais que la filleule en question est célibataire et en âge de se marier. Et qu'elle est d'une bonne famille. Est-ce que je me trompe, grand-père ? demanda-t-il.

— Et pourquoi ne serait-elle pas d'une bonne famille ?

— Cela ne m'intéresse pas.

Se réjouissant intérieurement, Daniel eut un sourire malin.

— C'est une charmante jeune fille, Duncan. Belle comme une image. Vous feriez de magnifiques bébés, tous les deux. Ma foi, il me semble qu'un garçon de ton âge devrait commencer à penser aux choses sérieuses.

— Je n'ai qu'une chose à te dire, Daniel MacGregor : chasse immédiatement cette idée de ta tête.

Il lui adressa un sourire satisfait. Il n'avait eu aucun mal à comprendre les intentions de son grand-père. Faisant tourner le cigare entre ses doigts, il continua :

— Ma vie me rend parfaitement heureux ; je connais un bel échantillon de jeunes femmes superbes. Je suis capable de trouver moi-même celle qui me conviendra.

— Tu en as trouvé beaucoup trop. Mais aucune ne te convient. Tu sais peut-être ce que tu veux, Duncan, mais ce dont tu as besoin, c'est une femme et des enfants. Celle que tu vas voir est une femme d'affaires avisée. Je m'attends à…

Faisant une pause, il tourna les yeux vers la fenêtre, d'où il avait perçu un mouvement, du coin de l'œil. Agitant les sourcils, il s'exclama :

— Ah, les voici enfin ! Descends et présente-toi, mon garçon. Et vois un peu si je ne t'ai pas trouvé une future épouse parfaite.

— Oui, je descends, grand-père.

Duncan déplia paresseusement ses longues jambes.

— Mais n'achète pas tout de suite la couronne de fleurs d'oranger, ajouta-t-il en riant.

Il tendit le cigare vers Daniel puis, en souriant, l'agita sous ses yeux et tourna le poignet pour le faire disparaître au moment où son grand-père allait s'en emparer.

Daniel grommela quelques mots incompréhensibles, mais un sourire triomphant éclaira son visage quand Duncan quitta la pièce.

— Tu es exactement celui qu'il me fallait pour faire bouger ton cousin.

Fredonnant la Marche nuptiale, il descendit à la rencontre de ses invitées.

Quelques heures plus tard, Daniel jubilait. C'était parfait, absolument parfait. Comme prévu, Duncan s'était montré charmant avec Layna, la faisant rire et flirtant avec elle. C'était très bien qu'ils s'entendent comme larrons en foire, puisque d'ici peu ils allaient devenir cousins.

Daniel soupira de plaisir. Chaque membre de sa famille méritait tous les soins, toutes les attentions possibles. Il voulait qu'ils soient tous heureux et pleins d'amour.

— Duncan, montre donc le jardin à cette jeune fille. Vous aimez les fleurs, mademoiselle ? Nous en avons de magnifiques.

Daniel souriait de toutes ses dents à Layna.

— Elles sont particulièrement belles au coucher du soleil.

— Grand-père a raison, reconnut Duncan.

Se levant, ce dernier adressa un regard noir à Daniel, avant de se tourner en souriant vers Layna.

— Vous voulez marcher un peu ?

— J'aimerais beaucoup.

Anna attendit qu'ils soient sortis, puis elle s'enfonça dans son fauteuil.

— Tu as l'air bien content de toi, Daniel. Ces enfants ne sont pas intéressés le moins du monde l'un par l'autre. En tout cas, pas de la façon que tu espères. Et ils ne s'accordent pas du tout.

Daniel faillit adresser un clin d'œil à Myra qui, elle-même, étouffa un fou rire.

— Moi, j'ai l'impression qu'ils s'entendent très bien, objecta-t-il très sérieusement.

— Oui, bien sûr, comme de bons amis.

Exaspérée, Anna leva les mains.

— Ils sont tous les deux très séduisants, mais cette fois, tu t'es trompé. Si tu essaies de les pousser dans les bras l'un de l'autre, Daniel, je vais t'en empêcher.

Levant un doigt menaçant, elle continua avant qu'il puisse placer un mot :

— Ils ne vont pas du tout ensemble, cela crève les yeux. Et n'importe quel imbécile peut voir que cette pauvre jeune fille n'est pas heureuse.

— Hmm… Elle pourrait l'être si elle n'était pas entêtée.

Il renifla doucement.

— Si elle pensait avec son cœur, pour une fois, comme quelqu'un que j'ai rencontré il y a plus de soixante ans…

Il regarda Anna d'un air langoureux.

— Et nous verrons si elle ne sourit pas quand elle repartira d'ici, dans quelques jours, conclut-il.

En soixante années de mariage, Anna avait appris à reconnaître le moment où elle devait cesser de se cogner la tête contre les murs. Une fois encore, elle n'aurait pas le dernier mot : Daniel se montrait trop déterminé.

Secouant la tête, elle se tourna vers son amie.

— Myra, dis-lui qu'il se trompe. Duncan n'est pas pour Layna.

— Je veux son bonheur, Anna. Cette petite n'attend que le moment d'ouvrir son cœur, dit Myra.

— Pas à Duncan, objecta Anna. Tu as vu Layna et Dan se regarder. Si elle n'est pas encore amoureuse de lui, elle n'en est pas loin. Daniel et toi, vous les avez jetés sur le même chemin il y a un mois à peine. Malgré le charme de Duncan, je suis sûre que vous courez à la catastrophe en les mettant en rapport l'un avec l'autre.

Myra ne put s'empêcher d'éclater de rire. Les yeux étrécis par la suspicion, Anna promena son regard de son amie à son mari. Puis, prenant une profonde inspiration, elle s'exclama :

— Qu'avez-vous encore mijoté, tous les deux ?

— Juste une petite mise en scène, répondit Daniel. Pour que Dan se précipite ici dès demain.

— Dan doit venir ?

N'attendant pas de réponse, Anna s'appuya sur son dossier et réfléchit. Puis elle hocha la tête.

— Bon…

— « Bon » ? Tu as dit « bon » ? répéta Daniel, incrédule.

Il s'était attendu à une avalanche de remontrances.

— Oui, c'est bien ce que j'ai dit. Bien que je n'approuve pas tes tactiques, Daniel, mais nous en reparlerons plus tard.

Un petit sourire s'accrocha à ses lèvres. Elle se pencha en avant.

— Nous allons vivre là quelques jours passionnants, conclut-elle.

10.

Dan gara sa voiture devant la maison-forteresse de Daniel MacGregor, construite au bord d'une falaise qui dominait l'océan. Levant la tête, il vit un spectacle auquel il n'était nullement préparé : son cousin Duncan marchant à côté de Layna, un bras passé autour de ses épaules.

Pendant tout le trajet, il avait ruminé sa tristesse, mais brusquement, une fureur noire monta en lui, menaçant de lui faire perdre tout sang-froid. Essayant d'oublier la présence de Duncan, il riva son regard sur Layna, sur ses cheveux en désordre et ses joues rosies par le vent. Apparemment, Duncan et elle revenaient d'une promenade sur les falaises. Cette idée redoubla sa colère.

Tandis qu'il les observait, Layna s'arrêta et leva les yeux vers lui. Elle devint d'une pâleur mortelle.

— Bonjour !

Enchanté, Duncan sourit et se dirigea vers son cousin pour lui donner l'accolade.

— Je ne savais pas que tu devais venir.

— C'est ce que je crois comprendre, en effet. Que diable se passe-t-il, ici ?

Ses yeux bleus jetaient des flammes. Il les posa sur Layna. Elle répondit d'une voix à peine audible :

— Je… je suis venue passer quelques jours ici avec tante Myra.

115

— Tu es partie sans laisser un mot.

— J'avais dit que je voulais prendre quelque distance.

— Je me demandais où tu étais passée !

— J'ai pris ma décision en une minute.

Elle redressa les épaules.

— C'était ma décision !

Un peu étonné, Duncan intervint :

— Je crois comprendre que vous vous connaissez.

— Toi, tais-toi. Cette histoire ne regarde que Layna et moi.

— Il n'y a rien entre nous, rétorqua la jeune femme.

Puis, se tournant vers Duncan :

— Excusez-moi.

Et elle grimpa l'escalier aussi vite que ses genoux tremblants le lui permirent.

Dan se précipita derrière elle, mais Duncan lui coupa la voie.

— Attends une minute !

En un éclair, il venait de tout comprendre. C'était encore un coup fourré de son satané grand-père ! Le moins qu'il pouvait faire était de jouer le jeu.

— Ecarte-toi de mon chemin ! hurla Dan en serrant les poings. Et ne t'avise pas de poser une main sur elle, ou je te transforme en bouillie !

Ravalant avec peine un sourire amusé, Duncan posa sur son cousin un regard qu'il espérait le plus dédaigneux possible.

— Tout doux, Dan… Nous étions ici avant toi. Mais si nous nous demandions d'abord pour quelle raison nous voulons nous jeter l'un sur l'autre ?

— Layna est à moi !

Il enfonça un index dans le torse de Duncan.

— C'est tout ce que tu dois savoir ! ajouta-t-il.

Comme pour confirmer ce qu'il venait de dire, il hocha la tête. Mais au fond, c'était tout ce que lui-même devait savoir. Layna était à lui, un point c'est tout.

— Vraiment ? demanda Duncan, sarcastique. J'ai l'impression que Layna l'ignore. Je suppose que grand-père ne le sait pas non plus, puisqu'il l'a choisie pour moi.

Il riait intérieurement. Même s'il recevait un coup de poing dans la mâchoire, cela valait la peine de voir la tête de son cousin. Il semblait être sur des charbons ardents.

— Qu'il aille au diable ! s'écria Dan.

— Il pense que nous allons bien ensemble, continua Duncan, imperturbable. Il a peut-être bien raison. Je dois dire que Layna est splendide, intelligente, et que c'est agréable de parler avec elle. Et elle a un petit rire sexy, je ne te dis pas…

Il ne sourcilla pas quand Dan l'attrapa par le col de sa chemise. Mais le poids de son cousin lui revint brusquement à la mémoire : quinze kilos de plus que lui. Il serait peut-être sage de réfléchir !

— Est-ce que tu l'as touchée ? questionna férocement Dan.

— Il est rare que je pelote les femmes que je connais depuis moins de vingt-quatre heures, répondit Duncan d'un ton nonchalant. Mais si tu veux poser des frontières, cousin, il vaut mieux que tu te dépêches. Si tu veux tenter ta chance, pourquoi pas, mais…

La fin de sa phrase resta coincée au fond de sa gorge. Dan le secouait comme un prunier. Ce petit jeu commençait à devenir dangereux. Il n'avait pas vraiment envie de se retrouver à l'hôpital. De plus en plus hors de lui, Dan cria d'un ton menaçant :

— Je ne veux pas tenter ma chance auprès d'elle, espèce de crétin ! Je l'aime !

— Pourquoi ne l'as-tu pas dit plus tôt ? cria à son tour Duncan.

Dan resta silencieux quelques secondes et le regarda d'un air hébété. Il paraissait avoir reçu un coup sur la tête. Duncan en profita pour se libérer de ses mains puissantes.

Finalement, Dan murmura :

— Je viens juste de le comprendre.

— Ce serait plus malin d'aller le lui dire, plutôt que de me tomber dessus, conseilla ironiquement Duncan.

Il lissa sa chemise du plat de la main.

— Je suis fichtrement innocent, dans cette histoire, crois-moi !

— C'est plus facile de me battre avec toi, rétorqua Dan.

Enfonçant ses poings dans ses poches, il partit à grands pas vers la maison.

Ils étaient tous réunis dans la salle du Trône, ainsi nommée à cause de l'immense fauteuil dans lequel Daniel MacGregor présidait aux réunions de famille. Il s'agissait aujourd'hui d'une réunion amicale autour d'un thé. Quand Dan entra d'un pas furieux, sa grand-mère se leva et se précipita vers lui.

— Dan ! Quelle belle surprise ! C'est si bon de te voir…

— J'avais dit à grand-père que je viendrais quelques jours pour peindre.

Daniel lui adressa un sourire rayonnant.

— C'est vrai. J'ai oublié de te le dire, Anna, avec toute cette excitation… Eh bien, entre, mon garçon, entre ! Maintenant que tu es là, ces charmantes dames vont peut-être me laisser mettre un peu de whisky dans mon thé. Où est ton cousin ?

— Viens dehors , Layna, je voudrais te parler.

Layna fit un effort surhumain pour rester impassible en apparence. Elle sirota tranquillement son thé, puis elle dit :

— Je t'écoute.

— En privé, ajouta Dan entre ses dents.

— Cela tombe mal.

Elle se tourna vers Anna.

— Madame MacGregor, ces scones sont délicieux.

— Merci. C'est une spécialité de notre cuisinière.

Anna regarda Daniel en roulant les yeux, puis elle se rassit.

— Dan, ce sont tes gâteaux favoris. Viens te servir.

— Non merci. Je ne veux rien. Enfin, si, je veux quelque chose… Très fort. Layna, vas-tu sortir de cette pièce avec moi ou vas-tu m'obliger à t'emmener de force ?

Elle lui adressa un regard calme par-dessus le bord de sa tasse.

— Je suggère que tu t'assoies et que tu prennes le thé avec nous. Quand nous aurons fini, si tu as quelque chose à me dire, je serai heureuse de t'écouter.

— Tu veux que je m'assoie et que je prenne le thé, comme si de rien n'était, alors que je t'ai vue pendue au bras de mon cousin ?

Layna posa sa tasse un peu brusquement.

— Je ne me suis pendue au bras de personne.

— Je suis forcé de le reconnaître, affirma Duncan d'un ton joyeux en entrant dans le salon. J'avais pourtant quelque espoir, ajouta-t-il. Hmm… Des scones !

Ravi, il s'approcha du plateau à thé et se servit copieusement.

— Je t'ai déjà dit de ne pas te mêler de cela, si tu tiens à ta jolie petite gueule ! aboya Dan.

Choquée, Layna poussa un cri léger, puis elle bondit sur ses pieds tandis qu'Anna lui servait tranquillement une autre tasse de thé.

— Comment oses-tu menacer Duncan, me mettre dans l'embarras et bouleverser ta famille ? demanda-t-elle, toujours maîtresse d'elle-même.

— Laissez-le parler, ma petite ! s'écria Daniel en tapant du poing sur son accoudoir.

Dan planta son regard dans celui de Layna.

— Je n'aurais pas fait de scène, je n'aurais menacé personne si tu étais sortie quand je te l'ai demandé. Et laisse-moi te rappeler que c'est grâce à ton entêtement que nous sommes ici !

Les yeux étrécis de colère, Layna s'approcha de lui.

— C'est parfait, insulte-moi, maintenant ! Je ne serais pas là si j'avais su que tu allais venir. Et puisque c'est la maison de tes grands-parents, c'est à moi de m'en aller.

— Tu n'iras nulle part avant que j'aie fini de te parler.

— Nous sommes d'accord, dit-elle.

Elle se dirigea majestueusement vers la porte.

Dan l'attrapa par un bras.

— Allons dehors, marmonna-t-il.

— Bas les pattes ! Je connais le chemin.

Se libérant, elle ouvrit la porte en grand.

— Je croyais que tu m'avais humiliée à un point difficile à surpasser, mais je vois que je me suis trompée. Tu viens de battre ton propre record.

Hors d'elle, les jambes tremblantes, elle contourna la pelouse pentue.

Derrière la fenêtre, quatre personnes s'étaient rapprochées pour connaître la suite des événements.

— Je t'ai humiliée ? répéta Dan. Comment ? As-tu imaginé un seul instant ce que j'ai ressenti quand je suis arrivé chez mes grands-parents et que je t'ai vue accrochée au bras de mon cousin ?

Layna pivota sur ses talons pour lui faire face.

— J'avais une discussion très intéressante avec ton cousin, qui est un homme charmant. Mais je n'ai aucun compte à te rendre.

— Tu en es sûre ? Réfléchis bien, dit-il sur un ton un peu trop calme.

— C'est ce que j'ai fait. Et j'ai tiré la conclusion que ce qu'il y a entre nous, quoi que ce soit, doit cesser immédiatement.

— Certainement pas !

La saisissant par le poignet, il prit sa chevelure de sa main libre et lui renversa la tête en arrière. Il posa une bouche avide et frustrée sur ses lèvres.

A l'intérieur de la maison, Anna eut un petit rire.

— Nous ne devrions pas regarder, dit-elle en écartant le rideau pour mieux voir.

Les larmes aux yeux, Daniel passa un bras autour de ses épaules.

— Est-ce que ce n'est pas délicieux ?

— Il est drôlement accroché, commenta Duncan avant d'attaquer son sixième scone.

— Ce sera bientôt ton tour, mon grand, assura Daniel d'un ton ému.

— J'espère bien que non.

Confiant en ses capacités d'esquive, Duncan continua d'observer son cousin. Il secoua la tête.

— Adieu la liberté, mon vieux ! murmura-t-il.

Leur baiser se prolongeait. Comme chaque fois, Layna se sentit fondre. Mais elle eut un sursaut d'énergie.

— Non…

Il lui caressa le visage du bout des doigts.

— Ne fais pas cela, ajouta-t-elle. Ce n'est pas la bonne solution.

— C'est la solution que mon cœur m'impose.

Il frotta sa joue contre la douceur de sa peau.

— Ne vois-tu pas que tu tiens mon cœur entre tes mains ?

Les yeux agrandis d'émotion, elle hocha lentement la tête. Il disait la vérité, elle le lisait dans son regard. Son cœur se mit à marteler à grands coups dans sa poitrine.

— Je ne peux pas faire cela… Ma vie serait trop bouleversée. Laisse-moi partir.

— Je croyais pouvoir te laisser, je voulais en être capable.

Il desserra son étreinte. Ils restèrent face à face, les yeux dans les yeux. Layna luttait contre la fascination qui la subjuguait. La voix de Dan lui parvenait comme dans un rêve.

— Crois-tu être la seule à avoir des projets, à croire que tu savais exactement où tu voulais aller et comment y aller ? Moi non plus, je ne voulais pas m'impliquer de cette manière. Pourtant, il n'y a plus que toi qui comptes dans ma vie, désormais.

— Cela ne pourra pas durer. C'était très bien tant que nous n'avions que du désir l'un pour l'autre. Tant que c'était simple.

— La façon dont je te désire n'a rien de simple. Et si tu penses ce que tu dis, pourquoi pleures-tu ?

D'une main douce, il essuya une larme sur sa joue.

— Moi aussi, je tiens ton cœur entre mes mains. Je ne lui ferai aucun mal.

— Tu peux le dire et le croire. Ta famille est tellement adorable, et pleine d'amour… La mienne est vide. Elle représente un nom, un mode de vie, c'est tout.

— Tu n'es pas comme tes parents.

— Peut-être, mais…

— Et ni toi ni moi ne sommes exactement les mêmes que lorsque nous nous sommes rencontrés, tu ne crois pas ?

Elle croisa ses bras sur sa poitrine.

— Non, nous ne sommes pas les mêmes.

— Nous avons déjà fait des compromis pour construire quelque chose ensemble. Je t'aime, Layna.

Il prit tendrement son visage entre ses mains.

— Tu n'as qu'à me regarder pour le voir.

— Oui.

C'était excitant et terrifiant à la fois. Elle murmura :

— Moi aussi, je… Mais que se passera-t-il si cela ne marche pas, si je n'arrive pas…

— Si nous n'essayons pas, crois-tu que ce soit mieux ?

— Au moins, je pourrai reprendre ma vie comme avant. La vie que je croyais aimer.

Elle prit une profonde inspiration et souffla lentement.

— Et je serai horriblement malheureuse. Je ne veux pas m'éloigner de toi, de nous.

Frémissant de bonheur, il sourit tendrement.

— Alors, prenons le même chemin.

Il referma ses mains sur les siennes et leurs doigts s'entrelacèrent.

— Nous n'aurons pas toujours envie d'aller dans la même direction, ni au même rythme, mais nous pouvons arriver là où nous avons tous les deux besoin d'être.

Elle regarda leurs mains. Elles étaient si différentes. Les siennes étaient étroites, celles de Dan larges ; les siennes étaient délicates, celles de Dan si fortes ! Et cependant, elles allaient si bien ensemble...

— Je n'ai jamais été amoureuse.

Levant les yeux vers lui, elle soutint son regard.

— Je n'ai jamais eu de difficulté à mettre un terme à une relation. Cela n'a jamais été un problème pour moi. Mais avec toi, je n'ai pas pu. J'étais si malheureuse, si perturbée, quand je me disais que nous étions allés assez loin.

Il leva leurs mains jointes vers ses lèvres.

— Il n'y avait personne dans ma vie avant toi. Layna, je veux que tu m'épouses. Je veux vivre avec toi.

— Je crois que nous avons déjà commencé.

Se libérant une main, elle lui caressa la joue.

— Cela m'a pris du temps, mais j'ai compris que c'était la vie que j'avais envie de mener.

— Je dirais volontiers que cela ressemble à un assentiment.

Elle lui adressa un sourire radieux.

— Je dirais volontiers que tu as raison.

Il la souleva de terre et se mit à tourner sur lui-même. Elle éclata de rire.

— Allons l'annoncer à ma famille ! dit-il.

Il lui donna un long baiser et la fit tourner de nouveau.

— Cela lui apprendra, à Daniel MacGregor. Il verra qu'il ne peut pas manipuler tous ses petits-enfants pour qu'ils se marient avec ceux qu'il a choisis !

Il éclata de rire à son tour.

— Tu n'es pas mon type, d'après lui !

Il l'embrassa encore.

Derrière la fenêtre, Daniel écrasa une larme.

DUNCAN

Prologue

D'après les mémoires de Daniel Duncan MacGregor

Les saisons passent plus vite quand on atteint un certain âge. L'été succède si rapidement au printemps que l'on n'a presque pas le temps de voir fleurir les tulipes avant qu'elles ne se fanent de nouveau. Sans famille, sans l'amour des siens, on doit se sentir bien seul.

J'ai la chance de ne jamais être seul.

Et, chaque jour, j'en suis reconnaissant. Reconnaissant pour la femme magnifique qui a passé toutes ses saisons avec moi, pour les enfants que nous avons élevés et pour les bébés qu'ils nous ont donnés. Et je prends conscience, plus que d'autres, je crois, que lorsqu'un homme a eu tous ces bienfaits, il a la responsabilité de les protéger.

Hier, mon fils aîné a marié son fils. Les saisons passent, et les générations les suivent presque aussi vite. Je sais ce que mon fils a dû éprouver en voyant le sien faire ce grand pas décisif. La fierté mêlée à l'amertume de l'éloignement, les espoirs pour l'avenir…

J'aurais pu dire à mon Alan qu'il n'avait aucune raison de s'inquiéter pour l'avenir de Dan et de Layna. Après tout, je les avais choisis, je savais qu'ils étaient faits l'un pour l'autre. Naturellement, ceci doit rester entre nous. Je préfère que mon petit-fils croie avoir tout décidé lui-même. Je suppose que c'est important pour lui.

Ils forment un beau couple. C'était adorable de les voir échanger leurs anneaux dans la lumière des bougies. Dan ressemblait au jeune homme que j'étais, soixante ans plus tôt. Quant à Layna, elle était resplendissante, avec le voile de mariée des MacGregor posé sur ses cheveux dorés.

Ils vont faire de superbes bébés. Je vais être heureux, et ne parlons pas de leur grand-mère. Elle est d'une impatience folle !

Maintenant qu'ils sont partis en voyage de noces, nous allons les laisser construire leur vie ensemble.

Aujourd'hui, j'ai fait une promenade sur les falaises en compagnie de mon Anna. Au-dessous, la mer s'agitait inlassablement, et au-dessus de nos têtes, le ciel clair était une immensité bleue. Je sentais le vent sur mon visage, et la main d'Anna dans la mienne.

Cette promenade, nous l'avons souvent faite, tous les deux.

Depuis la falaise, je voyais la maison que nous avons construite. Certains disent que c'est une forteresse, ou un château. C'est un peu les deux. Une place forte, composée de bonnes pierres du pays, avec des tours majestueuses, et le blason de mon clan au-dessus de la porte. Un homme ne doit pas oublier ses racines.

Mais cette maison est surtout mon foyer. Le lieu où Anna et moi avons livré nos batailles, fait l'amour, et où nous avons vu grandir nos enfants. C'est un foyer que nous partageons encore tous, bien que nos enfants soient désormais installés, qu'ils soient parents et parfois grands-parents.

Grâce à moi, bien sûr.

Je suis heureux d'avoir mis les miens sur le bon chemin. Foyer et famille. Quoi que fasse un homme, ou une femme, dans la vie, ceci est la base de toute chose.

Maintenant, j'aimerais savoir où en sont mes autres petits-enfants.

Certes, il y a eu des progrès de ce côté-là, mais je ne suis pas éternel. Eh oui, même un MacGregor ne l'est pas. J'ai accompagné à l'autel cinq de mes petits-enfants. Et les bébés qu'Anna et moi sommes impatients de voir arriver sont en route. Il nous reste encore quatre petits-enfants qui ne sont pas mariés. Quelle joie ils sont pour nous ! Mais ils ne viennent pas nous voir assez souvent.

Après tout, les enfants doivent vivre leur vie. Et c'est ce à quoi je m'applique, à ma façon.

Je vais faire en sorte que notre jeune Duncan — le second fils de mon adorable Serena et de son beau Justin — vive sa vie. Il est persuadé de vivre heureux, à sillonner le Mississippi sur son bateau, libre comme un poisson. C'est un garçon intelligent, ce Duncan Blade, et il a un charme fou. Il pilote la Princesse comanche *d'une main ferme, car il a un grand sens des affaires, derrière son sourire malicieux. Et gare à ceux qui ne voient en lui qu'un joli garçon et qui le mettent en colère ! Après tout, il a le sang des MacGregor dans les veines.*

Il a besoin d'une femme de tête, qui ait beaucoup d'aplomb mêlé d'impertinence. Justement, j'ai sous la main celle qu'il lui faut.

Pour répondre à ceux qui me traitent d'entremetteur, je dirai que je me suis contenté de faire se croiser leurs chemins. Tout comme je l'avais fait pour ses parents, il y a tant d'années. Rien que d'y penser, j'en deviens sentimental. C'est comme une boucle qui se ferme, n'est-ce pas, de donner au fils de ma fille la même chance ?

Nous verrons bien ce qu'il en fera.

Et s'il continue à lambiner, je crois que j'irai passer quelques jours sur la rivière, avec mon Anna. Moi aussi, je suis un homme qui prend des risques.

1.

Duncan Blade jouait toujours les numéros impairs. Qu'ils soient longs ou courts lui importait peu, tant qu'il les connaissait et que la mise pouvait rapporter gros.

Et c'était un homme qui aimait gagner.

Il avait le jeu dans le sang, ce qui lui venait à la fois du clan écossais des MacGregor et du sang comanche des Blade. Rien ne lui convenait mieux que de piloter la *Princesse comanche*. C'était un risque. Toute sa vie, il avait vu ses parents diriger des hôtels dans les stations balnéaires. A Atlantic City, Las Vegas, Reno, et dans d'autres endroits encore. Mais le rêve de Duncan avait été le bateau, et il l'avait conçu, programmé, nourri. Il avait aussi compris que sa famille lui faisait confiance.

Il n'avait aucune intention de la décevoir.

Sur les quais de Saint Louis, les mains enfoncées dans les poches, il contemplait son véritable amour.

La *Princesse* était de toute beauté. Elancée, avec des lignes pures, de larges ponts et des garde-fous tarabiscotés. C'était la réplique des bateaux traditionnels qui, autrefois, naviguaient sur le fleuve en transportant des passagers, des denrées et des joueurs de tout poil. Sa peinture blanche, toute fraîche, était éblouissante. Toute en grâce et en charme, elle était cependant puissante. Et luxueuse.

Duncan voulait que ses passagers soient détendus et heureux. La nourriture était abondante, et de première catégorie, ainsi que les distractions. Les cabines offraient un grand confort, certaines étaient somptueuses. Chacun des trois salons permettait d'avoir une vue époustouflante sur le fleuve.

Quant au casino… c'était en quelque sorte le cœur du bateau.

Les passagers payaient pour la croisière, et pour tenter leur chance au jeu.

La *Princesse* reliait Saint Louis à La Nouvelle-Orléans, avec une escale à Memphis et une autre à Natchez. Ceux qui choisissaient de rester à bord pendant toute la durée du voyage aller-retour ne s'ennuyaient jamais. Duncan hocha la tête. Que les passagers débarquent après avoir perdu ou gagné, ils en avaient tous eu pour leur argent.

A présent, il préparait une autre croisière. Autour de lui, l'équipage chargeait les provisions sous le soleil écrasant de juillet.

En fin d'après-midi, la *Princesse* brillerait de tous ses feux : la peinture avait été rafraîchie, le cuivre des rampes et les miroirs étincelaient.

Tout était prêt. Enfin, presque.

Derrière ses lunettes de soleil, Duncan plissa les yeux. La nouvelle chanteuse avec laquelle il avait passé un contrat n'était toujours pas arrivée. Elle avait vingt-quatre heures de retard. Si elle ne se présentait pas d'ici quatre heures, il devrait s'en passer.

Agacé par ce contretemps, il tira son téléphone portable de sa poche pour appeler une fois de plus l'agent de Cat Farrell.

Il arpenta le quai à longues enjambées en attendant la connexion. Son apparence révélait sa lignée : grand, élancé, il avait la peau vieil or, des yeux d'un brun profond aux longs cils et les cheveux noirs de ses ancêtres comanches. Son visage étroit était sculpté de hautes pommettes et d'un nez rectiligne. Sa bouche ferme aux lèvres pleines n'était pas avare de brefs sourires.

Mais pour l'instant, il ne souriait pas.

— Cicero ? Blade à l'appareil. Où diable est passée Cat Farrell ?

— Elle n'est pas encore arrivée ? Ne t'inquiète pas, tu peux compter sur elle. Quelque chose a dû la retarder. Elle va arriver d'une minute à l'autre. Tu verras, tu ne seras pas déçue, elle est renversante, je te le garantis.

— Mon vieux, tu m'as déjà garanti qu'elle devait arriver hier. Elle doit présenter son premier spectacle ce soir. Débrouille-toi pour qu'elle soit ici dans moins de quatre heures ! Tu ne restes jamais en contact avec tes artistes ?

— Si, mais Cat est différente. Attends un peu, elle en vaut la peine. Tu as de la chance car elle commence à monter au firmament. Tu verras dans un an…

— Je me fiche pas mal de ce qu'elle fera dans un an, Cicero. C'est maintenant qui m'intéresse. Et pour l'instant, je ne la vois nulle part.

Sans se laisser démonter, Cicero continua :

— Ton frère l'a beaucoup appréciée. Elle a fait un tabac à Las Vegas.

— Mon frère est plus tolérant que moi. Si tu ne me l'amènes pas d'ici une heure, je te botterai le cul ! Crois-moi, je peux me montrer intransigeant.

Il raccrocha, glissa le téléphone dans sa poche arrière et se dirigea vers le bateau en hochant imperceptiblement la tête.

Oui, son frère Mac avait apprécié Cat Farrell.

Et il faisait confiance à Mac, les yeux fermés. Sinon, il ne se serait pas précipité pour accepter la proposition de son grand-père, qui la lui avait chaudement recommandée. Elle avait l'air vraiment parfaite. Mais la ponctualité ne semblait pas faire partie de ses qualités. Il se remémora une de ses photographies. Elle était mince, sexy, et d'après le disque que Cicero lui avait envoyé, elle avait une voix magnifique.

Duncan secoua la tête. En quoi cela l'avancerait-il, si elle jouait l'Arlésienne ?

Levant les yeux, il vit une adolescente approcher de la passerelle. Vêtue d'un jean délavé, d'un T-shirt flottant et de tennis avachies, elle avait une casquette de base-ball enfoncée sur la tête et de grosses lunettes noires perchées sur le nez. Duncan soupira. C'était vraiment dommage que les jeunes n'aient aucun goût vestimentaire…

Il allongea le pas pour arriver près d'elle avant qu'elle ne monte à bord.

— Désolé, mon petit, vous ne pouvez pas monter. Aucun passager avant 15 heures. Et les mineurs doivent être accompagnés de leurs parents.

Tournant la tête vers lui, elle ôta ses lunettes de soleil. Duncan tressaillit en voyant les yeux qu'elles cachaient. D'un vert pur, perçant, avec une étroite bande dorée autour des pupilles.

Il refréna une exclamation admirative. Dans quelques années, cette fille mettrait les hommes à genoux. Il esquissa un sourire pendant que les yeux verts le parcouraient de haut en bas avant de se fixer sur les siens, avec une expression audacieuse qu'il ne put s'empêcher d'admirer.

— Et vous, qui êtes-vous ? interrogea-t-elle d'un petit air effronté.

Elle avait une voix un peu rauque, de celles qui appartiennent plutôt aux femmes mûres et expérimentées.

Faisant un signe de tête vers le bateau, il répondit :

— Je suis Duncan Blade, le propriétaire. Et vous serez la bienvenue à bord dès que vous serez majeure, ou accompagnée.

La jeune fille sourit sans se départir de son arrogance.

— Vous voulez voir ma carte d'identité ?

Elle fit un geste vers son sac à dos.

— Hmm… Elle est un peu inaccessible. Mais puisque je suis en retard, laissons tomber les histoires de papiers. Je suis votre nouvelle chanteuse, monsieur Blade.

Elle lui tendit la main.

— Cat Farrell. J'ai eu vingt-cinq ans le mois dernier.

Duncan resta sans voix. Evidemment, s'il se servait de son imagination, il comprenait, maintenant. Il aurait dû la reconnaître en voyant ses yeux. Mais sur la photo, il n'y avait pas la moindre tache de rousseur, et elle avait une cascade de cheveux roux. Il n'y en avait plus la moindre trace. Pouvaient-ils être tous cachés sous cette horrible casquette ?

Retrouvant sa voix, il demanda :

— Pourquoi êtes-vous en retard ?

— J'étais coincée.

Elle lui adressa un sourire étincelant.

— Je n'aurais jamais dû accepter cet engagement à Bakersfield. J'ai raté mon avion, une vraie galère. Ecoutez, toutes mes affaires sont dans le taxi que vous voyez. Pouvez-vous vous en occuper ? Je vais jeter un coup d'œil à la scène.

Il l'attrapa fermement par un bras.

— Attendez ! Restez là !

Une lueur agacée trembla dans les yeux verts de Cat. Curieusement, il en éprouva une certaine satisfaction. Se tournant vers un membre de l'équipage, il lui ordonna de s'occuper de ses bagages.

— Maintenant, allons voir la scène !

Il l'entraîna vers la passerelle.

— Ensuite, je vous ferai un cours sur la façon d'utiliser ce fantastique objet qui s'appelle un téléphone.

— Personne ne m'avait dit que vous étiez un homme d'esprit, dit-elle sèchement.

Elle lui jeta un regard noir. Mais elle avait besoin de ce travail. A contrecœur, elle ravala un autre sarcasme.

— Je suis désolée. Il arrive parfois que l'on rencontre une succession d'obstacles. C'est ce qui m'est arrivé. Croyez-moi, je suis venue aussi vite que j'ai pu.

Elle fit une pause. Elle était épuisée, pour n'avoir dormi que quelques heures au cours des dernières quarante-huit heures, et elle n'avait presque rien avalé depuis la veille. Et maintenant, ce type qui ressemblait à une gravure de mode lui reprochait d'avoir un peu de retard !

Mais c'était un Blade, et un MacGregor. Et avec le pouvoir attaché à ces deux noms, elle avait toutes les chances de voir sa carrière propulsée au firmament de la gloire. Elle le méritait bien. N'avait-elle pas travaillé dur pour y arriver ?

Radoucie, elle jeta un coup d'œil autour d'elle. Ce bateau était parfait. Les ponts étaient impeccables, les bastingages faisaient penser à des petits balcons. Les verreries étincelaient. A l'évidence, le bateau de Blade était dirigé d'une main de fer.

Duncan ouvrit une porte peinte en rouge et lui fit signe d'entrer. Posant les mains sur ses hanches, Cat inspecta les lieux.

Comme à l'extérieur du bateau, le charme et la tradition régnaient : petites tables rondes éclairées de chandeliers d'argent, moquette rouge, comme la porte.

A l'autre bout, le bar était très stylé, avec sa forme incurvée et ses hauts tabourets ornés de cuivre. De grands miroirs reflétaient les lumières dansantes. Cat hocha la tête. Tout cela avait beaucoup de classe.

Traversant le parquet ciré, elle s'approcha de la scène. Elle eut un petit frisson de joie. Près du piano Steinway, une grande affiche avec sa photographie annonçait son concert.

Arrivée au centre de la scène, elle ferma les yeux et prit une profonde inspiration. Puis elle entonna les premières notes de *Stormy weather*.

Duncan retint son souffle. Cat avait une voix qui vous prenait aux tripes, et qui emplissait la salle sans qu'elle ait besoin d'un micro.

A la deuxième mesure, elle fit une pause.

— L'acoustique est excellente, dit-elle.

— Vous avez un bel organe.

Elle sourit : elle le savait. Sa voix, c'était tout ce qu'elle avait, et elle était bien déterminée à la porter au sommet.

135

— Merci. C'est mon petit instrument pour atteindre la gloire. Je veux faire une répétition. Mais avant, montrez-moi ma loge, ma cabine et faites-moi préparer un bon sandwich.

— Le spectacle aura lieu dans…

Il consulta sa montre.

— Huit heures.

— Je ne manque jamais une répétition.

Faisant glisser ses lunettes, elle les accrocha au décolleté de son T-shirt.

— Je fais mon boulot, Blade.

— La loge est derrière la scène, entre le salon et le casino.

— C'est bien conçu. Les gens peuvent commander des boissons, puis aller claquer leurs billets sur le tapis vert. Vous êtes un vrai vampire !

Il releva un sourcil.

— J'en conclus que vous ne buvez pas et que vous ne jouez pas.

— Non, c'est un principe. La boisson abrutit, et le jeu… signifie généralement perte d'argent. Je n'aime pas perdre.

— Moi non plus.

Ils passèrent par une porte battante, puis tournèrent à gauche.

— Voici votre loge.

Cat cacha son émotion. Sa loge ! Cela faisait un peu plus d'un an qu'elle avait eu sa première loge personnelle. Mais elle ressentait chaque fois un petit frisson de plaisir. Depuis un an, elle n'avait plus à partager une pièce exiguë avec des stripteaseuses ou des danseuses. Elle n'avait plus à se bagarrer pour obtenir une place devant le miroir, ni à fouiller dans les costumes pour trouver le sien.

Sa loge… Avec un sourire ravi, elle examina la pièce.

Une coiffeuse surmontée d'une lampe, un tabouret, un valet. Et un très joli divan.

— Un peu étroit, dit-elle en haussant les épaules.

Elle avait envie de se mettre à danser.

— Mais je me débrouillerai, ajouta-t-elle. Je pourrais faire apporter ma garde-robe.

— Je vais m'en occuper. Venez voir le casino.

Il l'entraîna vers les tapis verts, les roues colorées, les machines à sous rutilantes.

Elle sourit. Visiblement, c'était là que Duncan Blade se sentait le plus à l'aise. Quelle que soit la façon dont il s'habillait — il trouvait sans doute qu'un costume et une chemise de soie étaient des vêtements « décontractés » —, il offrait l'image même du joueur courant les fleuves sur un bateau de luxe. Et il ne devait pas sortir souvent de ce lieu avec les poches plus légères.

— Deux spectacles par soirée, annonça-t-il tandis qu'ils remontaient vers le pont inondé de soleil. Dans la journée, vous êtes libre, mais j'encourage le personnel à sympathiser avec les passagers. Vous prendrez vos repas avec l'équipage. De 6 à 8 heures pour le petit déjeuner, de 11 à 13 heures pour le déjeuner, et le dîner entre 17 et 19 heures. Je vous promets que vous ne mourrez pas de faim.

— J'espère bien. J'ai bon appétit.

Il baissa les yeux sur elle. Elle était très fine, beaucoup plus que sur les photographies, où l'on devinait quelques courbes très attirantes. Il réprima un sourire malicieux. Les femmes avaient le chic pour augmenter leur volume par de petits effets de sous-vêtements.

— Le club de fitness vous est ouvert. Vous devez acheter vos boissons, et puisque vous ne buvez pas, par principe, je n'ai pas besoin de vous dire que si vous vous enivrez à bord, vous recevrez un avertissement, un seul, et la fois suivante vous serez congédiée.

Il descendit un escalier. Cat le suivit. Ils empruntèrent un petit corridor.

— Voici les cabines de première classe.

Il poussa une porte et l'invita à entrer.

C'était plus spacieux qu'elle n'aurait cru, avec un grand lit, un coin salon confortable. Les meubles étaient anciens. Des fleurs fraîches, et un balcon derrière une porte-fenêtre ouvrant sur la rivière.

— Cela doit coûter une petite fortune, murmura-t-elle.

— Les gens viennent ici pour se détendre, pour s'amuser, et nous leur en donnons pour leur argent.

— Je suppose.

L'air rêveur, elle hocha la tête. Un jour, elle s'offrirait une cabine comme celle-ci. Ce jour-là, elle se vautrerait nue comme un bébé sur le dessus-de-lit de soie, et elle rirait à s'en faire éclater les côtes.

Et elle oublierait tous les motels, les chambres miteuses qui avaient été son quotidien.

Prenant malgré elle un air ironique, elle dit :

— Je suppose que les employés n'ont pas droit à ce régime de luxe. Où est ma cabine ?

— Je vais vous la montrer. Suivez-moi.

Il recula, mais comme elle sortait de la cabine, leurs épaules se heurtèrent.

Un peu irritée, Cat s'éloigna. Même l'odeur de Duncan était celle de la richesse. Elle, elle devait sentir le vieux chiffon usé jusqu'à la corde. Mais surtout, elle mourait de faim. Si elle ne mangeait pas ce fichu sandwich tout de suite, elle allait tomber raide et s'humilier devant lui.

Ils descendirent un petit escalier. Elle soupira. Ce n'était pas la première fois qu'elle avait faim. Elle n'avait qu'à penser à autre chose. A n'importe quoi.

Au joli postérieur de Blade, par exemple. De première classe, lui aussi. Elle ne put s'empêcher de rire.

Duncan lui jeta un coup d'œil par-dessus son épaule.

— Qu'y a-t-il de drôle ?

— Rien. Je profite juste du spectacle.

Il releva un sourcil. Un talent qu'elle avait toujours admiré chez les autres. Puis il lui adressa un sourire éblouissant. Cat eut un coup au cœur. Il avait là une arme aussi efficace que secrète.

— La prochaine fois, vous passerez devant moi, dit-il d'un ton décontracté.

Il ouvrit une porte.

— Voici votre cabine.

Elle était deux fois plus petite que celle qu'elle venait de voir, et le minuscule hublot permettait d'avoir un peu de lumière naturelle, mais guère de vue. Cependant, cet espace était agréable, avec le lit étroit, les petits placards et le sol impeccable. Cat hocha la tête. Ses bagages étaient déjà arrivés, remplissant presque la cabine.

— C'est très bien, dit-elle.

C'était plus que « très bien », en réalité. Il y avait une odeur de propreté. Et dans les cabines voisines, il n'y aurait pas d'ivrognes se jetant des insultes à la tête. Elle n'aurait pas besoin de coincer une chaise sous le loquet de la porte pour pouvoir dormir sur ses deux oreilles.

La salle de bains aussi était minuscule, mais cela n'avait aucune importance. Tout, ici, resplendissait de fraîcheur et d'hygiène.

Et elle allait en profiter pendant six semaines.

— C'est très bien, répéta-t-elle.

Puis, l'interrogeant du regard :

— Et ce sandwich ?

— Je vous le ferai porter. Prenez une heure pour vous installer. Je vais prendre les dispositions pour que vous puissiez vérifier le son. Le grand salon est fermé jusqu'à 16 heures. C'est tout le temps que je peux vous accorder pour répéter. Alors soyez à l'heure.

— J'y serai.

Se dirigeant vers la porte ouverte, elle s'y adossa et attendit silencieusement qu'il sorte.

— J'aimerais aussi une bouteille d'eau plate. De l'eau minérale.

Il releva encore un sourcil.

— Rien d'autre ?

— Eh bien…

Ses lèvres se retroussèrent légèrement tandis qu'elle tendait un doigt vers lui et suivait le contour de sa chemise.

— L'avenir le dira. Merci de m'avoir engagée.

Il esquissa un sourire. Si Cat aimait ce petit jeu, elle aurait affaire à lui. Il aimait les jeux de toutes natures. Posant un doigt sous son menton, il se pencha vers elle. Les yeux de Cat s'étrécirent.

— Ma chérie, vous n'avez encore rien vu.

Souriant de toutes ses dents, il s'éloigna à longues enjambées.

2.

Il préférait la nuit. Et le crépuscule. Le mois de juillet, c'étaient de longues journées de soleil aveuglant sur les eaux sombres du Mississippi, et des nuits chaudes rafraîchies par la brise.

Juillet, c'était l'action.

Les passagers étaient montés à bord, formant un joyeux groupe qui donnait le ton pour une période de réjouissances et de plaisirs. C'était l'occasion de revivre ces époques aventureuses où les bateaux à aubes étaient les maîtres du fleuve.

Il y avait de jeunes couples qui s'offraient leur voyage de noces, et des gens à l'œil avide qui rêvaient de faire fortune devant les tables de jeu. Tandis que le crépuscule approchait, Duncan sentit ce petit frisson d'excitation qui précédait toujours les départs.

Il avait passé une grande partie de sa vie dans des hôtels, aussi bien en ville que dans des stations balnéaires. Cela lui avait plu, et il avait appris l'art de s'occuper des affaires de sa famille, pour lesquelles il s'était découvert un talent particulier. Mais il avait aussi découvert qu'il préférait sa liberté de mouvement, les changements et l'inattendu.

En riant, sa mère disait qu'il était né un siècle trop tard. Il était né pour parcourir la rivière.

Et c'est ce qu'il faisait maintenant. La *Princesse comanche* glissait paresseusement vers le sud. Il aurait pu piloter lui-même ce grand bateau, c'était encore une chose qu'il avait apprise. Il n'était pas homme à s'en remettre à quelqu'un sans savoir comment s'y prendre en cas de nécessité.

Mais il avait choisi lui-même le capitaine et l'équipage. Maintenant, il pouvait savourer le fait que ce qui lui appartenait fonctionnait bien.

Traversant le casino, il adressa un hochement de tête à la directrice. Gloria Beene avait l'œil acéré, l'esprit vif, et un petit accent traînant du Sud qui lui donnait du charme, et faisait un peu oublier son efficacité impitoyable.

Il l'avait embauchée à Savannah. Il avait considérablement augmenté son salaire et, au bout de quelques mois, il avait envisagé une relation plus intime. Mais ils s'étaient vite rendu compte, tous les deux, que leur relation était plus amicale qu'amoureuse.

— Jolie foule, ce soir, commenta Gloria. Les machines à sous sont prises d'assaut.

— Les touristes aiment fêter de cette manière leur première soirée sur le bateau. Vous allez vite repérer deux couples de jeunes mariés. N'oubliez pas de leur offrir une bouteille de champagne.

— Je n'y manquerai pas.

Quand il eut tout vérifié dans la salle, il se rendit dans le grand salon.

S'arrêtant devant la loge de Cat, il consulta sa montre et fronça les sourcils. Il n'avait pas entendu la moindre note sortir de sa bouche depuis qu'il l'avait laissée dans sa cabine, deux heures plus tôt.

Il frappa brièvement à la porte.

— Cinq minutes, mademoiselle Farrell.

— D'accord… Mince ! Pouvez-vous me donner un coup de main ?

Duncan ouvrit la porte. Et il reçut le choc de sa vie.

Cat se tenait au milieu de la pièce, vêtue de ce qu'une âme généreuse aurait peut-être nommé une robe. Du même vert vibrant que ses yeux, et qui laissait ses épaules nues, où tombait en cascade une vaporeuse chevelure rousse.

Duncan soupira imperceptiblement. Comment aurait-il pu se douter, tout à l'heure, que sous son jean râpé, Cat cachait de longues jambes fines, aussi douces que la soie ? Maintenant, sa robe courte et les talons gigantesques sur lesquels elle était perchée les mettaient merveilleusement en valeur.

— Euh…, marmonna-t-il.

Cessant de se battre avec sa fermeture Eclair, Cat lui offrit le spectacle délicieux de son dos nu.

— Vous avez acheté tout le lot, mon chou. Maintenant, il faut que vous m'aidiez à nouer le ruban. Ce foutu machin ne veut pas tenir.

— Voyons ce que nous pouvons faire, finit-il par articuler.

Il s'approcha d'elle. Elle avait maquillé ses grands yeux et enduit ses lèvres d'un rouge brillant. Elle ne ressemblait plus du tout à l'adolescente qu'il avait vue sur le quai. Et elle avait un parfum exotique, terriblement sexy.

Que pouvait faire un homme, sinon apprécier cet instant précieux ?

— Parfois, il faut aller très bas avant de remonter, fit-il remarquer.

Ses doigts glissèrent sur sa peau nue tandis qu'il faisait descendre la fermeture.

Impassible, Cat soupira silencieusement. Ce bref contact lui avait procuré un petit frisson. Duncan Blade était un homme redoutable. Mais elle savait comment affronter les individus comme lui. Elle tourna la tête et lui adressa un sourire sensuel.

— Je sais, dit-elle. J'ai eu des hauts et des bas.

— Vous n'êtes peut-être jamais descendue à la bonne place.

Incapable de résister, il passa un doigt sur sa colonne vertébrale.

— Joli dos, Farrell.

— Merci. Jolie gueule, Blade, rétorqua-t-elle sans se départir de son sourire. Maintenant, aidez-moi à fermer cette robe, sinon je serai en retard pour entrer en scène, et mon patron est très pointilleux à ce sujet.

Plongeant les yeux dans les siens, il hocha la tête. Il avait une envie folle de lui arracher sa robe, de découvrir les autres merveilles qu'elle cachait.

Le cœur battant un peu trop vite à son goût, Cat soutint son regard. Les doigts qui effleuraient son dos étaient très prometteurs. D'une voix un peu rauque, elle déclara :

— Ce serait une erreur.

— Vous avez raison.

A regret, il remonta lentement la fermeture.

Faisant un pas en arrière, il inclina la tête sur le côté et examina longuement sa nouvelle chanteuse.

— Pourtant, cela semble en valoir la peine, vu d'ici.

Il fit demi-tour et ouvrit la porte.

— Cassez-vous donc une jambe.

— J'essaie toujours de me casser les deux à la fois.

Elle sortit avec lui. Suivant une impulsion, elle s'arrêta quand ils passèrent la porte. Levant la main vers le visage de Duncan, elle suivit le contour de sa bouche du bout des doigts.

— Vraiment dommage !

Le cœur battant très vite, elle s'éloigna et s'arrêta juste avant la scène, puisant dans les pulsations provoquées par Duncan un supplément d'énergie.

Quand la scène s'obscurcit, elle entra, compta le nombre de pas pour se trouver au milieu. Fermant les yeux, elle se mit à chanter a capella, doucement, d'une voix rêveuse. Bientôt, la musique commença à l'accompagner, les projecteurs éclairèrent lentement son visage, puis son corps, tandis que sa voix se faisait plus intense, envahissant l'espace.

Duncan avait les yeux rivés sur elle. « Séduction » était le mot qui venait à l'esprit quand on la regardait. Malgré la tristesse de sa chanson, Cat n'était que séduction.

Et le public y était sensible.

Les femmes allaient pleurer, et les hommes la désirer.

Car elle pouvait rendre un homme fou de désir !

Il se frotta la bouche, là où elle l'avait furtivement caressé. Ce léger contact lui avait envoyé une décharge électrique dans les reins. Il hocha pensivement la tête. C'était une femme dangereuse. Il fallait toujours qu'il soit attiré par les femmes dangereuses…

Il écouta attentivement jusqu'à ce que les dernières notes s'éteignent et que les applaudissements crépitent. Puis il retourna vers le casino, là où la chance avait l'habitude de lui sourire.

Cat fit la grasse matinée jusqu'à midi. Après le second spectacle, elle s'était changée et démaquillée. Ensuite, elle s'était écroulée sur son lit et avait dormi comme un loir.

Les rayons du soleil et le balancement régulier du bateau l'éveillèrent. Et aussi son estomac, qui criait famine.

Elle se doucha rapidement et descendit aux cuisines. Elle avait déjà sympathisé avec un cuisinier, comme elle l'avait toujours fait dans chaque hôtel, chaque night-club où elle avait travaillé. Elle se faisait un devoir d'être en bons termes avec le responsable des cuisines.

C'était le meilleur moyen de bien manger.

Charlie lui parla de ses trois ex-épouses tout en lui servant une généreuse assiette de langouste. Elle aimait manger dans la cuisine, où elle pouvait bavarder avec l'équipe et obtenir de petites informations.

— Charlie, parlez-moi du patron.

— Duncan ? C'est un type très bien. Il m'a dit : « Charlie, je veux de la nourriture de rêve. »

Il eut un rire bref.

— Il veut des plats poétiques, et ce qu'il y a de meilleur. Duncan Blade ne veut rien de moins que cela, ma chère.

— J'imagine.

Une fois sa langouste engloutie, Cat se fit servir un soufflé au potiron.

En la regardant manger d'un œil amusé, Charlie agita ses sourcils broussailleux.

— Et il a l'œil en ce qui concerne les femmes, dit-il. Il leur fait son numéro de charme et il s'éloigne pendant qu'elles sont encore en train de soupirer.

— Toutes les femmes ne se laissent pas charmer.

— Beaucoup. La plupart ont un point faible. Remarquez, les hommes aussi. Tenez, moi, par exemple, j'en ai plusieurs.

Cat hocha la tête en entamant une mousse au chocolat. Dieu merci, elle n'avait pas de point faible dans ce domaine. Quand une femme possédait suffisamment de raison, elle pouvait s'arranger pour que ses points faibles deviennent durs comme de la pierre.

Elle soupira. Quand on ne peut compter que sur soi-même, il faut savoir se préserver.

Son repas terminé, elle bavarda encore quelques minutes avec Charlie, puis remonta sur le pont.

S'accoudant au bastingage, elle contempla la rivière. C'était bon d'être loin de la foule, de la ville et du bruit. De respirer l'air salin et de sentir la chaleur du plein été, qui vous rendait un peu somnolent.

Elle allait s'engager pour d'autres concerts de ce type, avec le bénéfice de belles randonnées et d'après-midi paresseux. Charlie avait raison. Duncan Blade n'était pas pingre. Le salaire qu'elle allait gagner pendant les six semaines à venir lui permettrait d'augmenter sensiblement ses économies. C'était une idée réconfortante. Les jours passés à gagner péniblement quelques dollars pour payer le loyer d'une petite chambre miteuse semblaient révolus.

Cat redressa les épaules. Elle ne serait plus jamais pauvre, ni désespérée, c'était une promesse qu'elle s'était faite. Et elle n'aurait plus peur. Les mauvais jours étaient derrière elle. Non, rien ni personne ne l'empêcherait de réussir.

Relevant la tête, elle prit une profonde inspiration. Les Duncan Blade n'avaient qu'à bien se tenir. Pour rien au monde elle ne faiblirait.

Du pont supérieur, Duncan l'aperçut. Elle appuyait ses bras croisés au bastingage. Elle paraissait aussi paresseuse et satisfaite qu'un chat allongé au soleil.

Duncan fronça les sourcils. Pourquoi se sentait-il nerveux dès qu'il la voyait ? Elle ne ressemblait plus du tout à la séductrice de la veille. Elle avait remis sa casquette ridicule, et ses cheveux en queue-de-cheval passaient à travers l'ouverture arrière. Son large T-shirt lui couvrait les hanches, ou du moins le peu qu'elle en avait, et elle était pieds nus.

Evidemment, elle avait un short effiloché qui laissait voir ses magnifiques jambes.

Duncan soupira. C'était moins ce qu'elle montrait que son attitude qui le troublait. Elle paraissait être pleine de confiance en elle et se moquer éperdument d'être le point de mire. On pouvait dire que ce genre d'attitude était son style.

— Hé ! Cat Farrell !

Elle se retourna vivement. Malgré sa visière et ses lunettes de soleil, elle se protégea les yeux d'une main. Sans changer d'expression, elle répondit :

— Hé ! Duncan Blade !

— Vous montez ? dit-il.

— Pourquoi ?

— Je veux vous parler.

En souriant, elle cala ses coudes sur le bastingage.

— Alors, descendez !

Si elle commençait à lui obéir au doigt et à l'œil, elle allait lui donner une fausse image d'elle.

— Montez. Dans mon bureau ! dit-il sans la quitter des yeux.

Elle haussa les épaules. Sans insister davantage, il se retourna et attendit. Il savait que Cat allait prendre son temps. Lui-même aurait sans doute réagi de la même façon.

Quand il la vit apparaître sur le deuxième pont, il lui fit signe de continuer.

— Il y a un problème, patron ?

— Non. Vous avez passé une bonne matinée ?

— Je ne sais pas. J'ai dormi.

En arrivant sur le pont supérieur, elle regarda autour d'elle.

— Heureusement que j'aime l'altitude !

— Entrez…

Il ouvrit la porte et la laissa passer devant lui.

Cat entra d'un pas nonchalant et jeta un coup d'œil circulaire. Apparemment, son patron n'aimait pas être enfermé. Son bureau n'était pas grand, mais il était entouré de tant de hublots que la pièce était baignée de soleil.

— C'est fantastique, murmura-t-elle.

— Grâce à cette vue, j'ai une chance de ne pas devenir fou avec la paperasse. Je vous offre une boisson fraîche ?

— De l'eau.

Hochant la tête, il ouvrit un mini-réfrigérateur d'où il sortit une bouteille.

— C'est tout ce que vous buvez ?

— La plupart du temps. Mais vous ne m'avez pas fait grimper ici pour que j'admire la vue.

— J'ai de nouveau regardé votre dossier de presse.

Il lui tendit un verre d'eau.

— Et alors ?

— Très professionnel. Et vos chansons sont bien écrites, même si elles disent peu de choses.

S'asseyant, il étendit les jambes et tira un cigare de la poche de sa chemise.

— Parlez-moi de vous.

148

— Pourquoi ?

— Pourquoi pas ?

Elle s'assit et l'imita en allongeant les jambes.

— Vous m'avez engagée, je remplis mon contrat. Que voulez-vous de plus ?

Il alluma son briquet sans la quitter des yeux à travers la flamme.

— Cela ne me dit pas d'où vous venez.

— De Chicago. Quartiers sud.

Il leva un sourcil étonné.

— Ce sont des quartiers difficiles.

— Comment pourriez-vous le savoir ? dit-elle avec un sourire sarcastique. On n'a jamais vu de MacGregor traverser ces quartiers en limousine.

Sans se démonter, il souffla une bouffée de fumée. A en croire la réaction de Cat, ce sujet était un point sensible.

— Détrompez-vous. Le vieux MacGregor a travaillé dans les mines, il a passé une partie de sa jeunesse dans des quartiers tout aussi durs. Mon père est un Blade, avec du sang comanche. Il est parti de certains lieux à côté desquels les quartiers sud de Chicago ressemblent au paradis. Je viens d'une famille qui n'a pas oublié ses racines.

— C'est votre problème, Duncan. Moi, j'ai coupé les miennes.

L'observant derrière l'écran de ses lunettes noires, elle sirota son eau.

— Où est votre famille ? s'enquit-il.

— Mon père est mort, fauché par un chauffard ivre. Il avait vingt-neuf ans, et moi huit. Ma mère vit à Chicago. Mais qu'est-ce que cela a à voir avec mon travail ?

Rapide comme l'éclair, il lui ôta ses lunettes.

— Mais…

— J'aime voir les yeux de mes interlocuteurs.

Il posa les lunettes sur le bureau et se renversa contre son dossier, sans la quitter du regard. C'était réjouissant de voir la lueur de colère qu'il avait réussi à provoquer en elle.

— Je vous ai établi un contrat de six semaines, avec la possibilité de le renouveler une fois. Avant de me décider à utiliser cette option, j'aimerais savoir à qui j'ai affaire.

Cat ouvrit la bouche pour parler, mais elle la referma aussitôt. Encore six semaines de travail stable, de revenus stables ! En tout, elle serait logée et nourrie pendant trois mois. Elle allait presque doubler ses économies, ainsi que le chèque qu'elle envoyait chaque mois à sa mère. Et qui sait ? Cela pourrait très bien aboutir à un autre contrat avec un autre MacGregor.

Sans trahir la joie et l'espoir qui brûlaient en elle, elle ébaucha un sourire.

— Eh bien, dans ce cas, ma vie est un livre ouvert. Que voulez-vous savoir ?

150

3.

Il avait vu juste. Pour certaines personnes, l'argent était l'argument le plus convaincant. Avec quelqu'un d'autre, il aurait tourné autour du pot, il aurait fait en sorte qu'elle en vienne elle-même là où il voulait l'amener, et tout cela en faisant un numéro de charme mêlé d'une bonne dose de ruse. Mais avec Cat, rien de tout cela n'aurait pu avoir de l'effet.

— Y a-t-il un homme dans votre vie ?

Amusée, elle leva les sourcils.

— C'est ce qui s'appelle aller droit au but.

— Je sais ajuster mon allure à celle des personnes avec lesquelles je marche, ma chère. Alors ?

— Il n'y en a pas, à moins que je ne veuille qu'il y en ait un.

Elle sirota de nouveau son verre d'eau, prenant son temps et lui donnant la conviction qu'elle ne faisait que dire la vérité.

Il hocha la tête.

— Donc, pas d'homme pour l'instant. Et vous ne buvez pas, par principe. Vous ne jouez pas. Aucun défaut, Cat ?

Elle ne se pressa pas pour répondre. Le regardant par-dessus le bord de son verre, elle finit par se décider.

— Est-ce que j'ai dit cela ? Vous, vous buvez, vous jouez, et je suppose qu'il y a une femme dans votre vie quand cela vous intéresse. Cela signifie-t-il que vous êtes criblé de défauts, Duncan ?

— Un point pour vous.

Il prit une pièce de monnaie sur la table et se mit à jouer avec.

— Vous m'avez impressionné, hier soir.

— Dans ma loge ?

Il lui adressa un sourire étincelant et connaisseur.

— Oui. Et sur scène. Vous avez un sacré talent.

— Je sais.

Il inclina la tête sur le côté.

— Le fait que vous le sachiez est en votre faveur. Jusqu'où voulez-vous pousser votre talent ?

— Le plus loin possible.

— Pourquoi ne faites-vous pas d'enregistrements ?

Du bout de la langue, elle rattrapa une goutte d'eau sur sa lèvre supérieure.

— Les producteurs..., dit-elle sèchement. Je les ignore.

— Vous avez besoin d'un nouvel agent. Je peux vous aider, ajouta-t-il en la regardant droit dans les yeux.

Elle ne cilla même pas. Son magnifique regard vert devint glacial. Lentement, elle baissa son verre et le posa.

— Et que voulez-vous, comme pourcentage ?

Duncan cessa brusquement de tripoter la pièce.

— Je ne fais jamais de marché avec la sexualité. Je ne paie pas pour cela, et je ne joue pas non plus pour cela.

Elle resta un instant silencieuse. Duncan Blade était surprenant. Sa voix douce pouvait soudain devenir coupante comme une lame de rasoir. Elle soupira. Chaque fois qu'elle se trompait, elle aimait l'admettre. Même quand c'était cuisant.

— Désolée. Mais je n'ai pas l'habitude de voir quelqu'un m'offrir son aide sans espérer avoir du répondant dans ce domaine.

— La sexualité est pour le plaisir. Les affaires sont... un plaisir différent, disons. Je ne mélange jamais les genres. C'est clair ?

— Comme de l'eau de roche.

Satisfait, il se remit à jouer avec la pièce.

— J'ai quelques contacts dans le monde du spectacle. Passez-moi une bande d'essai dans quatre ou cinq semaines. Je la remettrai entre bonnes mains.

— Comme cela, tout simplement ? Mais pourquoi ?

— Parce que j'aime votre voix. Et tout le reste.

Hésitante, elle réfléchit très vite. Il y avait certainement un piège. Mais pour l'instant, elle ne le trouvait pas.

— J'apprécie beaucoup votre proposition, dit-elle, sincère.

Pour sceller leur accord, elle lui tendit la main. Dans celle de Duncan, la pièce disparut.

Elle se mit à rire.

— Vous connaissez d'autres tours de prestidigitation ?

— Trop pour pouvoir les compter.

Amusé par sa réaction, il ramena la pièce dans sa main et la fit tourner du bout des doigts. Serrant le cigare entre ses dents, il leva les deux poings et ouvrit les mains. La pièce avait disparu.

Cat éclata d'un rire bref, un peu rauque. Elle se pencha en avant.

— Recommencez ! Je vais essayer de comprendre.

— On parie ?

Elle leva rapidement les yeux vers les siens.

— J'ai le coup d'œil, vous savez.

— Des yeux magnifiques. Ils m'ont fait monter l'eau à la bouche quand j'ai cru que vous étiez une jeune délinquante. Et puis, il y a vos cheveux…, ajouta-t-il d'une voix radoucie.

Se penchant vers elle, il fit courir une main sur sa queue-de-cheval. Sans la quitter des yeux, il lui ôta sa casquette et la posa sur ses genoux.

— Fabuleux. Mais où est passée la pièce ?

— Pardon ?

En souriant, il s'appuya contre son dossier et leva les deux mains, grandes ouvertes.

— Je n'ai rien dans mes manches.

Cat émit un petit rire. Elle s'était laissé dangereusement distraire pendant un court instant. Elle soupira.

— Vous êtes vraiment très fort.

— C'est diablement vrai.

Il reprit la casquette.

— Tendez la main.

Tournant le couvre-chef, il lui envoya le jeton. Un dixième de seconde avant qu'il ne touche sa main, il le rattrapa et le fit de nouveau disparaître.

Elle ne put s'empêcher de rire de nouveau.

— Vraiment très bon.

Elle se leva.

— Je me suis bien amusée. Maintenant, je vais travailler un peu.

Alors qu'elle allait s'éloigner, les mains rapides et fortes de Duncan lui emprisonnèrent les poignets. Elle sentit quelque chose tressauter en elle, mais elle releva la tête et rencontra son regard.

— Vous sentez cela ?

— Quoi donc ?

— La connexion.

— Peut-être. Lâchez-moi.

Il la retint assez longtemps pour l'inquiéter et l'irriter, puis ses doigts se desserrèrent, et il laissa tomber ses mains.

— Pas d'attaches, Cat.

— D'accord. J'aime avoir les mains libres.

Ce disant, elle leva une main vers lui et le prit par la nuque tandis qu'elle posait ses lèvres sur les siennes.

Elle s'était attendue à la décharge électrique. C'était bon, une décharge comme celle-ci. Sans cela, un baiser n'avait pas de sens.

Cependant, c'était plus que cela, quand une telle chaleur s'insinuait dans les veines. Elle aurait aimé s'y lover, jusqu'à ce qu'elle se dissolve. Jusqu'à ce que ce besoin inattendu relâche le nœud qu'il avait tressé en elle.

154

Pourtant, son instinct de survie prit le dessus. Elle recula.

— Hmm…

Elle n'avait plus la tête très claire.

— Hmm…, fit Duncan, comme en écho.

Il se rapprocha d'elle et posa les mains sur ses hanches avant qu'elle puisse réagir.

— C'est à mon tour.

Il baissa la tête et posa sa bouche tout près de la sienne. Cat se mit à respirer plus vite. L'anneau doré qui entourait ses pupilles était scintillant.

Il passa lentement ses lèvres sur sa bouche.

Après tout, ne venait-elle pas de le prendre par surprise ? Il ne s'agissait pas qu'elle en fasse une habitude. S'il ne gardait pas la tête froide, elle allait le mener par le bout du nez avant la fin de sa première semaine de contrat.

Et il n'était pas question que cela arrive.

Il savait comment faire plaisir à une femme. Comment donner, et comment prendre. Il fit glisser ses mains le long de son dos, avant qu'elles ne remontent vers ses seins. Il l'étreignit pour qu'elle sente son corps dur contre le sien.

Gémissant un vague : « Oh, non… », elle accepta l'inévitable et se pendit à son cou.

Il continua à jouer avec sa bouche du bout des lèvres, les mordillant, les incitant à s'entrouvrir.

Et brusquement, elle se mit à trembler contre lui.

C'est à cet instant seulement qu'il prit sa bouche, chaude et pleine. Elle ronronna de plaisir.

Duncan lutta pour retrouver son calme. Cat submergeait ses sens, elle avait un goût et une odeur enivrants. Elle pencha la tête en arrière dans une invitation silencieuse, le corps moulé dans le sien.

Il se sentait perdre le contrôle, l'animal qui était en lui voulait briser ses chaînes. Se forçant à adoucir son baiser, il la caressa lentement avant de prendre son visage entre ses mains.

Quand il la vit tressaillir, il s'arracha à elle.

Son pouls frénétique ressemblait à une dizaine de marteaux battant l'enclume. Le désir lui déchirait le ventre. Cependant, il continua de la caresser doucement quand elle ouvrit ses grands yeux verts aux paupières lourdes.

Elle s'humecta les lèvres, comme pour absorber encore un peu de sa saveur. Elle avait le souffle court.

— Je crois que l'on peut appeler cela une connexion, dit-elle dans un souffle.

Il sourit.

— Venez dans ma cabine après le spectacle, ce soir. Nous… nous connecterons.

Elle soupira. C'était une des choses qu'elle avait le plus envie de faire. Mais ce n'était pas si simple.

— Vous voulez vous suicider. Et moi, j'ai trop de choses en jeu pour sauter d'une falaise.

Il resserra l'étreinte de ses doigts.

— Cela n'a rien à voir avec le travail, Cat.

— Je sais. Et cela pourrait peut-être fonctionner. Je parlais d'autre chose.

Faisant quelques pas en arrière, elle saisit sa casquette et ses lunettes.

— Vous êtes un bourreau des cœurs, Duncan, et je ne peux pas me permettre d'avoir la moindre faille dans mon cœur.

— Je ne brise pas les cœurs. Je ne leur fais pas le moindre mal.

En riant, elle chaussa ses lunettes.

— Je suis sûre que vous y croyez.

Du bout des doigts, elle se tapota les lèvres et lui envoya un baiser. Puis elle fit volte-face et s'éloigna à grands pas. Elle n'allait pas risquer d'y croire elle aussi.

Il voulut la suivre mais il se ravisa en secouant la tête. Non, ce serait humiliant. La seule idée qu'il puisse se conduire comme un mendiant était intolérable.

Arpentant la cabine, il glissa ses mains dans ses poches et tripota sa pièce de monnaie. C'était facile de désirer une femme, c'était naturel. Et agréable.

Mais la séduire, c'était bien plus que tout cela.

Il hocha lentement la tête. Il pouvait séduire Cat, cela ne faisait aucun doute. Il y avait trop d'étincelles entre eux pour qu'aucun des deux n'ait envie de pousser plus loin l'expérience.

Il fronça les sourcils. Cat avait tort, il n'était pas un bourreau des cœurs. Il n'avait jamais fait de mal à une femme. Il prenait toujours ses distances avant que les émotions ne s'en mêlent et menacent de faire souffrir l'un des deux.

A cette étape du jeu, il n'y avait aucune raison que cela change. Cat représentait un plus grand défi que la plupart des femmes qu'il avait connues, elle l'intriguait aussi comme aucune ne l'avait jamais fait.

Il haussa les épaules. Au fond, il suffisait de la convaincre que les règles du jeu étaient acceptables.

Plongé dans ses pensées, il tira la pièce de sa poche et l'envoya en l'air.

— Face, je gagne, marmonna-t-il.

Il la rattrapa dans le creux de la main.

— Face !

Tournant la pièce entre ses doigts, il se mit à rire. Les deux faces étaient identiques.

Il riait encore quand le téléphone sonna. Posant une fesse sur son bureau, il attrapa le combiné.

— Blade.

— Tu pourrais dire bonjour quand tu réponds ! Qui t'a élevé ainsi ?

Son sourire s'élargit.

— Bonjour, grand-père !

— Voilà qui est mieux. Comment va ton bateau ?

— Une vraie… princesse. Nous voguons vers Memphis. Il fait une chaleur d'enfer.

— Ha ! Moi, j'ai une brise qui souffle doucement de l'océan, et je suis en train de fumer un bon cigare.

— Ce qui signifie que grand-mère est sortie.

— Elle n'arrête pas de me harceler pour que je te dise de venir nous voir.

Duncan secoua la tête. Anna MacGregor n'était pas du genre à harceler quiconque, mais à quoi bon le faire remarquer ?

— Je viendrai quelques jours à l'automne.

— Je crois qu'une petite promenade sur ton bateau lui ferait très plaisir.

— Pas de problème, je serai très heureux de vous accueillir.

— Ton frère lui a parlé de cette nouvelle chanteuse que tu as engagée, et maintenant, elle n'a qu'une envie, c'est d'aller l'écouter.

— Cat Farrell. Oui, elle vaut le déplacement.

— Je t'avais bien dit qu'elle était excellente.

— J'apprécie beaucoup, grand-père. Elle a fait un tabac hier soir. Ce matin, j'ai entendu des passagers parler d'elle en termes élogieux.

— Bien, bien. Et elle a une belle apparence aussi. Ah, ces Irlandaises ! Catherine Mary Farrell ne fait pas exception.

Duncan leva un sourcil interrogateur. Une idée inconfortable venait de se glisser dans son esprit.

— Catherine Mary ? répéta-t-il. Je n'ai lu que Cat Farrell sur son contrat. Comment connais-tu son prénom entier ?

A l'autre bout du fil, Daniel fit la grimace. Il aurait pu réfléchir avant de parler !

— Par ton frère ! répondit-il vivement. Mac me l'a dit, et je m'en souviens parce que je trouve que c'est un joli nom… Catherine Mary.

Duncan tambourina du bout des doigts sur ses genoux, tandis qu'un sourire malicieux se formait sur ses lèvres.

— Hmm… je suppose qu'elle gardera son nom même quand elle aura épousé le pianiste.

— Quoi ? Quel pianiste ? interrogea Daniel.

— Son fiancé, répondit Duncan d'un air indifférent.

Il refréna une envie de rire. « Voilà qui t'apprendra à te mêler de ce qui ne te regarde pas, vieux renard. »

— Il s'appelle Dabny Pentwhistle, ajouta-t-il.

— Pentwhistle ? D'où sort-il un nom pareil ? Une femme belle et intelligente comme Cat ne va pas s'intéresser à un Pentwhistle ? Et d'abord, d'où vient-il ? La semaine dernière, elle n'était pas fiancée, que je sache.

— Ah bon ? Comment le sais-tu ?

— Eh bien, je…

Flairant un piège, Daniel dit prudemment :

— Je trouve que c'est payant de connaître les détails. Je m'intéresse à ton fichu bateau, non ? Ce qui veut dire que je m'intéresse aussi à ceux et celles qui y travaillent. Si cette fille veut épouser son Pentwhistle de pianiste, c'est son affaire, mais moi, j'aime savoir ce qui se passe.

— Maintenant, tu le sais, tu es content ? Alors si tu avais l'idée à la noix de me faire épouser Catherine Mary Farrell, tu peux la garder.

— L'idée à la noix ? C'est ainsi que tu parles à ton grand-père ! Je devrais te botter les fesses.

— Tu me l'as déjà dit.

Souriant, il tendit la main vers son cigare et l'alluma.

— Quand vas-tu le faire ? interrogea-t-il.

— Dès que tu seras à ma portée, mon gars. Tu vas voir si je ne le fais pas. Un garçon comme toi qui laisse tomber une belle jeune fille comme Cat dans les bras d'un Pentwhistle, c'est un gros péché. Cette fille a de la poigne. Elle a des tripes, ne t'y trompe pas. Elle mérite ce qu'il y a de mieux.

Duncan éclata de rire.

— Et moi, je suis ce qu'il y a de mieux ?

— Toi, tu n'es qu'un vaurien ! Tu vas briser le cœur de ta pauvre grand-mère en perdant ton temps à monter et à descendre cette rivière alors que tu devrais t'installer et penser à ton avenir.

— Et lui faire des bébés pour qu'ils sautent sur ses genoux. Je connais la chanson, Daniel MacGregor.

Daniel se mit à pester. Duncan rit de plus belle.

— Je t'aime, grand-père.

— Je l'espère bien.

Avec un rire chaleureux, Daniel changea de tactique.

— Duncan, mon garçon, je ne veux que ton bonheur. Avant de mourir, je veux voir mon petit-fils favori marié et heureux.

Duncan hocha la tête. Tous les petits-enfants de Daniel étaient ses favoris.

— Tu ne mourras jamais, grand-père. Mais si cela arrivait, tu reviendrais hanter tes arrière-petits-enfants jusqu'à ce qu'ils se marient et qu'ils procréent. Maintenant, va faire ton petit numéro avec Ian ou un autre.

— C'est bon, c'est bon, grommela Daniel. Toi, va jouer avec ton bateau.

— C'est bien mon intention. Embrasse grand-mère pour moi.

— Je n'y manquerai pas. Pentwhistle ! Quel nom ! marmonna-t-il en raccrochant tandis que Duncan se tordait de rire.

4.

Duncan Blade ne détestait pas les histoires romantiques, bien qu'il n'ait jamais eu envie d'aller aussi loin. Mais il croyait en leur pouvoir et en leur beauté.

Et, d'après ce qu'il savait, les femmes en raffolaient.

Quand ils firent escale à Memphis, il fit livrer des fleurs dans la cabine de Cat. A Natchez, il lui offrit du parfum et, à Baton Rouge, une petite boîte à bijoux en forme de cœur. Pendant la croisière, il voulut l'inviter plusieurs fois à dîner sur son balcon privé, ou à faire des promenades au clair de lune sur le pont.

Mais chaque fois, la réponse fut la même : ce n'était même pas la peine d'y penser.

Observant les quais de La Nouvelle-Orléans par son hublot, il soupira. Décidément, Cat Farrell était têtue comme une mule.

Non seulement cette évidence avait tendance à le rendre fou, mais Cat avait une attitude déraisonnable. Elle avait provoqué quelque chose en lui qu'elle ne pouvait pas ignorer. Et il ne lui était pas indifférent. Pourtant, depuis l'instant où elle était sortie de son bureau, une semaine plus tôt, elle ne lui avait plus laissé l'opportunité de l'approcher.

Elle ne l'évitait pas, ce n'était pas son genre. Elle se promenait sur le bateau et bavardait avec des passagers ou avec l'équipage, et quand ils se croisaient, elle ne se mettait pas à bégayer ou à rougir.

Au contraire, elle lui adressait un de ses sourires félins et le regardait droit dans les yeux.

Elle ne paraissait pas affectée le moins du monde, même quand il s'approchait d'elle et qu'il sentait son parfum. Le parfum qu'il lui avait offert, pour l'amour du ciel !

Cat Farrell était en train de le rendre fou.

Mais il n'était pas près de baisser les bras.

Si le mélange Duncan Blade et La Nouvelle-Orléans n'était pas capable de convaincre une femme, il n'y avait plus d'espoir pour l'humanité.

Dans son lit étroit, Cat s'étira voluptueusement. Le changement de rythme du bateau l'avait réveillée. Apparemment, il avait accosté. Après une semaine à bord, elle commençait à connaître chaque mouvement, chaque son, chaque humeur de la *Princesse comanche*.

Derrière le minuscule hublot, c'était La Nouvelle-Orléans, avec ses avalanches de fleurs, ses fameux beignets, son jazz et ses touristes ivres. Qu'est-ce qu'une femme pouvait demander de plus ? Elle avait des heures pour se promener dans ses rues étroites, pour explorer ses charmantes boutiques, pour goûter la nourriture typique et renommée de cette ville, et pour écouter les musiciens des rues.

Mais aussi, pour s'éloigner de ce bateau et de son dangereux propriétaire, Duncan Blade.

Cat eut un sourire étrange. Elle n'aimait pas la façon dont elle pensait à lui depuis quelques jours. Un homme qui s'intéressait tant à une femme, qui était si charmeur, si beau, si sexy, était aussi dangereux qu'un fusil chargé.

Et elle n'avait aucune intention de prendre une balle perdue.

Entrant dans la minuscule baignoire, elle soupira. Dieu sait que cet homme avait quelque chose… une façon bien particulière de poser ses magnifiques yeux chocolat sur une femme, comme si elle seule au monde était digne d'intérêt. Et sa façon de lui parler avec cette voix un peu sexy et très virile, comme s'il avait attendu cet instant toute sa vie. Sa façon de l'effleurer de ses mains habiles, qui envoyait dans tout son corps de minuscules et délicieuses décharges électriques.

Ce don Juan était en train de la rendre folle.

Or elle ne pouvait pas se permettre le moindre détour par la folie.

Cat secoua la tête. Il lui avait envoyé des fleurs. Cela faisait tellement cliché ! Mais les clichés fonctionnaient toujours, et elle savait pourquoi. Ne s'était-elle pas à moitié pâmée en voyant ce bouquet, n'y avait-elle pas enfoui son visage ? Et n'avait-elle pas pensé à Duncan chaque fois qu'elle avait le malheur de les regarder ?

Et le parfum ! Jamais de sa vie elle n'avait eu un véritable parfum. Conditionné dans un superbe flacon, coûtant la peau du dos, et donnant à la femme qui le portait l'impression d'être une reine. Le pire, c'est que Duncan avait trouvé exactement le parfum qui lui plairait, qui rendrait ce flacon irrésistible.

Elle poussa encore un petit soupir. Oui, décidément, Duncan Blade savait s'y prendre avec les femmes.

Mais c'était la boîte à bijoux qui avait failli la faire craquer. Elle était si fantaisiste et si jolie, mais aussi tellement inutile. Elle n'avait jamais eu les moyens de s'offrir des objets fantaisie. Et elle n'avait jamais pensé que cela pourrait lui procurer tant de plaisir. Même si elle n'avait aucun bijou à y déposer.

Enveloppée dans une serviette de bain, elle se dirigea vers son placard. La journée allait encore être chaude. Elle savait ce que le dangereux Duncan avait en tête. Il menait une espèce de campagne, prudente, stratégique. Et elle était la forteresse qu'il avait l'intention de prendre d'assaut.

Une fois qu'il l'aurait conquise et qu'il y aurait planté son drapeau, il préparerait la prochaine campagne, la prochaine forteresse.

— C'est ce que font les bourreaux des cœurs, murmura-t-elle.

Haussant les épaules, elle enfila un T-shirt blanc et un short noir. Dieu merci, elle savait comment affronter ce genre d'homme. Elle se glissa dans ses sandales, fourra quelques billets dans sa poche, attrapa sa casquette et ses lunettes de soleil.

Quand elle ouvrit la porte, Duncan levait la main pour frapper.

— Parfait, vous êtes déjà prête.

Cat sentit une nouvelle décharge électrique lui traverser les reins. C'était stupéfiant de se trouver nez à nez avec Duncan alors qu'elle pensait si fort à lui. Stupéfiant, et irritant.

Mais elle resta impassible.

— Que voulez-vous ? s'enquit-elle d'une voix aussi neutre que possible.

— Je viens vous chercher. Etes-vous déjà venue à La Nouvelle-Orléans ?

— Non, mais je compte bien tout découvrir.

— Formidable. Nous allons commencer par déguster des beignets au Café du Monde, comme de vrais touristes. Avez-vous des chaussures confortables ?

— Oui. Mais j'avais l'intention de me promener seule, patron.

— Changement de programme !

Il l'entraîna vers l'escalier.

— Je suis venu souvent ici. C'est une des villes que je préfère.

Ils se dirigeaient maintenant vers la passerelle.

— C'est mieux la nuit, mais par un chaud matin d'été, l'atmosphère est fantastique. Vous aimez le poisson ?

Elle hocha la tête.

— Je connais une adresse formidable pour déjeuner.

— Ecoutez, Duncan…

S'arrêtant brusquement, il se tourna vers elle et fit glisser ses mains sur ses épaules. Il la cloua sur place sous l'effet de son regard magnétique.

— Cat, je ne vous demande qu'une chose : passez cette journée avec moi.

Elle poussa un soupir silencieux. Oui, ce type avait une façon bien personnelle de s'y prendre avec les femmes. Quand elle était à côté de lui, elle avait l'impression de marcher dans une rivière tropicale. Elle adorait cela. Chaque pas vaporeux. Elle le suivit dans le quartier français. Les maisons étaient élégantes, racées, avec leurs balcons tarabiscotés ornés de cascades de fleurs. De riches parfums se mêlaient à une vague odeur de décrépitude. Ils marchèrent lentement à travers les rues étroites et les parcs verdoyants.

Elle avait mangé trois beignets et bu dans la tasse de Duncan une gorgée du café au lait. Elle avait écouté les Cajuns parler français, et le clip-clop des sabots des chevaux, autour de Jackson Square. Elle avait observé les artistes de rue, elle avait ri en voyant une caricature au fusain d'Elvis.

C'était une journée à déambuler main dans la main à l'ombre des arbres gigantesques.

Dans un jardin public, trois jeunes garçons faisaient des claquettes, le visage luisant de sueur. Cat s'arrêta pour les admirer. Dans la boîte posée devant eux, Duncan déposa quelques billets de banque.

« Généreux », pensa-t-elle.

— Ces gamins doivent gagner une fortune chaque jour, commenta-t-elle.

— Ils le méritent bien. Vous avez envie de déjeuner ?

Elle se mit à rire.

— Je suis toujours prête.

A sa grande surprise, il ne l'emmena pas dans un restaurant chic. Elle s'était préparée à ne pas se laisser impressionner. Mais ils entrèrent dans un café bourré de monde, où les nappes étaient en papier et le menu écrit à la craie sur une ardoise.

Elle esquissa un petit sourire. C'était un petit boui-boui, à la bonne franquette. Elle aimait beaucoup, mais elle n'aurait jamais imaginé Duncan dans un lieu comme celui-ci.

La femme qui se tenait derrière le comptoir était énorme. Son tablier, grand comme une toile de tente, était aspergé de couleurs et de formes qui faisaient penser à une peinture abstraite.

Son large visage noir était doux comme du satin. Il se fendit en un sourire rayonnant quand elle vit Duncan.

— Viens donc embrasser Mama ! cria-t-elle par-dessus la musique.

Duncan sourit, se pencha vers elle et lui donna un gros baiser sonore sur la bouche.

— Bonjour, Mama. Vous allez bien ?

— Couci-couça. Qui est cette petite fille efflanquée qui t'accompagne ?

— Cat, je vous présente Mama. C'est la meilleure femme au monde.

— Bonjour, ma belle.

Elle se tourna vers Duncan.

— Tu l'as amenée à la bonne adresse. Cette petite n'a que la peau sur les os. Je vais m'en occuper !

Cat renifla d'un air gourmand.

— Hmm, quelle odeur merveilleuse !

— Installez-vous, je vais vous bichonner.

Comme Cat attendait de lire la carte, Duncan sourit.

— Je ne commande jamais. Je mange ce qu'elle me sert. Et je ne suis jamais déçu. Croyez-moi, vous ne le serez pas non plus.

Il avait raison.

Quelques minutes plus tard, elle se régalait d'énormes crevettes grillées, de riz et de pain de maïs.

Son verre de bière à la main, Duncan l'observait. C'était merveilleux. Elle avait un appétit de gladiateur.

— Je ne comprends pas pourquoi vous n'êtes pas aussi grosse que Mama, dit-il en riant.

— Hmm. J'essaie, pourtant, je fais de mon mieux. Mais je brûle tout au fur et à mesure.

166

Il rit encore et sirota sa bière.

— Gardez de la place pour le dessert. Mama a une recette de tarte aux noix de pécan à vous faire damner.

— Aux noix de pécan ?

Elle avala sa dernière crevette.

— Avec de la crème fraîche ? interrogea-t-elle d'un air gourmand.

Admiratif, il hocha la tête en souriant de toutes ses dents étincelantes de blancheur.

— Bien sûr, si vous en voulez.

Quand elle eut mangé son dernier grain de riz, elle se cala contre son dossier.

— C'était délicieux.

— Vous comprenez maintenant pourquoi je m'arrête toujours chez Mama quand je descends à La Nouvelle-Orléans.

Se penchant vers elle, il tendit la main.

— Vous avez un peu de sauce, là.

Il passa un pouce sur le coin de sa bouche et s'immobilisa, sans la quitter du regard. Un regard plein de désir.

— Vous avez une bouche magnifique, murmura-t-il.

Se penchant de plus en plus, il se souleva de sa chaise et posa ses lèvres sur les siennes.

Cat ne bougea pas. Son cœur battait à grands coups, de petits frissons parcouraient sa peau tandis que son esprit commençait à chavirer.

Quand leurs lèvres se séparèrent, elle se força à se ressaisir. Il y avait une chose qu'elle ne devait jamais oublier : elle savait s'y prendre avec les hommes comme Duncan Blade. Ce n'étaient pas eux qui gagnaient, généralement. Il n'avait qu'à bien se tenir.

La voix de Mama les fit sursauter.

— Laisse donc cette petite manger sa tarte ! gronda-t-elle gentiment.

— Elle veut l'inonder de crème fraîche, Mama.

— Est-ce que je n'y ai pas pensé ?

Elle brandit les assiettes sous leur nez et les posa sur la table, qu'elle débarrassa des assiettes sales. Elle fit un clin d'œil à Cat.

— Il m'a tout l'air de savoir embrasser, hein ?

— Hmm, pas mal.

Ravalant un soupir, Cat entama la tarte.

— Mais ce dessert…

Elle ferma les yeux.

— … est un miracle.

Mama donna une bourrade affectueuse à Duncan.

— Elle aime ce qui est bon. Sois malin, mon garçon, garde-la.

Dès qu'elle eut le dos tourné, Duncan commenta en riant :

— Je devrais la présenter à mon grand-père. Ils ont les mêmes idées.

— Vraiment ? dit Cat entre deux bouchées.

Elle lui jeta un coup d'œil incrédule. Que pouvait-il y avoir de commun entre une cuisinière noire de La Nouvelle-Orléans et un vieil Ecossais vivant à Hyannis Port ?

— Oui. Ils pensent tous les deux que je devrais me marier et avoir une ribambelle d'enfants. Ils essaient toujours de me caser.

— Vous ne semblez pas avoir besoin d'aide dans ce domaine.

— Allez le leur dire.

Buvant une gorgée de bière, il réfléchit un instant en la dévorant des yeux. Ce serait drôle de voir la tête qu'elle ferait s'il lui parlait du plan de son grand-père. Il finit par se décider.

— Savez-vous que le vieux MacGregor vous a choisie pour moi ?

Elle cligna des yeux. Pour la première fois depuis qu'il la connaissait, elle parut complètement désemparée.

— Pardon ?

— Mon grand-père. Il veut que je vous épouse.

Eclatant de rire, elle se concentra sur son dessert.

— Quelle blague ! dit-elle.

— Je vous assure que c'est sérieux.

Roulant les r, il imita la voix de Daniel :

— Cette fille a du cran. Elle vient d'une bonne lignée.

— Comment le saurait-il ? Il me connaît à peine.

— Il vous connaît très bien. Cet homme est inquiétant, et tenace. Je trouve normal que vous sachiez quelle idée il a derrière la tête.

Tambourinant du bout des doigts sur la table, elle resta un instant silencieuse. Puis elle le regarda droit dans les yeux.

— Vous obéissez toujours à votre grand-père ?

— Non, rassurez-vous. Je ne viens pas de vous faire une demande en mariage. Je ne me doutais pas de ses intentions avant qu'il m'appelle, il y a quelques jours, pour voir où nous en étions.

Avec un sourire irrésistible, il attaqua son dessert.

— J'ai compris ce qu'il mijotait et je l'ai mené en bateau. Je lui ai dit que vous alliez épouser un pianiste, un Dabny Pentwhistle.

Le rire fusa de la gorge de Cat.

— Pentwhistle ? Où êtes-vous allé pêcher un nom pareil ?

— C'est exactement la question que mon grand-père m'a posée. Soit dit en passant, il était rudement déçu par vous, ma chère, ajouta-t-il en faisant tourbillonner sa fourchette.

Il lui sourit malicieusement.

— Comprenez-le. Il ne veut pas que vous perdiez votre temps avec un pianiste. Mais je ne pense pas qu'il morde à l'hameçon très longtemps. Il est rusé comme un vieux renard. Il vient juste de marier mon cousin, Dan.

Il soupira.

— Le pire, c'est que Dan et Layna forment un couple parfait. Ce vieux chenapan ne se trompe jamais. Il a aussi marié mes parents. Il est très fier de lui.

Stupéfaite, Cat interrogea :

— Il a arrangé le mariage de vos parents ?

— Disons qu'il les a mis sur le même chemin. Ensuite, il a laissé faire les choses. Puis il est passé à la troisième génération. Et c'est moi qui suis maintenant dans sa ligne de mire.

L'air un peu sceptique, elle hocha imperceptiblement la tête.

— Et vous avez l'intention de lui résister ?

— J'ai l'intention de vivre ma vie et de faire mes propres choix.

Tendant un bras vers elle, il lui effleura la main du bout des doigts. Il plongea un regard pénétrant dans le sien.

— Mais je dois reconnaître qu'il a bon goût, ajouta-t-il.

— Hmm. Vous avez une famille vraiment bizarre, patron.

— Vous ne pouvez même pas imaginer.

Après le dîner, ils se retrouvèrent dans la chaleur moite des rues. Ils firent des incursions dans les boutiques, plus attirés par l'air conditionné que par les articles à vendre. Cependant, les yeux de Cat brillèrent quand elle vit une échoppe de pralines.

Duncan éclata de rire.

— Vous avez encore faim ?

— Non, pas pour le moment. Mais bientôt. Alors, pourquoi ne pas se montrer prévoyant ?

Il en acheta un sachet, pas le petit qu'elle avait regardé mais un gros paquet pour famille nombreuse.

Lui jetant un coup d'œil amusé, elle se mit à rire à son tour. Décidément, il était charmant. Elle éprouva un petit tiraillement au cœur. Elle allait avoir du mal à résister. Le fait qu'il soit si charmant, combiné à la sensation animale qui lui taquinait le ventre, allait lui donner du fil à retordre.

Elle soupira imperceptiblement tandis qu'il l'entraînait dans une autre boutique. Il ne fallait pas qu'elle perde de vue ses objectifs professionnels. C'était cela, et cela seul, qui comptait pour elle. Et qui l'aiderait à résister au dangereux Duncan. Oui, c'était sa seule planche de salut.

Cette boutique était pleine de bijoux et d'objets en pierres colorées et en cristal. Sur le côté, il y avait trois petites alcôves fermées par des rideaux où les curieux, et surtout les incrédules, pouvaient se faire lire les lignes de la main.

Elle se promena dans le magasin, laissant Duncan examiner les bijoux. Entendant sonner un tiroir-caisse, elle haussa les épaules. Décidément, Duncan aimait jeter son argent par les fenêtres.

Elle tressaillit en sentant une main sur son épaule. Elle se retourna et il lui glissa une petite chaîne autour du cou. Au bout se balançait une pierre jaune en forme de larme.

Il lui adressa son sourire le plus charmeur.

— C'est une citrine. Cette pierre stimule la communication…

— Vous n'allez pas me faire croire que vous croyez en ces sornettes, dit-elle vivement.

Mais ses doigts s'étaient déjà refermés sur la pierre.

— Mon ange, je suis à moitié celte, à moitié comanche. Je connais ces choses-là. De plus, elle vous va très bien, Catherine Mary.

Elle n'eut pas le temps de refréner une expression de surprise mêlée de consternation.

— Comment connaissez-vous mon prénom ?

— C'est une des nombreuses choses que je sais de vous. Vous voulez voir une diseuse de bonne aventure ?

— C'est complètement idiot.

— Mais cela ne risque pas de vous faire de mal.

Malgré ses protestations, il l'entraîna vers une alcôve.

Elle poussa un soupir agacé.

— Après tout, si vous avez de l'argent à perdre !

Elle secoua la tête. Elle n'était pas superstitieuse. Si elle ne voyageait jamais sans sa casquette porte-bonheur, c'était surtout pour perpétuer une tradition. S'installant dans la petite alcôve, elle adressa un sourire condescendant à la jolie jeune femme qui lui prenait la main droite. Elle attendit qu'elle lui annonce un long voyage et la rencontre d'un bel étranger au teint buriné.

— Vous avez une main intéressante. Qui révèle une belle âme… ancienne.

Cat roula les yeux en regardant Duncan, appuyé contre le mur.

— Oui, je suis très vieille, dit-elle un peu sèchement.

— Vous avez souffert de la perte de gens aimés. Vous êtes très combative.

— Je ne suis pas la seule, marmonna Cat.

La femme passa le bout du doigt sur la paume de sa main.

— Vous transformez en force les événements négatifs de votre vie. Vous avez choisi votre voie quand vous étiez très jeune, et vous regardez rarement en arrière. Je lis de la passion, de l'ambition. Vous aimez prendre des décisions en ayant la tête froide. Vous vous méfiez de votre cœur...

Cat la regarda droit dans les yeux.

— Là aussi, je ne suis pas la seule !

Sans se laisser impressionner, la voyante continua :

— Vous avez un cœur fidèle, auquel on peut faire confiance. Et vous avez beaucoup de talent, qui vous nourrit. Ce que vous donnez vous est rendu au centuple. Cela vous permettra d'atteindre votre but.

Elle fit une pause. Fronçant légèrement les sourcils, elle leva les yeux et examina attentivement son visage.

— Est-ce que vous chantez ? interrogea-t-elle.

Cat sentit son cœur battre plus vite. Spontanément, elle voulut retirer sa main, mais elle se ressaisit et haussa les épaules.

— Mon copain a dû vous raconter ma vie de A à Z.

La voyante secoua la tête.

— Vous pouvez lui faire confiance à lui aussi. Son cœur est aussi sûr que le vôtre, mais malheureusement aussi bien gardé.

Elle reporta les yeux sur sa main.

— Changements et décisions, risques et récompenses. Ce sera à vous de jouer. Rien ne vous oblige à rester seule. Créer une famille vous donnerait un point d'ancrage, où que vous vous trouviez. Vous avez tant de voyages à faire, tant de portes à ouvrir.

Elle lui adressa un sourire chaleureux.

— Des portes qui étaient fermées ou qui semblaient l'être.

Elle pianota un instant dans sa paume.

— Vous n'avez pas peur de travailler dur mais vous attendez d'être payée en proportion. Vous savez faire de grands efforts mais vous aimeriez ne pas y être obligée. Généreuse avec ceux qui comptent pour vous. Quelqu'un comptera plus que les autres. Il n'y a qu'un homme qui s'accordera avec vous, corps, tête et âme. Et il est déjà dans vos pensées.

Sortant dans l'air épais d'humidité et de chaleur, Cat rejeta ses cheveux en arrière.

— C'était franchement stupide, Blade. Combien cela vous a-t-il coûté de lui dire ce qu'elle aurait à me raconter ?

— Je ne lui ai rien dit.

Il secoua la tête, un peu perturbé. Il s'était attendu à passer un moment distrayant.

— Allons, avouez ! insista Cat.

— Je vous jure que je ne lui ai rien dit.

Il fourra ses mains dans ses poches.

— Je me suis arrêté là sur une impulsion. J'ai pensé qu'on allait s'amuser cinq minutes.

S'arrêtant brusquement, elle se tourna vers lui et posa une main légère sur son bras. Les yeux étrécis, elle scruta son visage pendant quelques secondes. Ou Blade était un comédien hors pair, ou il était aussi ahuri qu'elle.

Elle se remit à marcher lentement.

— Eh bien, c'était plutôt bizarre, dit-elle d'un ton rêveur.

— Oui, plutôt bizarre.

En silence, ils se dirigèrent vers la rivière.

5.

Après deux jours à La Nouvelle-Orléans, ils remontèrent à bord et, une fois de plus, le bateau s'éloigna du quai.

Duncan circula dans la foule des passagers, accueillit les nouveaux, échangea quelques mots avec ceux qui avaient choisi le voyage aller-retour. Cependant, Cat était introuvable.

Suivant son instinct, il descendit aux cuisines. L'équipe s'affairait, des vapeurs et des odeurs succulentes s'échappaient des marmites. Il attrapa nonchalamment une carotte crue et la croqua tandis que Charlie s'approchait de lui.

— Bonsoir, patron. Vous venez nous donner un coup de main ? plaisanta-t-il.

— Je ne fais que passer. Avez-vous vu Cat ?

— Elle est passée par là elle aussi. Cette fille a un appétit féroce.

Il agita les sourcils.

— Vous espérez qu'elle va vous croquer aussi ?

— Cela ne me dérangerait pas outre mesure. Elle est passée ici ce soir ?

— Elle a pris son dîner avant le spectacle, comme d'habitude. Elle a mangé des rougets, et elle a emporté du gâteau aux fraises dans sa cabine. Si vous vous dépêchez, vous pouvez peut-être la rattraper avant qu'elle l'ait fini, dit-il avec un clin d'œil malicieux.

Duncan se mit à rire.

174

— C'est une option.

Sentant son téléphone vibrer dans sa poche, il le sortit et regarda le numéro qui s'affichait. C'était celui du casino.

— Je la rattraperai plus tard. On a besoin de moi.

Il ne parvint pas à se libérer avant le milieu du second spectacle. Le directeur du casino et deux de ses meilleurs jokers avaient contracté en ville une intoxication alimentaire.

Duncan fut obligé de s'installer à une table de black-jack, prenant la tête du jeu, auquel participaient les sœurs Kingston, quatre blondes aux longues jambes effilées et au regard papillonnant.

Il ne se cacha pas pour les observer. Elles étaient aussi belles les unes que les autres. Et elles avaient les poches bien remplies. En temps normal, il se serait amusé à jouer tout en flirtant avec elles, mais ce soir, il n'arrivait pas à détourner ses pensées du spectacle qui se déroulait à l'étage supérieur.

Cat devait être en train de chanter, campée au milieu de la scène dans une petite robe sexy. Sa voix profonde, riche et veloutée devait emplir la salle.

Il fronça les sourcils. Il n'avait pas seulement envie de la voir, il voulait aussi l'entendre. Il aurait aimé se mettre à une table au fond de la salle, dans l'obscurité, et rester là à l'écouter.

— J'ai un douze ! s'écria une des sœurs Kingston. Que dois-je faire, Duncan ?

— Prenez le risque.

Elle minauda :

— D'accord, mais soyez gentil avec moi.

Il la cloua avec un roi et lui adressa un sourire de sympathie.

Elle fit une jolie petite moue.

— Je suis peut-être plus chanceuse à d'autres jeux.

Duncan esquissa un sourire. Message reçu, cinq sur cinq. Mais que diable avait-il ? Il n'était pas du tout tenté de lui répondre par un autre signal. Voyant Gloria s'approcher de la table, il éprouva un grand soulagement.

— Je viens remplacer M. Blade, mesdames, annonça-t-elle joyeusement.

Elles manifestèrent leur déception par un chœur de désapprobation.

— A demain, Duncan, dit Gloria.

Il se leva.

— Bonsoir, mesdames.

— Pourquoi n'iriez-vous pas assister à la fin du spectacle, là-haut ? Après tout, c'est ce qui vous trotte par la tête depuis le début de la soirée, non ? interrogea Gloria en riant.

Il lui donna une petite tape sur le nez. Puis, se tournant vers la tablée de joueuses :

— Gloria va bien s'occuper de vous.

Quatre paires de grands yeux bleus admiratifs le suivirent jusqu'à la sortie.

— Alors, il est pris ? interrogea l'une des sœurs.

Gloria leva un sourcil et sourit.

— Oui, il l'est. Mais il ne le sait pas encore. Mesdames, faites vos jeux !

Pendant ce temps, Duncan se glissa dans le grand salon, où la voix de Cat le frappa de plein fouet. Sa chanson parlait d'une femme qui aimait l'homme qu'elle n'aurait pas dû aimer, mais dans sa voix, il y avait autant de défi que de tristesse.

Il avait eu l'intention d'aller s'asseoir sur le côté, au fond, et de commander un cognac. Mais il resta figé dans l'ombre, juste à gauche de la scène.

Les accents chauds et tourmentés qui s'élevaient de la voix de Cat faisaient vibrer l'air. Il la dévorait des yeux, et bientôt, elle tourna la tête vers lui.

Elle savait qu'il était là. Elle aurait juré qu'il y avait eu un brusque changement dans l'air au moment où il était entré. L'atmosphère était devenue plus chargée, elle en avait la chair de poule. Scrutant la pénombre, elle le vit. Ils étaient maintenant les yeux dans les yeux. Oubliant le public, elle chanta pour lui.

Quand les applaudissements crépitèrent, elle fit un effort pour couper le contact et adressa un sourire rayonnant à son auditoire.

Elle se concentra sur lui. Elle devait oublier l'homme dangereux qui se tenait à l'affût comme un fauve dans l'ombre.

Elle se glissa entre les tables, parlant aux uns et aux autres. Duncan la suivit du regard. Elle charmait le public, c'était évident. Elle fit signe à l'éclairagiste de tourner les projecteurs sur un couple qui fêtait son vingt-cinquième anniversaire de mariage. Elle dit quelques plaisanteries, juste assez salées pour que la salle se mette à rire, puis elle offrit une chanson suggestive au couple en regardant l'homme dans les yeux. Lui caressant la joue, elle passa les doigts dans ses cheveux et s'assit sur ses genoux. Alors que son épouse gloussait de rire, il devint écarlate.

Duncan sourit. Cat était vraiment douée. Elle les entortillait tous autour de son petit doigt.

Et c'était exactement ce qu'elle lui faisait, à lui. Il soupira. La même chose, oui, à la différence près qu'il avait bien l'intention d'en faire autant avec elle.

S'adossant au mur, il ne la quitta pas des yeux jusqu'à la fin de son numéro.

Cat continuait à envelopper le couple de sa voix suave. Cependant, elle se sentait nerveuse. Du coin de l'œil, elle voyait Duncan. Il était resté au même endroit, elle serait obligée de passer devant lui pour regagner sa loge.

Elle était mal à l'aise, et c'était une raison de plus pour lui faire croire qu'il ne l'intéressait pas le moins du monde.

— Vous ne restez jamais aussi longtemps, dit-elle quand elle eut fini son numéro. Vous êtes venu vérifier si je méritais toujours mon cachet ?

— J'avais envie de vous voir, et de vous entendre, répondit-il simplement.

Il hocha légèrement la tête. C'était la vérité. Et cette vérité la déstabilisait.

— Eh bien, vous m'avez vue.

Elle passa devant lui, mais il lui prit les poignets.

— Sortons.

— Non merci. Je dois me changer.

— Non. J'aime vous voir dans ce minuscule chiffon qui se fait passer pour une robe.

— Je suis fatiguée, Duncan.

— Non, vous ne l'êtes pas. Vous êtes subjuguée.

Il sentit l'énergie qui montait en elle, et il eut envie de la capturer. Plongeant un regard pénétrant dans le sien, il porta à ses lèvres la main qu'il tenait.

— Il fait chaud sur le pont, et il y a un beau clair de lune, dit-il d'une voix de velours. Venez faire une promenade avec moi. Je ne vous toucherai pas, sauf si vous le désirez.

Elle prit une profonde inspiration. C'était bien le problème. Elle le désirait. Il était peut-être temps de cesser de prétendre le contraire.

— Très bien, allons marcher. Un peu d'air frais ne me fera pas de mal. Quelle foule ce soir !

Ils se faufilèrent entre les tables jusqu'à la sortie.

— Ce client n'est pas près d'oublier sa soirée d'anniversaire, commenta Duncan d'une voix qu'il voulut indifférente.

Cat se mit à rire. D'un bref coup de tête, elle renvoya ses cheveux en arrière et aspira longuement l'air frais de la nuit.

— Avant le spectacle, sa femme m'a donné cinquante dollars pour que je fasse mon numéro.

— Elle en a eu pour son argent. Montons sur le pont supérieur, plus près de la lune.

— J'ai entendu dire que vous faites un tabac avec les sœurs Kingston, dit-elle en grimpant lentement l'escalier.

— Ah oui ?

— Elles étaient dans le grand salon, en fin d'après-midi. Elles n'ont pas arrêté de soupirer et de glousser en parlant de vous.

— Rien n'est plus gratifiant pour un homme que de faire glousser et soupirer les dames.

Il continua à monter jusqu'au troisième pont, qui était désert. Il poussa un petit soupir de satisfaction.

— Seigneur, c'est fabuleux ! s'écria Cat. J'adore les nuits sur la rivière.

— C'est ce que je préfère au monde. Et je suis enfin arrivé à vous faire accepter de monter ici.

— Ce n'est pas ici que vous me voulez, Duncan.

Il la prit doucement par un bras, sans l'attirer vers lui.

— C'est un des nombreux endroits où je vous veux. Ce soir, vous avez chanté pour moi.

Cat sentit son cœur s'agiter follement dans sa poitrine. C'était aussi inconfortable que ridicule.

— Je chante pour tout le monde. C'est mon travail.

— Vous avez chanté pour moi, insista-t-il d'une voix calme mais vibrante. Je vous ai d'autant plus désirée.

Il fit glisser ses doigts jusqu'à ses épaules, sur son cou.

— J'ai compris que c'était réciproque.

Il baissa la tête vers elle.

— Il faudra que vous me le demandiez, dit-il. Souvenez-vous, je vous ai promis que je ne ferais rien sans que vous me le demandiez.

Haletante, Cat essaya de rire.

— Vous tenez toujours vos promesses, Duncan ?

— Oui.

Elle sentit son souffle sur ses lèvres.

— Et moi, je ne demande jamais.

Prenant sa tête à deux mains, elle l'attira vers elle.

Duncan se sentit brusquement chanceler. La bouche de Cat était une flamme qui le dévorait, elle réveillait le volcan qui sommeillait en lui. Il souhaitait désespérément aller plus loin. S'il ne se reprenait pas aussitôt, il allait perdre la tête ici même !

Avec un violent effort, il s'arracha à son étreinte.

— Ma cabine est juste derrière nous.

Inclinant la tête, elle laissa un sourire s'épanouir lentement sur ses lèvres.

— Je sais.

Il emprisonna ses mains fines entre ses longs doigts musclés et l'entraîna avec lui. Il tira la clé de sa poche et ouvrit prestement sa porte.

— Si nous entrions ?

— Pourquoi pas ?

Un peu étourdie, elle fit quelques pas et se retrouva dans sa cabine. Il avait laissé une lampe de chevet allumée. Par la fenêtre grande ouverte, la clarté de la lune inondait la pièce. Elle entrevit vaguement le mobilier cossu, et entendit qu'il grattait une allumette. Il alluma deux bougies blanches.

— Vous êtes très romantique, dit-elle d'une voix un peu tremblante.

— Cela vous pose un problème ? s'enquit-il en éteignant la petite lampe.

— Pas particulièrement.

Elle secoua la tête. Elle était en train de perdre ses moyens. Pour contrer cette sensation, elle plaqua un sourire sur ses lèvres et commença à dégrafer sa robe.

— Attendez. Je veux vous déshabiller.

Elle laissa ses bras retomber.

— Qu'attendez-vous ?

Baissant la tête, il lui mordilla le cou.

— Vous sentez aussi bon que vous êtes belle à regarder.

Elle sentit le besoin de respirer très fort pour s'éclaircir les idées.

— C'est le parfum que vous m'avez offert, murmura-t-elle.

Il rit et passa le bout de la langue sur son cou.

— Vous avez aussi le goût…

Malgré ses efforts, elle sentait son souffle devenir chaotique.

— Vous avez déjà eu un ou deux échantillons, dit-elle tout bas.

— Ce n'était pas assez.

Il trouva sa bouche, qu'il effleura à peine.

— Dois-je vous dire ce que je veux faire avec vous, ou préférez-vous la surprise ?

— Je ne m'étonne pas facilement.

Il passa doucement sa bouche sur ses lèvres, les taquinant jusqu'à ce qu'elles s'entrouvrent. Cat ferma les yeux. Duncan l'entraînait dans une brume dorée qui s'épaississait lentement, de façon exquise.

Personne ne l'avait jamais embrassée ainsi, n'avait passé tant de temps, ni montré tant de patience avec elle. Et quand il fit descendre la fermeture dans son dos, elle frissonna délicieusement.

Mais il ne lui ôta pas sa robe. Il se contenta d'en écarter les pans, et il lui caressa lentement le dos. Il voulait prendre le temps de savourer chaque centimètre de sa peau, chaque instant de ce précieux moment. Même quand elle s'agrippa à lui des deux mains et que ses ongles s'enfoncèrent dans son torse, il continua à prendre son temps.

Ce plaisir se construisait lentement, augmentant de manière diabolique la puissance de leur désir. Quand il fit glisser sa robe le long de ses jambes et qu'il l'entendit tomber dans un léger bruissement de soie, il était prêt à les guider à l'étape suivante.

D'un air rêveur, il traça le contour de son soutien-gorge sans bretelles.

— Très joli, murmura-t-il.

Puis il inséra son doigt entre les deux bonnets, là où se trouvait l'agrafe.

— Très très joli, répéta-t-il d'une voix brûlante de désir.

— Voyons si je peux en dire autant.

Luttant pour empêcher ses mains de trembler, elle entreprit de déboutonner sa chemise. La lumière des bougies vacilla sur la peau dorée de Duncan, brilla sur son torse mince, sur ses longs muscles effilés. Dardant son regard dans le sien, elle dit doucement :

— Oui, je peux en dire autant. Ce que je vois est magnifique.

Il l'enleva dans ses bras, lui faisant chavirer le cœur.

— Cela va bientôt être encore mieux.

Fermant les yeux, elle se laissa porter. Maintenant, il allait certainement se débrider, ce qu'elle souhaitait par-dessus tout. Mais quand il la posa sur le lit, il explora lentement ses courbes de ses mains habiles, joueuses.

Il l'entendit gémir et sentit qu'elle se tendait comme un arc sous lui. Pris de vertige, il lui mordit le haut de la cuisse. Comme elle frissonnait, il fit courir sa langue sur tout son corps.

Choquée par ce changement soudain, ébranlée par la lance aiguisée du désir, elle s'arc-bouta, s'ouvrant à lui. La tête vide, le cœur battant, elle flottait, loin de tout ce qui l'entourait.

Il ouvrit l'agrafe de son soutien-gorge et embrassa avidement ses seins.

Prise d'un désir frénétique, elle s'enroula autour de lui, les mains et la bouche aussi affairées que les siennes.

— Je te veux en moi, dit-elle dans un râle.

Elle lui arracha son pantalon.

— Maintenant, tout de suite.

Ses yeux brillaient dans la lumière des bougies. Ses cheveux tombaient sur ses épaules comme des flammes. Duncan était subjugué. En ce moment, il la désirait plus que la vie.

— Regarde-moi, murmura-t-il, haletant.

Il la souleva par les hanches.

— Regarde-moi.

Il exauça son désir en la dévorant des yeux. Voyant son regard basculer, il savoura la plainte qui trembla sur ses lèvres. Elle se mit à bouger sous lui, éclair d'orage dans un fourreau de soie.

Puissance, vitesse, énergie sauvage, son corps était tout cela tandis qu'elle lui griffait le dos, les hanches. Puis elle prit passionnément son visage entre ses mains pour dévorer sa bouche.

Un petit sanglot s'échappa de sa gorge.

Les yeux rivés sur elle, Duncan pensa : « Elle est à moi. »

Et son esprit se vida.

Et voilà, elle l'avait fait. Cat frémit. Ses idées s'étaient un peu éclaircies et son cerveau avait plus ou moins recommencé à fonctionner. Le constat était pénible : toutes ses bonnes résolutions, tous ses beaux raisonnements s'étaient envolés…

Elle soupira. Duncan avait gagné. Non seulement elle s'était rendue physiquement, mais quelque part, elle ne savait comment, elle l'avait laissé prendre une bonne place dans son cœur. Et elle savait exactement ce qui allait se passer après. Il s'en réjouirait. Ils allaient avoir une histoire torride, mais discrète. Après tout, il était le patron, il ne voulait certainement pas provoquer de commérages. Et quand son contrat serait terminé, il la remercierait en ajoutant peut-être à son cachet un petit cadeau d'adieu.

Et ce serait fini.

Les hommes comme Duncan Blade n'étaient pas des partis sérieux pour les jeunes chanteuses itinérantes.

Eh bien, elle n'avait plus qu'à s'y préparer. Et quand le moment serait venu, c'est elle qui tirerait sa révérence la première.

Résolue à suivre les règles de ce jeu bien spécial, elle passa nonchalamment une main sur le dos de Duncan. Puis elle s'étira voluptueusement.

— Mmm… superbe dos, Blade, superbe.

— Je me sens comme un chat de dessin animé.

— Pardon ?

— Oui, celui qui reçoit des coups de marteau sur la tête. Après, il a trois têtes, qui vibrent toutes et qui font un son très doux quand il tourne les yeux.

Elle éclata de rire. Elle allait le prendre dans ses bras mais elle se ravisa. Mieux valait jouer l'indifférence.

— Et quand ses têtes ne vibrent plus, que se passe-t-il ?

— Il recommence.

En riant, il lui embrassa le cou et posa un long baiser sur ses lèvres. Au moment où elle sentait son esprit partir de nouveau dans les brumes, il roula et l'entraîna sur lui.

L'emprise qu'il avait déjà sur son cœur se resserra encore.

— Tu regardes beaucoup de dessins animés ? interrogea-t-elle en lui mordillant le menton.

— Il n'y a rien de tel pour se changer les idées. Quand on s'y plonge, il devient impossible de prendre ses problèmes au sérieux.

Elle rit en se lovant contre lui. Il murmura :

— Je viens d'avoir une idée. Tu devrais apporter tes affaires ici.

Elle se retourna vivement et se retrouva sur le dos. Elle fronça les sourcils.

— De quoi parles-tu ?

— Je veux être avec toi. A quoi cela rime-t-il que tu dormes deux niveaux au-dessous de ma cabine ?

Il s'assit sur le lit et la prit dans ses bras. Cat secoua la tête.

— Si je m'installe dans ta cabine, l'équipage et les passagers vont le savoir.

— Et alors ?

La faisant pivoter, il lui souleva les jambes et les posa autour de sa taille.

— Nous sommes adultes, nous n'avons plus besoin de nous cacher. Je veux que tu sois là, répéta-t-il en lui taquinant le cou du bout des dents.

Affolée, Cat prit une longue inspiration. Elle devait réfléchir, et vite. Dans sa tête, son sang affluait comme une vague à marée montante.

— Tu as un lit plus grand, une plus belle vue, et… des mains extraordinaires, dit-elle d'une voix ronronnante. Cependant…

Elle posa les mains sur ses épaules et le repoussa doucement.

— Cependant, si je déménage mes affaires ici, la cabine que j'occupe restera à moi. Il n'est pas question que tu la loues.

Il la regarda dans les yeux.

— Tu veux une sortie de secours ?

— Cela me paraît plus sûr ainsi. Si l'un de nous deux trouve que notre arrangement commence à vieillir, je n'aurai qu'à redéménager en bas. Ainsi, personne n'aura à souffrir.

Ignorant le pincement au cœur qu'il éprouva, il la saisit par les hanches.

— Marché conclu, dit-il.

Cat s'étira dans le lit qu'elle considérait désormais autant comme le sien que celui de Duncan. Bien qu'elle ne cessât de s'y attendre, leur arrangement n'avait pas une ride. Au contraire, plus ils passaient de temps ensemble, plus ils éprouvaient le besoin de se voir.

Elle soupira. Ce n'était probablement qu'une question d'attirance sexuelle. Leur désir réciproque semblait insatiable et s'emparait d'eux à tout moment. Un après-midi, Duncan l'avait rejointe dans sa baignoire et ils avaient fait l'amour frénétiquement, dans un amoncellement de mousse parfumée.

Il lui offrait toujours des fleurs et des petits cadeaux fous. Elle ne savait plus comment s'y prendre avec lui. Il l'avait séduite, alors pourquoi continuait-il à la courtiser ? Cela faisait maintenant trois semaines qu'ils étaient devenus amants. Ils avaient parcouru la rivière dans les deux sens, et aujourd'hui, ils la remontaient de nouveau. Et ce lien entre eux ne s'évanouissait toujours pas.

Elle ne savait vraiment pas quoi en penser.

Elle était aux anges. « Au moins, profites-en », songea-t-elle.

Elle s'étira encore en bâillant. Ce serait bon de se rendormir quelques instants. Ils avaient accosté à Saint Louis et Duncan était descendu à quai pour vaquer à ses occupations, comme chaque fois qu'ils faisaient une escale. Elle avait toute la journée devant elle, et aucune envie d'aller en ville. L'après-midi, elle allait travailler sur son enregistrement. Elle haussa les épaules. Ce serait étonnant que Duncan fasse quoi que ce soit à ce sujet, mais puisqu'il lui avait proposé de s'en occuper, cela valait peut-être la peine.

Cependant, elle aurait besoin de ce disque quand son contrat serait terminé. Elle ne voulait pas retrouver des contrats d'un soir dans les bars de nuit. Elle avait trop pris goût à la belle vie.

Mais rien ne valait le présent. En chantonnant, elle se leva et entra dans la salle de bains.

Une fois prête, elle monta sur le pont. Le soleil aveuglant lui fit plisser les paupières jusqu'à ce qu'elle trouve ses lunettes au fond de son sac. Avec la chaleur accablante, de nombreux passagers s'étaient enfermés dans l'air conditionné de leur cabine.

Mais elle aimait la chaleur. Elle s'offrit une petite promenade avant de se mettre au travail.

C'était délicieux, elle avait l'impression d'avoir le bateau pour elle seule. Elle n'aurait jamais cru que la vie sur la rivière lui plairait tant. Maintenant, elle savait que cela lui manquerait terriblement quand ce ne serait plus qu'un souvenir.

Elle soupira. Rien ne durait éternellement. C'est pourquoi il fallait prendre le meilleur de la situation.

En arrivant au bout du pont, elle resta pétrifiée. Duncan était en train de serrer une blonde dans ses bras.

Le cœur battant à grands coups, elle crispa les poings. Une envie irrépressible de lui arracher les yeux venait de s'emparer d'elle. Quel salaud ! Pour qui la prenait-il ? Personne ne l'avait ridiculisée jusqu'à présent, et ce n'était pas lui qui commencèrait. Ignorant les griffes qui lui égratignaient le cœur, elle redressa fièrement la tête. Elle allait lui montrer qu'elle se moquait éperdument de lui et de ses conquêtes.

— Bonjour, espèce de crétin.

Le sourire qu'il lui adressait s'évanouit. Il posa sur elle un regard stupéfait.

— Hein ?

— Pour qui vous prenez-vous, Duncan Blade ? interrogea-t-elle en le vouvoyant pour lui montrer qu'elle prenait ses distances.

Mais elle était furieuse contre elle-même. Sa voix n'exprimait pas la fierté qu'elle aurait voulu faire passer. Secouant la tête, elle s'approcha de lui et lui enfonça un doigt dans le torse.

— Vous croyez pouvoir dormir dans le même lit que moi, et après vous jeter sur une...

— Mère, dit vivement Duncan en l'attrapant par la main. Et pas n'importe laquelle. La mienne, en l'occurrence. Maman, je te présente Cat Farrell, la chanteuse dont je t'ai parlé.

— Je suis enchantée, dit Serena avec un sourire radieux.

Elle plongea les yeux dans ceux de Cat et hocha la tête. Visiblement, Duncan avait oublié de lui parler de quelques détails importants. Tendant la main à la jeune femme, elle déclara :

— Je dois d'abord vous remercier. Votre méprise est très flatteuse pour moi.

Horriblement gênée, Cat lui serra la main.

— Je suis désolée, madame Blade.

— Oh, non, je vous en prie ! dit Serena en riant. Vous allez gâcher votre petit effet.

Cat se détendit. Cette femme était adorable. Elle ne semblait être la mère de personne, avec ses magnifiques cheveux brillants et ses grands yeux lavande. Son pantalon impeccable et son chemisier de soie soulignaient sa silhouette fine, et sa peau avait la texture des pétales de rose.

Glissant les mains dans les poches de son short, Cat murmura :

— Vous êtes très belle.

— Vous me plaisez, dit Serena. Nous avons fait la surprise à Duncan. Son père et moi avons décidé de venir en avion et de passer une journée sur le bateau avant de continuer vers l'ouest. Nous avons des affaires à traiter à Las Vegas.

— Et ce n'est pas tout, intervint Duncan.

Ravi de voir la réaction de Cat, il posa un bras sur les épaules de sa mère.

— Mes grands-parents sont venus aussi. Ils vont faire la croisière jusqu'à La Nouvelle-Orléans avec nous.

Cat ravala une exclamation de surprise.

— Je suis heureuse pour vous. Je vous prie de m'excuser, je dois…

Elle fit une pause. Un homme arrivait vers eux. Grand, la peau dorée, des reflets argentés brillant dans une crinière noir corbeau, un visage sculpté, mystérieux, et… particulièrement attirant.

Elle retint son souffle. C'était certainement le champion des bourreaux des cœurs.

Serena se tourna vers lui.

— Justin, je te présente Cat Farrell, la jeune chanteuse que Duncan a engagée.

Cat ouvrit la bouche et la referma aussitôt. Cet homme fabuleux était le père de Duncan… Bien sûr, elle aurait dû s'en douter. Eh bien, pas étonnant que Duncan soit aussi irrésistiblement attirant. Il avait de qui tenir.

— Quel plaisir ! dit Justin en prenant sa main entre les siennes. Mac et Duncan nous ont parlé de vous dans les termes les plus élogieux. J'espère que vous accepterez un contrat pour Atlantic City.

Cat faillit hurler de joie. Gardant son sang-froid, elle dit en souriant :

— J'attendrai ce moment avec impatience.

Elle avait envie de sauter, de danser. Il fallait qu'elle s'éloigne avant de se comporter de façon ridicule.

— Excusez-moi, je dois aller répéter. J'espère vous revoir avant que vous repartiez.

— Comptez sur nous, dit Serena à mi-voix en la regardant s'éloigner.

Puis, se tournant vers son fils.

— Donc, c'est…

— Donc, rentrons avant de fondre au soleil. Je vais voir si grand-mère et grand-père sont bien installés.

Il prit la main de sa mère.

— Ensuite, je t'en parlerai.

— Parfait.

Une heure plus tard, Serena était confortablement installée dans un fauteuil et sirotait un thé glacé. Elle se mit à rire.

— C'est ton grand-père qui a mis tout cela au point. Il a envoyé Cat sur ton bateau, tout comme il avait envoyé Justin sur le mien.

— Je sens que je vais être obligé de le remercier.

Justin leva la main.

— Ah non ! Il est bien assez content de lui !

— Je dois dire que je ne peux pas critiquer son goût, Cat est fabuleuse.

Derrière son bureau, il se renversa contre le dossier de sa chaise.

— Professionnellement parlant, elle est stupéfiante. C'est sidérant qu'elle ne soit pas encore arrivée au sommet. Elle doit avoir un mauvais agent, je ne vois pas d'autre explication ; mais nous allons arranger cela.

— Nous ? répéta Serena.

— La famille a des relations, dit-il simplement. Je compte bien m'en servir. Je sais que Cat a eu une enfance pénible, elle était pauvre, et jusqu'à présent, son niveau de vie n'a guère évolué. Mais il n'y a aucune raison pour que cela continue, avec le talent qu'elle a. Voilà pour le côté show-biz. Quant à l'aspect personnel, je ne sais pas encore très bien où j'en suis. Elle est… inhabituelle, et je n'ai jamais éprouvé pour personne ce que j'éprouve pour elle.

Fronçant légèrement les sourcils, il saisit un presse-papier en cuivre jaune et le passa pensivement d'une main à l'autre. Il resta silencieux quelques instants. Oui, il s'agissait de sentiments, toute la question était là. Des sentiments forts et urgents, doux et délicieux, un mélange confus qui emprisonnait son cœur.

Aucune femme, à aucun moment de sa vie, n'avait ainsi pris une telle place dans sa vie.

Avec un petit sourire, il continua :

— C'est peut-être parce qu'elle n'est pas comme les autres. Je vais renouveler son contrat pour six semaines. Professionnellement, c'est une bonne garantie. Elle plaît vraiment au public. Et personnellement, cela me laissera le temps de… comprendre ce qui se passe entre elle et moi.

Hochant la tête, Serena le regarda d'un air attendri et songeur. Une part de lui avait déjà compris, mais son cerveau avait une longueur de retard sur son cœur.

Elle s'échappa quelques minutes pour rejoindre Cat. Elle voulait avoir une impression précise de celle qui avait ébloui son fils. Bien qu'elle ait réussi à tirer quelques informations de son père — tout en lui reprochant d'avoir interféré dans la vie de Duncan —, elle voulait en savoir davantage : qui était Cat Farrell, et avait-elle le cœur assez grand pour y accueillir Duncan ?

En atteignant la porte du grand salon, elle ne put s'empêcher de se moquer d'elle-même. Apparemment, elle mettait ses pas dans ceux de son père en se mêlant elle aussi de la vie de son fils.

Ouvrant la porte, elle resta figée sur place et écouta.

Cat s'accompagnait au piano, à l'autre bout de la scène.

Elle jouait assez bien, mais c'était sa voix qui était renversante. Cat chantait *Am I Blue* avec une puissance qui devait venir tout droit de l'âme.

Quand elle eut fini, Serena avait les yeux embués de larmes.

— Normalement, vous devriez être trop jeune pour rendre justice à cette chanson, dit-elle.

Voyant Cat tourner vivement la tête vers elle, elle sourit.

— Mais vous l'avez chantée comme si elle avait été écrite pour vous.

Luttant contre l'émotion, Cat dit :

— C'est mon travail.

— C'est votre talent. Vous m'avez fait pleurer.

— Merci. C'est le plus beau compliment que je puisse recevoir.

Serena traversa la salle et s'assit sur le banc près du piano.

— Je suis désolée de vous interrompre, dit-elle. Je voulais vous inviter à vous joindre à nous au dîner de ce soir.

Cat secoua la tête.

— Merci, mais c'est une réunion de famille. Je n'y ai pas ma place.

Elle ne connaissait rien aux réunions de famille, elle savait juste ce que les pièces rapportées éprouvaient. Serena insista chaleureusement.

— Nous aimerions tous que vous veniez. Vous avez déjà rencontré mon père.

— Oui, brièvement, quand j'étais à Las Vegas. Il m'a fait une forte impression.

En riant, Serena se mit à pianoter.

— Cela ne m'étonne pas. Et je peux vous affirmer que ça a été réciproque. Vous lui avez beaucoup plu.

Cat sourit.

— Je suppose que Duncan vous a raconté que M. MacGregor s'est débrouillé pour que j'obtienne ce contrat.

— Oui, j'espère que vous n'êtes pas vexée.

— Non, mais surprise.

— Vraiment ? Pourquoi ?

— J'aurais imaginé qu'il allait piocher dans le rang des débutantes pour son petit-fils.

— Vous l'auriez fait rire… Non, ce qu'il cherche, c'est un bon cœur et une forte personnalité, et vous avez les deux. De l'esprit, de la perspicacité, et vous avez votre appréciation sur la famille.

Cat releva les sourcils.

— J'ai à peine fini mes études au lycée. Jusqu'à présent, ma perspicacité s'est limitée à gagner assez d'argent pour ne pas mourir de faim, et ma mère constitue toute ma famille. Mais je l'apprécie beaucoup.

— S'il vous entendait, Daniel MacGregor dirait : « Cat Farrell a du cran. » Il est impossible de gagner contre Daniel MacGregor.

Cat baissa les yeux sur ses mains, puis sur celles de Serena. La mère de Duncan avait des mains de femme du monde, un visage de femme du monde, une attitude de femme du monde.

Elle frissonna. Elle commençait à voir où la mère de Duncan voulait en venir. Elle leva les yeux sur elle.

— Et vous aimeriez que je passe mon chemin, madame Blade, avant que Duncan commence à penser que son grand-père pourrait bien avoir eu une très bonne idée.

S'arrêtant de pianoter, Serena plongea un regard étonné dans le sien.

— Pourquoi dites-vous cela ?

— C'est évident. Je sais qui je suis, et d'où je viens. Mon père était un homme ordinaire, qui a eu la malchance de mourir avant d'atteindre sa trentième année. Ma mère est serveuse, et elle n'a jamais eu la chance de pouvoir être autre chose. Et moi, je chante pour pouvoir manger. Votre père est peut-être âgé et sentimental, mais vous ne l'êtes pas.

Serena hocha pensivement la tête.

— Je vois.

Elle rit doucement.

— Et si je vous offrais, disons… dix mille dollars pour laisser mon fils, que diriez-vous ?

Les yeux de Cat flambèrent de colère froide.

— Je vous dirais d'aller au diable !

Renversant la tête en arrière, Serena éclata de rire.

— A la bonne heure ! Je savais que je vous aimais. Dès l'instant où je vous ai vue apparaître sur le pont. Cat, vous ne me connaissez pas, je ne me sentirai donc pas insultée si vous croyez que je suis plus intéressée par votre pedigree que par le bonheur de mon fils, mais…

Elle fit une pause et retrouva son sérieux.

— Mais vous devriez avoir une meilleure opinion de vous.

— Je ne sais pas de quoi vous parlez.

— Vous êtes une jeune femme intéressante, attirante et délicieuse. Mais la seule personne qui ne vous voit pas de cette façon, ici, c'est vous-même.

Elle lui prit la main, qu'elle serra doucement entre les siennes.

— J'aime mon fils. C'est un beau jeune homme, dans tous les sens terme. Comment pourrais-je ne pas être heureuse que vous l'aimiez aussi ?

— Je n'ai pas dit que je l'aimais.

Paniquée, Cat retira sa main.

— Je n'ai jamais dit cela !

Elle secoua la tête. C'était impossible.

— Non, dit Serena en souriant, vous ne l'avez pas dit. Mais si vous le faites un jour, je serai heureuse pour lui. Et maintenant, je vous laisse travailler.

Elle se leva d'un mouvement gracieux.

— Réfléchissez pour le dîner, voulez-vous ?

Elle avait presque atteint la porte quand Cat retrouva la parole.

— Madame Blade ?

— Oui ?

— Quand j'ai vu tout cela…

Elle fit un grand geste englobant le bateau.

— J'ai pensé que Duncan avait de la chance. Mais il en a beaucoup plus que je ne pouvais l'imaginer.

— Oh oui, dit Serena. Vous savez, je vous aime vraiment beaucoup.

Avec un sourire rayonnant, elle sortit de la salle.

7.

Cat était abasourdie. Elle ne s'était pas attendue à tomber amoureuse pendant une croisière de six semaines. Et elle n'avait surtout pas soupçonné qu'elle tomberait sous le charme d'un homme de quatre-vingt-dix ans.

C'est pourtant ce qui était arrivé. Elle était folle de Daniel MacGregor.

C'était un coquin, et cela concordait avec son propre sens de l'aventure. Il avait la tête dure, et elle se sentait à égalité avec lui. Il était sentimental, avec un esprit aiguisé comme une lame de rasoir. Voilà un tout explosif auquel elle ne pouvait résister.

Elle n'était pas aussi sûre d'Anna MacGregor. C'était une femme digne, sereine. Elle avait un tempérament d'acier dans un gant de velours, ce qui ne pouvait pas s'apprendre. C'était un don inné.

Sa fille le possédait également, probablement comme toutes les femmes MacGregor, y compris celles qui avaient rejoint la famille par le mariage.

Cat soupira. Elle ne serait jamais une femme du monde, et elle n'en avait aucune envie. Elle n'avait pas l'intention de se hisser dans la société par le mariage. Elle aimait travailler en solo. Cela ne l'empêchait pas d'aimer se retrouver en tête à tête avec Daniel MacGregor et de passer chaque fois un moment inoubliable. A cette heure, il assistait à sa répétition. Assis à une table, il était seul dans la salle.

Daniel s'empressa de l'écraser et fit de grands gestes pour chasser la fumée, tandis qu'un sourire sentimental apparaissait sur ses lèvres.

— Douce Mary, marmonna-t-il en faisant claquer ses doigts.

Il était prêt à parier qu'il y aurait un mariage avant la fin de l'été.

Quand ils se furent éloignés, Cat se tourna vers Duncan.

— Je discutais avec M. MacGregor.

— Je te vois sans arrêt discuter avec lui. Je n'arrive pas à croire qu'il t'intéresse plus que moi.

— Je suis folle de lui.

— Moi aussi, mais…

Il ferma la porte de la loge, bloqua la poignée et poussa doucement Cat contre le mur. Sans la quitter des yeux, il promena ses mains sur ses flancs, sur ses seins.

Elle sentit son cœur battre violemment dans sa poitrine. Soutenant le regard de Duncan, elle essaya de garder la tête froide. Elle devait s'efforcer de ne pas tomber dans le piège, de conserver la maîtrise de leur relation. Ne pas penser, ne pas éprouver plus qu'elle ne pouvait supporter. Elle l'enlaça et se prépara à l'attirer dans un baiser vertigineux.

Mais il prit son visage entre ses mains et resta un instant sans bouger, puis il effleura sa bouche avec ses lèvres. Il voulait entendre son souffle haletant. Parfois, c'était comme un incendie dans leurs veines, et dans ces cas-là, ils ne pouvaient jamais se satisfaire assez vite.

A d'autres moments, ils luttaient en riant, comme des enfants insouciants.

Et parfois, c'était lent et tendre. Rien que le cœur. Il passa lentement sa bouche sur celle de Cat. C'était exactement ce qu'il voulait pour l'instant, il voulait son cœur.

En soupirant, elle se laissa aller dans ses bras, et elle lui donna ce qu'elle n'avait jamais imaginé pouvoir lui donner. Avec Duncan, elle sentait qu'elle avait toujours plus de ressources en elle, une réserve d'émotions, un jardin secret qu'elle ne partageait qu'avec lui.

Elle murmura son nom pendant qu'il la soulevait pour l'emporter sur le canapé.

Les doigts de Duncan sur sa peau, la chaleur de son souffle se mêlait au sien. Leurs bouches se rencontrèrent pour se fondre en baisers longs et profonds, presque douloureux.

Il sentait son pouls battre à toute allure sous ses doigts, mais il voulait plus que de l'excitation sensuelle, plus que du désir. Il voulait de l'amour.

— Laisse-moi entrer, murmura-t-il tout contre son oreille. Je ne te ferai jamais de mal.

Pourtant, c'est ce qu'il fit. Il était en train de déchirer en elle quelque chose qu'elle était terrifiée de perdre. Elle secoua la tête, déniant cette constatation, mais sa bouche était patiente, ses mains d'une tendresse impitoyable.

Cat soupira. Les mains de Duncan ouvraient son cœur, dans lequel il se laissa tomber.

Ce changement la détruisait, la laissait sans défense.

Il ne la quittait pas des yeux.

— C'est différent, murmura-t-il.

Incapable de prononcer un mot, elle secoua la tête et ravala un sanglot tandis qu'il couvrait sa bouche de ses lèvres. Elle ne pouvait plus résister. Elle se laissa emporter sur la haute vague brûlante. Puis elle plongea en dessous.

— C'est différent, répéta-t-il.

Elle attrapa un peignoir et s'en enveloppa. Cherchant désespérément à retrouver son équilibre, elle noua fermement la ceinture.

Suicidaire. N'avait-elle pas déjà dit qu'il était suicidaire ? Et elle était là, marchant à côté de lui juste au bord de la falaise.

— Non, dit-elle, et cela n'a pas lieu d'être.

Il inclina la tête.

— Pourquoi cela te fait-il peur de savoir que tu comptes pour moi ?

— Cela ne me fait pas peur.

Pour occuper ses mains tremblantes, elle prit une brosse et commença à la passer dans ses cheveux.

— Quoi que tu puisses penser de moi, je n'ai jamais eu de relations sexuelles avec un homme qui ne me respectait pas.

— Ce n'est pas ce que je voulais dire.

Il enfila son pantalon et chercha sa chemise.

— Tu es douée pour présenter les choses comme elles t'arrangent, Cat. Mais je suis aussi doué pour m'attarder sur ce qui est important. Et pour l'instant, c'est toi qui es importante à mes yeux.

— C'est très bien.

Elle laissa son regard glisser vers le sien dans le miroir.

— J'aime être importante.

Plus sûre d'elle, elle posa la brosse, et se tourna vers lui.

— Toi aussi, tu es important pour moi, Duncan. C'est ce que tu voulais entendre ? Bien sûr que tu l'es, sinon je ne serais plus avec toi depuis longtemps. Ne complique pas notre situation.

— C'est drôle, je croyais plutôt la simplifier. Qu'éprouves-tu pour moi ?

— Beaucoup de choses. Je te désire, je crois que c'est évident, j'aime être avec toi.

Souriant, elle s'approcha de lui et lui caressa le torse.

— J'aime ton style, ton visage, et j'adore ton corps.

Elle plongea ses yeux dans ceux de Duncan. C'était décevant, ils n'avaient pas la lueur amusée qu'elle espérait y voir. Ils étaient un peu froids.

— Et à part le sexe ?

— Difficile à dire.

Elle haussa les épaules et se tourna de nouveau vers sa coiffeuse.

— C'est difficile de ne pas en tenir compte, non ? Mais puisque tu aimes discuter… Je t'aime beaucoup. Tu es un homme aimable. Je n'ai pas beaucoup d'amis, Duncan, je ne reste jamais assez longtemps quelque part pour avoir le temps de m'en faire. Tu es une exception.

Il releva un sourcil. C'était bizarre de se sentir à la fois ravi et irrité.

— Alors nous sommes amis ?

— Tu ne crois pas ?

— Je suppose que si.

Il lui adressa un sourire faussement décontracté.

— Maintenant, je dois me préparer. Nous allons bientôt naviguer et la soirée va commencer.

— Je te verrai plus tard.

Elle hocha la tête tandis qu'un petit frisson la traversait. Elle avait l'impression d'avoir frôlé une crise majeure.

— Duncan ! C'est bon de travailler avec toi.

En ouvrant la porte, il lui envoya un sourire étincelant. Mais dès qu'il l'eut refermée, son sourire s'évanouit et ses yeux s'assombrirent.

Il s'était toujours considéré comme un homme chanceux. Mais la chance semblait l'abandonner brusquement. Sinon, il ne serait pas tombé subitement amoureux, de façon si ridicule, d'une femme qui ne correspondait en rien à son idéal.

L'amour n'était pas un jeu qu'il avait voulu jouer avant d'être mûr pour le faire. Mais les dés étaient jetés. Il fallait juste qu'il sache si elle allait monter la barre un peu plus haut et si elle n'allait pas lui échapper en bluffant.

Il redressa les épaules. Quand Duncan Blade jouait, c'était toujours avec l'intention de gagner.

8.

Au casino, Duncan menait le jeu à la table des sœurs Kingston. Pendant le reste de la semaine, il avait laissé la situation avec Cat au point mort, ce qui n'était pas vraiment un sacrifice. Il avait constaté que plus elle se détendait, plus elle devenait démonstrative.

Il aimait la voir flirter avec son grand-père, et se rapprocher de plus en plus de sa grand-mère. Un jour, il les avait vues en tête à tête sur le pont, et il aurait juré qu'elles échangeaient des secrets.

Mais il avait besoin de lui parler de son contrat, avant de le prolonger, et il n'avait pas trouvé une minute cet après-midi. Et le matin même, il avait reçu un appel des studios Reed Valentine. Il leur avait envoyé le disque de démonstration de Cat. Elle allait être contente du résultat.

Il ne voulait pas lui annoncer cela entre deux portes. De telles nouvelles méritaient que l'on prenne son temps. Il allait le faire après le second tour de chant de la soirée.

Duncan sourit, et la chaleur qui irradiait de son sourire se communiqua à sa tablée. Une des quatre sœurs lui saisit la main.

— Je n'arrive pas à croire que nos vacances se terminent demain, se lamenta-t-elle en papillonnant des cils.

— J'espère que vous avez passé une semaine agréable, dit Duncan, toujours souriant.

— Merveilleuse ! Nous projetons déjà de recommencer l'année prochaine. C'est si amusant.

— Nous aimons rendre nos passagers heureux. Aucune chance ?

En soupirant, elle plongea ses yeux bleus dans les siens.

— Pas autant que je l'aurais souhaité.

Il se mit à rire.

— Je parlais des cartes !

— Là non plus, mais c'était distrayant.

Apercevant Cat qui venait d'entrer au casino, il se leva d'un bond.

— Excusez-moi, je vous abandonne une minute.

La blonde le regarda s'éloigner et poussa un soupir de frustration.

— Il y a des gens qui ont toutes les chances, murmura-t-elle.

Cat le vit arriver. Elle ne le quitta pas des yeux pendant qu'il se faufilait entre les tables et les machines à sous.

Elle admira sa démarche féline. Mais qu'est-ce qui ne lui plaisait pas en lui ? Elle soupira. Rien, à vrai dire. Et c'était bien le problème.

— Que fais-tu là ? Je ne t'ai jamais vue ici, dit-il en arrivant près d'elle.

Il la prit par la main, joua avec ses doigts effilés.

— Jusqu'à présent, je n'avais aucune raison de venir. Je ne…

— Tu ne joues pas, je sais, c'est un principe. Tu n'as jamais fait une entorse à tes principes ?

— Je n'arrête pas.

— Tu veux jouer ?

— Je n'ai que vingt minutes avant le début de mon tour de chant.

— C'est largement suffisant.

Il repéra une table vide.

— Viens. Je suis issu d'une longue lignée de joueurs de blackjack.

— Je n'en doute pas.

– Disons plutôt une courte lignée. Ma mère jouait. C'est ainsi qu'elle a rencontré mon père.

– Vraiment ? Et qui a gagné ?

— Tous les deux.

Il la dévora des yeux.

— Tu es particulièrement délicieuse, ce soir.

En souriant, Cat se hissa sur un tabouret. Sa robe bleu nuit épousait chaque courbe de son corps et scintillait sous les spots.

— C'est la dernière soirée sur le bateau pour les passagers. Je veux qu'ils partent heureux.

Elle posa une coupure de cinq dollars sur la table. Duncan lui adressa un sourire ravageur.

— Que dirais-tu d'un rendez-vous, ce soir, ma beauté ?

— Hmm…

Elle jeta un coup d'œil à ses cartes. Apparemment, ce n'était pas son jour. Duncan sortit un roi de cœur. Puis une reine. Il avait vraiment toutes les chances. Mais il devait aussi être doué pour le jeu.

— Je n'appelle pas cela jouer, fit-il remarquer. Tu ne veux pas courir de risques.

Elle soupira. S'il n'y avait eu que les cartes… Mais elle continuait à perdre du terrain par rapport à lui. Il l'incitait sans arrêt à risquer un peu plus gros. Et chaque fois qu'elle se laissait tenter, elle avait toujours plus de mal à se rappeler qu'elle aurait peut-être un jour le cœur brisé.

— Toi, tu joues bien, Blade.

— C'est mon travail.

— Bien, j'ai perdu les trente dollars que tu m'as fait jouer en moins de cinq minutes. Terminé. A ce rythme, je vais perdre ma chemise avant le spectacle.

— Nous pourrions jouer au « strip black-jack », plus tard.

Elle rit. C'était un jeu qu'elle pouvait s'offrir. Elle se pencha au-dessus de la table.

— J'étais juste venue te dire que j'avais une petite surprise pour ton grand-père, à la fin du second tour de chant. J'ai pensé que tu voudrais en avoir un aperçu.

— Qu'est-ce que c'est ?

Coulant un regard vers la plus blonde des sœurs Kingston, elle lui adressa un sourire satisfait.

— Viens voir, si tu peux t'échapper de ton harem, dit-elle.

— Mon cœur, je suis tout à toi.

— Très bien.

Elle gloussa de rire et lui tapota la joue. Puis elle se redressa.

— Non, nous réglerons cela plus tard. Il faut que j'aille gagner l'argent que j'ai perdu.

Elle s'éloigna avec un balancement des hanches qui lui coupa le souffle.

Elle venait de couler la dernière note sensuelle du second tour de chant. Elle savait que Duncan était dans la salle, assis à la table de ses grands-parents. Elle avait mis au point le timing avec Anna, et elle avait quitté la scène quand la foule avait commencé à se disperser.

Certains allaient rester, au bar ou à des tables. Mais ce qui allait suivre devait être un spectacle privé qui, curieusement, provoquait en elle une émotion qu'elle n'aurait pas imaginée.

— Je ne vois pas où est ton problème, mon garçon, grommela Daniel MacGregor. Cette femme est faite pour toi.

Anna se contenta de soupirer.

— Daniel !

Elle avait fait la même constatation. Mais elle ne voulait pas risquer un commentaire malheureux qui aurait pu faire pencher la balance du mauvais côté.

— Laisse donc Duncan tranquille. C'est un homme mainte- nant.

— Justement ! Quand va-t-il se décider à faire son devoir ? Quand va-t-il agir comme un homme et se mettre en ménage ? J'aimerais savoir. Il laisse cette petite lui filer entre les doigts. Non, ce n'est pas digne d'un MacGregor.

Croisant les bras, Daniel se redressa sur sa chaise et regarda autour de lui d'un œil furibond.

Sans rien dire, Duncan sortit de sa poche un cigare et esquissa un sourire. Son grand-père allait en mourir d'envie. Il le fit tourner lentement entre ses doigts. Puis, le coinçant entre ses dents, il l'alluma, tira voluptueusement quelques bouffées, tandis que les yeux bleus de Daniel luisaient d'envie et de dépit.

— Qui a dit que je la laissais me filer entre les doigts ?

— Si tu te servais de tes yeux, tu verrais…

Faisant une pause, Daniel fit machine arrière. Il prit une profonde inspiration et donna une bourrade dans le dos de son fils.

— Ah, ah ! Tu vois, Anna, je t'avais bien dit que ce garçon était très intelligent et que tu n'avais pas besoin de te faire du souci.

Anna hocha la tête. Elle posa ses mains sur celles de son mari et de son petit-fils.

— Duncan, j'aime beaucoup Cat.

— Je sais. Veux-tu dire à grand-père de ne plus s'en mêler ?

— Que je ne m'en mêle plus ! dit Daniel, vexé. Tu ne la connaîtrais même pas si je n'avais…

— Quoi, Daniel ? interrogea doucement Anna avec un sourire. Tu n'as pas encore interféré dans les affaires de ton petit-fils ?

— Ah, non, je n'ai rien fait. Rien du tout. Je ne vois pas de quoi tu parles. Je disais juste… ce que je disais.

Il réfléchit très vite. Il devait tirer son épingle du jeu.

— Tu devrais aller te reposer, Anna.

Il lui caressa la joue.

— Je vais finir mon vin.

Elle leva son verre et remua sur sa chaise. C'était le signal qu'elle avait mis au point avec Cat.

Cat revint alors sous les projecteurs.

— Daniel MacGregor ? J'ai quelque chose pour vous.

— Eh bien, venez près de moi et donnez-le-moi !

— Cela vient d'ici, et de là, dit-elle en portant une main à son cœur.

Les yeux fixés sur lui, elle se mit à chanter la vieille ballade écossaise, *Loch Loman*.

Duncan ne respirait plus. Il avait accepté, ou presque, l'évidence : il était amoureux d'elle. Mais ce soir, c'était encore plus que cela. Il y avait une telle douceur en elle alors qu'elle adressait cette chanson à son grand-père, un homme si important pour lui. C'était plus que d'être amoureux d'elle.

Il ne ressentait pas la décharge électrique qui se répandait habituellement dans son corps. Il éprouvait un sentiment chaleureux et limpide, et Cat en était la seule responsable. Il soupira. Sa vie allait changer. Il était assez écossais pour reconnaître que cela se préparait depuis un certain temps.

Maintenant, il devait absolument conquérir Cat.

Près de lui, Daniel renifla et chercha un mouchoir dans sa poche. Quand les dernières notes de la chanson s'évanouirent, il se moucha bruyamment.

— Ça, c'est une chanteuse, arriva-t-il à dire d'une voix nouée.

— Vous allez me manquer, Daniel.

Elle s'approcha de sa table et l'embrassa sur la joue.

— Vous allez vraiment me manquer, répéta-t-elle.

A sa grande surprise, il l'attira sur ses genoux.

— Duncan, viens te promener avec moi, murmura Anna.

Elle le prit par la main et l'entraîna loin de leur table.

— Cette petite a besoin d'amour, dit-elle doucement.

Il jeta un coup d'œil par-dessus son épaule sur le couple dans les bras l'un de l'autre.

— J'ai l'amour dont elle a besoin. Il ne me reste plus qu'à la convaincre de le prendre.

Anna pressa tendrement sa main.

— Je fais le pari que tu y arriveras.

Duncan raccompagna Cat à sa cabine. Visiblement, elle était fatiguée. Elle ne devait pas laisser ses émotions déborder très souvent. Pour une femme comme elle, cette expérience avait dû être épuisante.

— C'est un très beau cadeau que tu as fait à mon grand-père.

— Je suis folle de lui. Sérieusement.

Elle hocha la tête. C'était effrayant d'aimer à ce point des gens qui ne pourraient jamais vivre près d'elle.

— Je suis sûr que c'est réciproque. S'il n'y avait pas ma grand-mère, et puis, accessoirement, les soixante-dix ans qui vous séparent, je m'inquiéterais…

Elle se mit à rire et ravala un bâillement.

— Je ne suis pas très sûre de moi, même en l'état actuel des choses.

Passant devant lui quand il ouvrit la cabine, elle cligna des yeux dans la lumière des bougies et le reflet des verres en cristal. Elle était stupéfaite.

— Qu'est-ce que c'est, Blade ? interrogea-t-elle.

— Je me suis dit que tu aurais peut-être envie d'enfreindre un autre principe.

Il s'approcha de la table et sortit d'un seau à glace une bouteille de champagne.

Cat siffla d'admiration.

— En quel honneur ?

— Nous allons en parler. Tu veux un verre ?

— Je crois que je pourrais en avaler un, merci. C'est pour cela que tu n'as pas voulu que je me change après le tour de chant ? Pour que je sois en tenue appropriée ?

— Non, je n'ai pas voulu que tu te changes parce que je veux te déshabiller moi-même.

D'un coup de poignet expert, il ouvrit la bouteille, qui émit un « pop » retentissant.

Il remplit deux coupes et lui en tendit une. Ils trinquèrent.

— A tes stupéfiantes cordes vocales.

Elle rit et sirota une gorgée.

— Comment ne pas boire à cela, en effet ?

— Nous arrivons à la dernière semaine de ton contrat.

Elle faillit s'étrangler, mais Dieu merci, elle se rattrapa.

— Oui, je sais.

— Je veux le renouveler.

Cat soupira silencieusement. Son cœur se remettait à battre.

— Je devrais boire à cela aussi.

— Je voulais t'en parler avant d'appeler ton agent.

— Je l'ai congédié, tu peux faire affaire avec moi directement.

— Tu l'as congédié ?

Duncan plissa les lèvres, puis il hocha la tête.

— Tu as bien fait, mais tu auras besoin d'un autre agent.

— Ils ne se pressent pas à ma porte. Quand le moment sera venu, je m'en occuperai.

— Je dirais que c'est le moment. Reed Valentine veut prendre rendez-vous avec toi, pour un essai professionnel en studio, à New York, le jour qui te conviendra.

Cat chancela. Elle ne sentait plus ses mains ni ses pieds. Tout ce qu'elle sentait, c'était les coups de marteau démentiels qui frappaient son cœur.

Hébétée, elle répéta :

— Reed Valentine ? Les enregistrements Valentine ? Un rendez-vous avec moi, quand je veux ?

En riant, il répondit :

— Oui, c'est bien cela. Ils ont été très impressionnés par le disque que tu as fait.

— Tu le leur as envoyé ? A Reed Valentine ?

— Je t'avais dit que je l'enverrais à des gens que je connaissais.

Cat serra sa main autour de sa coupe de champagne. Les studios Valentine…

— Je ne m'y attendais pas… Je n'aurais jamais cru…

— Tu ne m'as pas pris au sérieux, Cat ? Je ne joue pas ce genre de jeux.

Elle essaya de prendre une profonde inspiration.

— Seigneur, je n'arrive plus à respirer !

Elle posa une main sur son cœur.

— Je n'arrive pas à reprendre mon souffle.

Inquiet, Duncan tendit la main vers elle. Elle était devenue livide.

— Assieds-toi.

— Non, oui. J'ai besoin d'air.

Elle lui fourra la coupe dans la main et partit vers le petit balcon. Elle avait la tête légère, comme si elle avait avalé toute la bouteille de champagne d'un seul coup. Elle ne pouvait pas respirer parce que l'air était piégé quelque part sous son diaphragme.

S'agrippant à la balustrade, elle se pencha et regarda sans la voir la rivière qui coulait lentement à ses pieds.

— N'est-ce pas ce que tu désirais ? s'enquit Duncan.

Elle ferma les yeux. Des larmes brûlantes gonflaient ses paupières.

— Toute ma vie. C'est ce dont j'ai rêvé toute ma vie. Avoir une chance, une seule chance de prouver que je pouvais être quelqu'un.

Sa voix se brisa.

— Pardonne-moi, Duncan, j'ai besoin d'une minute. Laisse-moi juste une minute, d'accord ?

Au lieu de la laisser, il s'approcha d'elle, la fit pivoter pour qu'elle soit face à lui. Elle avait les joues inondées de larmes.

D'une voix douce, il murmura :

— Je croyais savoir à quel point c'était important pour toi, mais je me trompais. J'aurais dû trouver une autre façon de te l'annoncer.

— Non, c'est parfait, je vais bien.

Elle frissonna. Ce qu'il lui offrait était merveilleux, mais terrifiant. Elle avait peur de lui, aussi, et de ces battements saccadés qui lui chaviraient le cœur.

— Laisse-moi seule une minute. J'en ai besoin pour me ressaisir.

— Non.

Il la serra contre lui.

— Il faut te laisser aller.

Elle eut un hoquet avant de se mettre à sangloter. Le visage enfoui contre son épaule, elle s'accrocha à lui.

— C'est tout pour moi, tout. Même s'ils changent d'avis, s'ils détestent ce que je fais et s'ils me chassent à coups de pied, cela représente tout pour moi. D'avoir cette chance. Je ne pourrai jamais te prouver ma reconnaissance.

— Tu n'as aucune reconnaissance à avoir, Cat.

— C'est tout pour moi, répéta-t-elle.

Faisant un pas en arrière, elle prit le visage de Duncan entre ses mains.

— Je te suis si reconnaissante, Duncan.

Elle fit passer dans son baiser le torrent d'émotions qu'elle éprouvait.

— Je vais te le prouver.

— Cat, je ne cherche pas ta gratitude.

— Il faut que je te la donne.

Elle l'embrassa encore, d'un baiser qui les hypnotisa tous les deux.

— Laisse-moi te la donner.

9.

Cat devait lui avoir jeté un sort. Maintenant, dans la clarté du jour, il se débattait encore. Il avait voulu lui dire qu'il l'aimait. Et lui demander de lui appartenir. Mais le moment était mal choisi. Elle avait déjà eu son content d'émotions.

Il pouvait attendre ce soir. L'air serait frais et doux, et ils seraient seuls dans la douceur de la nuit. Quoi qu'il en soit, cela lui donnerait plusieurs heures pour trouver la meilleure façon de lui parler. Pour chercher ses mots, et la manière de les prononcer.

Il soupira. Il aurait tant voulu être aussi sûr d'elle qu'il l'était de lui-même.

Dès que ses grands-parents étaient descendus du bateau, il s'était précipité en ville pour acheter une bague. Elle était dans sa poche et elle allait peser lourd toute la journée.

Relevant la tête, il se dirigea vers son bureau. Il allait se mettre au travail. C'était le meilleur moyen de faire passer le temps plus vite.

Cat s'était préparée toute la matinée. Et pendant ce temps, elle avait réfléchi. Il n'y avait qu'une réponse possible. Duncan Blade lui avait procuré quelque chose qu'elle avait espéré toute sa vie. Et il l'avait fait sans demander de contrepartie.

La seule façon de le remercier, selon son propre raisonnement, était de le débarrasser d'elle le plus vite possible. Sans lui faire de mal.

D'un pas décidé, elle grimpa l'escalier de son bureau.

Ses genoux tremblaient. Elle s'arrêta en maudissant sa faiblesse et fit un violent effort pour se ressaisir. Elle était forcée d'admettre qu'elle n'avait pas le beau rôle. Elle prenait la fuite.

Elle ne pouvait pas affronter ce qu'elle éprouvait pour lui. Au nom de quoi y serait-elle obligée ? Elle ne savait pas aimer. Elle n'en serait jamais capable, pas plus qu'elle ne pourrait jamais appartenir à son monde, si raffiné, si différent.

Oui, il valait mieux couper les liens tout de suite, avant qu'elle s'investisse encore plus profondément, avant qu'elle commence à croire qu'elle pourrait faire partie de la vie de Duncan.

De plus, ce serait lâche d'attendre encore une semaine, jusqu'à la fin de son contrat, pour lui dire qu'elle partait. La seule attitude décente, et professionnelle, était de lui laisser le temps d'engager une autre chanteuse.

Elle n'allait pas le remercier en bouleversant sa vie et son travail.

Elle ravala la grosse boule qui lui obstruait la gorge. Elle n'avait qu'à s'en prendre à la malchance. C'était elle la responsable si elle était tombée amoureuse de lui.

Elle avait voulu se convaincre qu'il ne s'agissait que de reconnaissance. Elle voulait croire qu'elle survivrait sans avoir la moindre égratignure quand ils se sépareraient. Mais elle n'était pas folle. C'était elle qui s'était exposée, et elle devait maintenant payer le prix.

Brusquement, le bonheur de réaliser le rêve de toute une vie n'avait plus le même éclat.

Elle soupira. Elle savait faire face à ses responsabilités, et elle avait déjà eu de mauvais moments à passer dans sa vie. Cette fois encore, elle saurait réagir avec dignité.

Elle monta jusqu'au bureau de Duncan et le vit à travers la fenêtre. Comme chaque fois qu'elle le voyait, elle sentit son cœur chavirer.

Dieu, il était si parfait ! Qu'avait donc dit sa mère ? Que c'était un beau jeune homme, dans tous les sens du terme. C'était la pure vérité. Il n'avait pas que la beauté physique et le charme.

Il était bon, et prévenant.

Ce n'était pas un de ces hommes qui se prenaient pour les rois du monde et se vautraient dans l'argent de papa. Il travaillait dur, et il avait mis sa griffe personnelle dans chaque coin et recoin de son bateau.

Il était intègre, ambitieux.

Elle soupira. Duncan le dangereux. Le bourreau des cœurs. « Tu oublieras mon nom avant la fin de l'été », songea-t-elle tristement.

Prenant une longue inspiration, elle rejeta ses cheveux en arrière et entra dans le bureau. D'une voix qu'elle espérait légère, elle demanda :

— Vous avez une minute, patron ?

Il se renversa sur son dossier et repoussa ses papiers.

— Je crois que je peux t'accorder une minute. Comment te sens-tu ?

— Je suis encore sur un petit nuage. As-tu vu partir tes grands-parents ?

— Oui, ils vont passer une journée à La Nouvelle-Orléans, puis ils prendront l'avion pour Boston, où ils iront voir ma sœur et mes cousins. Ils vont jouer au papa et à la maman avec leurs bébés. Ils vont retrouver mon oncle Caine et ma tante Diana, et grand-père va harceler mon cousin Ian en lui demandant pourquoi il est toujours célibataire. Il était question qu'ils aillent dans le Maine pour pouvoir harceler aussi la famille Campbell.

Les yeux de Cat luisaient d'amusement.

— Cela lui permet de rester jeune.

— Alors il aura éternellement dix-huit ans, car il ne va jamais s'arrêter.

— La famille est sa raison de vivre.

— Oui. Tu as vite appris à le connaître.

— J'ai vite appris à l'aimer. A vous aimer tous. A vous aimer tant que cela me fait peur. J'ai une invitation, ajouta-t-elle sans transition.

Elle força un sourire sur ses lèvres.

— Une invitation pour visiter Hyannis Port autant de fois que j'en aurai envie. J'ai vu des photographies du château qu'il a construit là-bas. C'est fantastique.

— Il faut que tu le voies, vraiment.

Elle hocha vaguement la tête. Pas avant d'être sûre de pouvoir le supporter, c'est-à-dire probablement jamais. Allongeant les jambes, elle les croisa à la hauteur des chevilles et s'apprêta à faire le grand numéro de sa vie.

— Je ne vais pas t'interrompre longtemps dans ton travail. Mais nous devions parler affaires.

— Parfait. Je pensais te voir plus tard, mais maintenant, c'est aussi bien.

Il ouvrit un dossier d'où il sortit son contrat.

— C'est une clause optionnelle, avec une augmentation de salaire de cinq pour cent garantie quand elle sera activée. Tout le reste est identique au contrat d'origine. Je te laisse le temps de le lire avant de signer.

— Je l'ai déjà lu.

— Tu as peut-être envie de le relire ? dit-il en lui tendant les papiers.

— Non. En fait, je ne veux pas le signer.

Duncan suspendit son geste pendant plusieurs secondes, puis il posa doucement le contrat sur son bureau.

— Pardon ? dit-il, médusé.

— Je ne veux pas signer cette option. Je ne veux pas prolonger ce contrat. En ce qui me concerne, dès que nous aurons mis les pieds à Saint Louis, la semaine prochaine, je serai libre comme l'air.

— Enlève tes lunettes.

— Il y a beaucoup de lumière ici.

— Si tu veux parler affaires, tu me regardes dans les yeux.

Elle tressaillit. La voix de Duncan avait rapidement changé, passant du velours à l'acier. Mais il avait raison. C'était lâche de se cacher derrière des lunettes noires. Elle les ôta lentement et les balança au bout de ses doigts.

Prenant son temps, il la dévisagea, cherchant les signes que tous les joueurs reconnaissent. Si elle bluffait, elle était sacrément bonne.

— Tu veux négocier le contrat en de nouveaux termes ?

— Ce n'est pas ce que j'ai dit. Et je dis ce que je pense.

Elle redressa les épaules, et les laissa aussitôt retomber.

— J'ai fait une belle pêche, et c'est grâce à toi. Je n'ai aucune raison de passer encore six semaines à chanter sur un bateau alors que je peux le faire à New York.

— Je vois. Mais tu n'as pas dû lire attentivement ton contrat, Cat. Sinon, tu saurais que j'ai le droit d'appliquer cette clause optionnelle, et que, dans ce cas, tu es obligée de l'honorer.

Elle baissa les yeux. Un point pour lui. Elle n'avait pas pensé qu'il lui faciliterait la tâche, bien sûr.

— J'espérais que tu me laisserais partir, au nom des semaines que nous avons vécues.

— L'espoir fait vivre.

Il se leva et se dirigea vers le miniréfrigérateur d'un air faussement nonchalant. Il avait l'impression qu'on lui avait ouvert la poitrine et arraché le cœur. Il sortit deux petites bouteilles d'eau et lui en tendit une.

— Mais il s'agit ici d'affaires. Rien à voir avec le fait que nous avons couché ensemble. Tu veux un verre ?

Secouant la tête, elle but nerveusement au goulot. Duncan l'observa silencieusement. Son estomac commençait à se dénouer un peu. Après tout, Cat n'était pas aussi détendue qu'elle prétendait l'être.

Mais que diable voulait-elle ?

— D'accord, pas de faveurs. Ce n'est que justice, dit-elle.

Elle but une autre gorgée d'eau.

— Tu n'as plus qu'à me faire un procès.

— Voyons d'abord si nous pouvons affronter cette crise en professionnels, dit-il d'un ton délibérément sarcastique.

Cat retrouva des couleurs. Il hocha imperceptiblement la tête. Elle avait vraiment du cran. Et à en juger par ce qu'il lisait dans ses yeux, elle avait des sentiments pour lui malgré ses airs crâneurs. Il pouvait jouer là-dessus.

— Tu veux aller à New York et continuer avec les studios Valentine. Je ne peux pas t'en blâmer. Dès que nous arriverons à Saint Louis, tu pourras partir.

Il leva une main avant qu'elle puisse parler.

— Je vais prolonger le contrat pour une semaine.

— Cela ne me plaît pas.

— C'est à prendre ou à laisser.

— Je laisse, dit-elle en se levant.

— Assieds-toi.

— Ne me donne pas d'ordre !

— L'affaire est conclue. Maintenant, c'est personnel. Et je t'ai dit de t'asseoir.

Elle leva la bouteille et le fixa dans les yeux tout en se remettant à boire de l'eau.

— Est-ce que tu as un problème avec ton ego, Duncan ? dit-elle après avoir rebouché la bouteille.

— Crois-tu vraiment que je vais te laisser partir ?

— Oui, parce que si tu m'en empêches, ce n'est pas seulement ton ego qui en prendra un coup. Ecoute, je me suis bien amusée et je te dois beaucoup. Mais il est temps que je passe à autre chose.

— Et c'est ce que tu sais faire le mieux ? Passer à autre chose ?

Pour toute réponse, elle hocha la tête, mais elle ne put empêcher une lueur de regret de traverser ses yeux.

— Désolée, mais je dois d'abord penser à moi. Je te promets de ne jamais t'oublier.

Elle tendit une main hésitante et lui caressa la joue en souriant.

Son sourire s'évanouit quand il lui saisit le poignet.

— Tu trembles, Cat.

— Non.

Elle avait du mal à parler, avec sa gorge brûlante et sèche comme si elle n'avait pas bu depuis huit jours. Elle haussa les épaules.

— C'est parce qu'il fait froid ici, c'est tout.

— Autant qu'en enfer. Pourquoi trembles-tu ?

— Tu me fais mal.

— Non.

Ses doigts serraient à peine son poignet.

— Non, je ne te fais pas mal, mais tu t'évertues à me faire du mal, à moi. Pourquoi ?

— Je ne veux pas, Duncan.

Sa voix chevrota d'émotion contenue.

— Je ne veux pas te faire du mal. Mais je t'en prie, laisse-moi partir.

— Certainement pas. Tu veux me laisser tomber ? Tu veux partir ? Et personne ne souffrira ? Menteuse. Tu mens, mais pas aussi facilement que je l'aurais cru.

— Je suppose que tu n'as pas l'habitude qu'on te laisse tomber. En général, tu dois avoir le beau rôle.

Il releva un sourcil.

— Ah, nous y voilà. Tu veux filer avant que je ne le fasse, c'est cela ?

— Tu peux voir les choses comme tu veux…

— Mettons cartes sur table et voyons ce que nous avons en mains. Je t'aime, et tu vas m'épouser.

— Pardon ?

S'il lui avait envoyé une bouteille d'eau glacée au visage, elle n'aurait pas été plus médusée. Elle suffoquait.

— Quoi ? Tu es fou ?

— Tu es exactement celle que je veux, exactement celle que j'aurai, alors autant t'habituer à cette idée.

— Va au diable ! Pour qui te prends-tu ?… Oh, je ne peux plus respirer.

Luttant pour retrouver son souffle, elle passa une main entre ses seins.

— Bon sang !

— C'est drôle, tu as eu la même réaction hier soir quand je t'ai parlé des studios Valentine. Et je crois avoir compris que c'était parce que tu en avais rêvé pendant toute ta vie.

Il s'approcha d'elle. Elle haletait.

— Est-ce que tu veux encore autre chose, Cat ?

— Non, va-t'en. Tu es fou. J'ai besoin d'air.

— Tu ne vas aller nulle part.

La prenant par un bras, il la poussa dans un fauteuil.

— Nous avons une tradition dans ma famille.

Il sortit une pièce de sa poche.

— Face, tu m'épouses. Pile, tu t'en vas.

— Essaie toujours !

Prise de vertige, elle baissa la tête sur ses genoux.

— Tu es d'accord ?

— Non.

Elle releva vivement la tête, quand il lança la pièce en l'air. Il la laissa retomber au creux de sa main.

— Face. J'ai gagné. Tu veux un mariage en grande pompe ou une cérémonie plus rapide ?

Elle ne bougea pas. Elle avait retrouvé son souffle, et le sang avait cessé de battre furieusement à ses tempes. Elle le regarda. Il était en colère, c'était évident. Derrière son sourire charmeur, il était furieux.

— Duncan, les gens raisonnables ne se marient pas en jouant à pile ou face.

— C'est ce que mes parents ont fait. Et c'est ce que nous allons faire nous aussi.

— Moi, je ne fais pas de pari…

— Par principe, je sais.

Posant ses mains sur chaque accoudoir du fauteuil pour la piéger, il se pencha vers elle.

— Je t'aime.

D'une voix faible, elle arriva à dire :

— Laisse-moi.

— Je t'aime, répéta-t-il. Je le sais. J'ai toujours su que lorsque le jour viendrait, je le saurais au fond de moi. Catherine Mary, tu es la femme de ma vie. Maintenant, ose me dire que tu ne m'aimes pas.

— C'est vrai.

— Qu'est-ce qui est vrai ?

— Oh, va-t'en ! Comment suis-je censée réfléchir alors que tu es en train de me harceler ?

— Dis-le, que tu ne m'aimes pas. C'est tout ce que je te demande.

Il se pencha encore plus et effleura ses lèvres de sa bouche.

— Et débrouille-toi pour que je te croie.

— Cela ne pourra pas marcher entre nous.

— Ce n'est pas ce que je t'ai demandé.

— Je te faisais une faveur.

— Merci. Maintenant, dis-le-moi.

— Recule, Duncan. Tu es en train de m'étouffer.

En souriant, il recula. Il avait déjà lu la réponse dans ses yeux.

— Dis-le-moi en étant debout, c'est davantage ton style.

Comme il avait raison, elle se leva.

— Je veux m'occuper de ma carrière.

— Moi aussi.

Il le pensait, elle pouvait le voir dans l'expression de son regard. Un miracle s'était produit, et la seule chose dont elle avait rêvé était devenue aussi importante pour lui que pour elle.

Elle enfonça ses mains dans ses poches.

— Je n'ai pas besoin d'une grande maison, ni d'une barrière de bois blanc, dit-elle en souriant.

— Merci. Cette idée m'a toujours pétrifié.

Elle eut un petit rire bref, puis elle soupira.

— Est-ce que tu le penses vraiment ?

— Absolument. Les barrières de bois blanc m'ont toujours fait faire des cauchemars.

— Duncan !

Elle pressa ses paupières du bout des doigts.

— J'essaie d'être franche avec toi.

Laissant tomber ses bras, elle plongea le regard dans ses yeux bleus. Tout ce qu'elle voulait était là.

— J'ai besoin que tu sois franc avec moi, car tu peux faire pire que me briser le cœur. Tu peux le faire éclater en mille morceaux.

Le regard de Duncan s'emplit de tendresse.

— Je t'ai dit que je ne te ferais jamais de mal. Je tiens toujours parole.

Elle prit une profonde inspiration. Brusquement, elle respirait plus librement.

— Es-tu sûr que c'est bien ce que tu veux ?

— Je ne pourrais pas en être plus sûr.

Il sortit une petite boîte de sa poche.

— Devine ce qu'il y a dedans !

— Seigneur, tu vas vite !

Elle regarda ses mains.

— J'ai les mains moites. Ce qui ne m'arrive que lorsque je suis très nerveuse.

Elle les frotta sur son short.

— D'accord, tu l'auras voulu. Mais rappelle-toi que je t'ai laissé la chance d'y échapper. Moi aussi je t'aime, et je crois que j'ai commencé le jour où tu as voulu m'empêcher de monter sur le bateau. Tu étais si sexy, et si… dangereux.

— C'est drôle, j'ai pensé la même chose quand je t'ai vue.

— Alors nous sommes à égalité.

Il ouvrit la boîte et prit sa main. N'en croyant pas ses yeux, Cat s'exclama :

— Tu es complètement fou !

Rugissant de rire, il la prit dans ses bras et lui donna un baiser qui les étourdit tous les deux.

— Tu veux parier qu'elle te va ?

Sans répondre, elle appuya sa joue contre la sienne. Dieu, il la voulait vraiment ! Pour la garder.

— Je ne parie jamais…

— Je sais. Par principe.

En la couvant des yeux, il sortit la citrine de la boîte et la fit glisser autour de son doigt. Puis il porta sa main à ses lèvres et l'embrassa, juste au-dessus de la bague.

— Marché conclu ?

— On dirait.

Elle lui adressa un sourire malicieux.

— Mais je voudrais bien voir cette pièce avec laquelle tu as joué à pile ou face.

Relevant un sourcil, il fit tourner la pièce entre les doigts de sa main libre et la fit disparaître.

— Quelle pièce ? demanda-t-il d'un air innocent.

IAN

Prologue

D'après les mémoires de Daniel Duncan MacGregor

Il y a des moments qui se gravent dans la mémoire d'un homme, y laissant un souvenir qui ressemble à un diamant aux multiples facettes translucides. Par exemple, le jour où il tombe amoureux pour la première fois. Et le jour où il voit pour la première fois la femme de sa vie. Ou encore l'instant où il prend dans ses bras son enfant nouveau-né.

Et les nombreux événements de sa vie qui le remplissent de joies et de chagrins, de rires et de larmes.

C'est ainsi qu'il y a des instants précieux gravés dans ma mémoire, trop nombreux pour être comptés, trop rares pour qu'ils soient considérés comme acquis. Mais tous tendrement évoqués.

Il y en a eu un autre récemment. Une belle jeune fille, que j'aime maintenant comme si elle était ma propre enfant, vient de s'unir avec mon petit-fils Duncan.

Elle fait partie des nôtres.

Après qu'ils ont prononcé leurs vœux et échangé leur premier baiser, elle s'est dirigée droit vers moi et m'a murmuré à l'oreille :
— Merci.
N'est-elle pas adorable ?

Non pas que j'aie fait cela pour avoir des remerciements. Mais c'est bon de voir ses idées et ses attentions appréciées à leur juste valeur, de temps à autre.

Quels beaux enfants ils vont faire ces deux-là ! Il n'y a pas vraiment d'urgence, bien qu'Anna s'impatiente déjà. Elle craint qu'ils mettent du temps à se décider.

Quoi qu'il en soit, nous avons fait ce qui était en notre pouvoir pour les mettre sur la bonne voie.

Aujourd'hui, j'admire par la fenêtre les dernières roses grimpantes. Elles vont bientôt être fauchées par le vent d'hiver. Eh oui, le temps passe, malgré notre désir de le retenir.

C'est pourquoi il ne faut pas le gaspiller. J'ai encore des petits-enfants qui ont besoin d'être poussés dans la bonne direction. Mais il vaut mieux que je n'en parle pas. Anna m'a fait la leçon, l'autre jour, parce que j'avais remarqué, au passage, que notre petit Ian arrivait en âge de penser à son avenir.

Aujourd'hui, il est avocat. Et je lui ai trouvé une jolie future épouse. Une qui s'accordera avec sa nature douce et son grand cœur. Ce garçon veut fonder une famille, croyez-moi. Ne vient-il pas d'acheter une maison ? Pourquoi un homme achèterait-il une maison si ce n'était pour y installer une épouse et la faire retentir des cris de ses enfants ?

Le moins que je puisse faire pour lui, c'est de lui indiquer le bon chemin, et ensuite de le laisser vivre sa vie.

1.

Ian détestait se précipiter, que ce soit pour le travail, le plaisir, ou la vie en général. Mais parfois, il n'avait tout simplement pas assez d'heures à sa disposition dans une journée. Cependant, depuis quelques jours, il avait perdu beaucoup de temps, notamment dans les embouteillages. La circulation à Boston aux heures de pointe était vraiment impossible.

C'était précisément là qu'il se trouvait maintenant, au milieu de dizaines de voitures agglutinées les unes aux autres dans un concert de Klaxon. Il soupira. Encore un feu rouge, et il allait enfin arriver chez lui. Dans sa nouvelle maison. Le seul fait de penser à la vieille demeure élégante dissimulée derrière des érables centenaires le fit sourire. Il ne râla même pas quand un automobiliste klaxonna furieusement derrière lui.

Cela faisait deux mois qu'il courait les antiquaires et les magasins de matériel de cuisine, et qu'il meublait et décorait chaque pièce de sa nouvelle maison exactement comme il le désirait.

Et chaque fois qu'il faisait glisser la clé dans la serrure et qu'il entrait dans le hall majestueux, avec ses murs peints d'un vert profond et ses planchers de bois blond lustrés comme des miroirs, il était heureux de laisser derrière lui le temps des dortoirs universitaires et des appartements partagés.

Ce n'était pas qu'il détestât la compagnie des autres. Il venait d'une grande famille, et il ne craignait ni l'agitation, ni l'affrontement de caractères différents. De plus, le fait de partager un logement avec plusieurs copains était souvent très divertissant.

Mais il voulait désormais avoir son chez-lui. Il en avait besoin. Et grâce à sa cousine Julia, qui dirigeait une agence immobilière, il avait trouvé la maison de ses rêves.

Il sourit encore imperceptiblement. Ce penchant pour les vieilles maisons pleines de charme devait être atavique. Les MacGregor avait cela dans le sang.

Dans son enfance, il n'avait connu que des lieux pleins de personnalité, de style et de dignité. A commencer par les bureaux du cabinet d'avocats MacGregor & MacGregor.

Avec ses parents et sa sœur, il faisait partie de ce prestigieux cabinet. Il avait bien l'intention de faire ses preuves, de respecter les traditions familiales et peut-être, un jour, de suivre la voie de son père et de son oncle vers Washington.

La presse disait souvent qu'il était doué pour la politique, et qu'il avait de qui tenir, avec un ancien Président des Etats-Unis dans sa famille. De plus, il avait le physique de l'emploi. Ses cheveux dorés, ses yeux bleus au regard ferme, ses traits volontaires et sa bouche sensuelle faisaient soupirer les femmes et inspiraient la confiance aux hommes.

Un jour, la presse à sensations avait publié une photographie le représentant en slip de bain sur son yacht. Les ventes du journal avaient explosé, et, depuis, ses admiratrices l'appelaient « le don Juan de Harvard », ce qui l'agaçait et amusait beaucoup ses parents.

Il avait décidé de prendre cela avec humour, il n'avait pas le choix. Ceux qui prétendaient qu'il n'était qu'un beau parti avaient ravalé leur langue quand il était sorti dans les premiers élèves de sa promotion, et qu'il avait obtenu son inscription au barreau.

En général, Ian MacGregor arrivait à ses fins, et aussi loin qu'il se souvienne, il avait eu envie de se consacrer au droit.

Mais ses diplômes ne l'empêchaient pas d'être le plus jeune membre du cabinet, et, en tant que tel, il était souvent obligé de se transformer en coursier.

Et son poste actuel n'était guère plus élevé.

Ian arriva enfin à son but et tourna plusieurs fois dans les petites rues, espérant trouver une place pour se garer. Il finit par s'arrêter deux carrefours plus loin. Il soupira. Il aurait aussi bien fait de se garer devant chez lui et de revenir à pied.

Il se détendit en regardant les vitrines des galeries pendant qu'il se dirigeait d'un pas souple vers la librairie Brightstone's.

C'était le début de l'automne, et le temps était délicieusement doux et parfumé. Les arbres commençaient à peine à se parer de couleurs chaudes dans la légèreté du crépuscule qui tombait doucement. Ian hocha la tête. Dès qu'il serait rentré chez lui, il siroterait un verre de vin, assis sous la véranda, d'où il contemplerait son petit royaume.

Quelques minutes plus tard, il s'arrêta devant le vieux bâtiment de brique de Brightstone's et leva les yeux pour l'observer.

C'était une institution bostonienne. Elle faisait partie de celles qu'il n'avait pas eu le temps d'explorer au cours des dernières années. Mais maintenant qu'il habitait très près, il trouverait bien l'occasion d'y aller et de déambuler entre les rayons de livres.

Brightstone's, le temple de la lecture à Boston.

Il était souvent venu avec sa mère quand il était petit. Il adorait fureter dans les rayons pour la jeunesse et regarder des livres d'images. Il avait passé des heures inoubliables entre ces murs.

Brusquement, il eut une idée. Pourquoi ne transformerait-il pas en bibliothèque une des nombreuses chambres d'amis de sa maison ?

Il entra, heureux de revoir les hauts plafonds à la française, le beau bois poli du plancher en châtaignier, les immenses étagères chargées de livres.

Il se dirigea vers l'escalier. S'il avait bonne mémoire, les romans, biographies, histoires locales se trouvaient au deuxième étage. Et au troisième, il y avait des trésors de livres rares.

Il parcourut la salle du regard. Apparemment, les affaires avaient repris. A en croire certaines rumeurs, cette librairie avait rencontré des difficultés, à cause de l'âpre concurrence des grandes surfaces. Mais il y avait de nombreux clients. Quelques-uns étaient installés dans le coin salon et feuilletaient des livres.

C'était nouveau. Il n'avait jamais vu ces chaises confortables et ces tables basses. Un café avait aussi été créé à l'arrière, en haut d'une petite volée de marches où se trouvaient, avant, de gigantesques étagères.

Un duo de harpe et de flûte était doucement diffusé dans la salle, créant une atmosphère particulièrement détendue.

Il flâna dans le magasin. Le coin des enfants était resté le même, mais la nouveauté consistait en un panier plein de jouets en plastique et d'affiches représentant des scènes de contes de fées.

Un rayon attira particulièrement son attention. Il présentait des lampes et des marqueurs de livres, des presse-papiers, et une variété de petits cadeaux s'adressant aux amoureux du livre. Tandis qu'il s'en approchait, une alléchante odeur de café lui chatouilla les narines.

Amusé, il hocha la tête. Cet agencement était très malin. Il fallait une volonté de fer pour sortir de ce lieu sans avoir rien acheté dans ce nouveau rayon et sans aller goûter ce café qui paraissait délicieux. Malheureusement, il n'avait le temps ni pour l'un ni pour l'autre. Il s'adressa à un employé.

— S'il vous plaît, j'ai rendez-vous avec Naomi Brightstone. Je suis Ian MacGregor.

— Elle est dans son bureau, au deuxième étage. Je vais la prévenir, elle descendra dans une minute.

— Qu'elle ne se dérange pas. Je vais y aller, dit Ian en souriant.

— Je la préviens, monsieur MacGregor.

— Merci.

Montant l'escalier raide qui grimpait à l'étage, il eut soudain une image de sa mère lui promettant une crème glacée s'il l'attendait sagement pendant qu'elle finissait ses achats.

Le deuxième étage lui parut beaucoup moins impressionnant qu'autrefois. Et ce n'était certainement pas parce qu'il avait grandi. Des lumières avaient été ajoutées, et les étagères jadis de bois foncé étaient en pin clair. Deux grandes tables et des chaises prévues pour former un coin lecture accueillaient pour l'instant un couple de jeunes amoureux.

Ian sourit. Des rendez-vous, il en avait eu dans la bibliothèque du lycée. C'était quelque chose qui lui manquait terriblement. D'une manière générale, le genre féminin lui manquait terriblement.

— Monsieur MacGregor ?

Il se retourna. Une jeune femme s'approcha de lui. Elle avait de magnifiques cheveux noirs encadrant un visage de madone. Ses lèvres pleines étaient peintes en rouge, s'harmonisant avec son tailleur, de coupe classique. De simples anneaux dorés ornaient ses oreilles. Elle lui tendit une main fine et sans bague.

— Naomi Brightstone ?

— Elle-même.

Elle sourit.

— Je suis désolée de ne pas avoir été en bas quand vous êtes arrivé.

— Je n'étais pas à l'heure. Embouteillages…

— Allons dans mon bureau. Puis-je vous offrir quelque chose ? Un café ? Un cappuccino ?

— Le cappuccino est-il aussi bon que son odeur le laisse croire ?

Cette fois, le sourire de Naomi brilla aussi dans ses yeux.

— Il est encore meilleur. Surtout si vous l'accompagnez d'un petit biscuit à la noisette.

— Alors, je ne résiste pas.

— Vous ne serez pas déçu.

Elle l'entraîna vers une porte, près du café.

— Je vais en commander deux. Ne faites pas attention au désordre.

Elle contourna un escabeau et des seaux de peinture.

— Nous n'avons pas encore fini nos petits travaux de rafraîchissement.

— J'ai vu qu'il y avait beaucoup de changements ici. C'est très réussi.

— Merci.

Jetant un coup d'œil derrière elle, elle ouvrit une autre porte.

Elle le fit entrer dans son bureau flambant neuf et lui indiqua une chaise aux coussins rayés de couleurs vives.

— Asseyez-vous, je vous prie. Je suis à vous dans une minute. Je commande les cafés.

Il s'assit et prit le temps de l'observer. Naomi était la fille des propriétaires de la librairie, et l'arrière-petite-fille de ses créateurs, toutes choses qu'il savait.

Mais il s'était attendu à la voir plus âgée, avec une apparence plus sèche. En réalité, elle devait avoir à peine plus de vingt ans. Elle était efficace et stylée, et fort jolie. Il ne put s'empêcher d'admirer les courbes que le tailleur un peu strict n'arrivait pas à dissimuler.

Raccrochant le téléphone, elle s'assit en face de lui et croisa les mains sur ses genoux.

— Le café arrive dans deux minutes. Je veux tout d'abord vous remercier d'avoir accepté ce rendez-vous ici. Depuis quelques jours, le magasin ne me laisse pas beaucoup de temps pour me déplacer.

Elle avait une voix aussi claire et calme que ses yeux.

— Je comprends, et ce n'est pas du tout un problème pour moi. Je n'habite pas très loin.

— C'est très pratique. Votre secrétaire m'a dit que vous aviez le contrat d'associés que je dois signer.

Ouvrant son attaché-case, il chercha le dossier et demanda sans cacher sa curiosité :

— Dois-je en déduire que votre père se retire des affaires ?

— Plus ou moins. Mes parents souhaitent passer une bonne partie de l'hiver dans leur maison de l'Arizona, et peut-être s'y installer définitivement. Mon frère et sa famille y vivent déjà.

— Et vous, vous n'avez pas envie de les rejoindre ?

— Non, ma vie est à Boston.

Elle sentit son cœur palpiter de joie. Sa vie était à Boston, et elle allait bientôt diriger la librairie Brightstone, la plus importante de la ville.

— Depuis dix-huit mois, j'assume de plus en plus de responsabilités pour la librairie, expliqua-t-elle en souriant.

— C'est vous qui avez apporté tous ces changements ?

— Oui.

Elle hocha la tête. Elle s'était battue bec et ongles pour transformer le magasin.

— Le marché évolue, les clients sont plus exigeants, et ils attendent autre chose. Il était temps de se mettre au goût du jour.

Quelqu'un frappa discrètement à la porte. Elle se leva et prit le plateau que le garçon lui tendait.

— Merci.

Elle se tourna vers Ian.

— Voici exactement le genre de service que les gens espèrent trouver aujourd'hui dans les librairies. Ils ne viennent plus seulement acheter des livres, ils cherchent une atmosphère, un lieu de rencontre.

En souriant, elle se rassit, et lui tendit une tasse.

— Ils veulent pouvoir s'offrir un bon café entre deux choix de livres.

Ian se mit à savourer la boisson brûlante.

— Ma foi, j'adhère à cent pour cent à cette idée. Ce café a du caractère. D'après ce que j'ai pu voir de votre comptabilité, les transformations que vous avez apportées sont gratifiantes.

Elle hocha la tête.

— Les ventes ont augmenté de quinze pour cent pendant les neuf derniers mois.

Elle fit une pause. Elle ne voulait pas penser pour l'instant à ce que lui coûtaient ces innovations qui avaient permis d'augmenter le chiffre d'affaires.

— Et j'estime qu'elles vont encore augmenter de quinze pour cent au cours des six prochains mois.

Ian posa sa tasse.

— J'adorais venir ici quand j'étais gamin.

— Etes-vous resté un client de Brightstone ?

Il secoua la tête.

— Non, je suis désolé. Mais je vais le redevenir.

Il lui passa les documents.

— Prenez le temps de les lire, et n'hésitez pas à me poser toutes les questions que vous voudrez.

— Merci.

Ouvrant un tiroir de son bureau, Naomi en retira une paire de lunettes cerclées qu'elle fit glisser d'un geste précis sur son nez, tandis que Ian la dévorait des yeux. Elle était encore plus adorable avec ses lunettes. Il se sentit fondre.

Reprenant sa tasse de café, il se ressaisit. Il ne devait pas oublier que Naomi était une cliente du cabinet MacGregor.

Mais ses yeux gris-vert avaient un tel éclat. Sans parler du rouge à lèvres ardent qu'elle arborait sur une bouche charnelle, incroyablement sexy. Et il avait eu le temps d'apprécier le galbe et la finesse de ses jambes.

Tout cela réuni en une seule femme pouvait faire damner un saint. Et les MacGregor n'avaient jamais eu la réputation d'être des saints.

Ian soupira silencieusement. Il devait garder la tête froide. Baissant le regard sur sa tasse de café, il fit un effort pour oublier les qualités physiques de Naomi, et son parfum si féminin, qui ajoutait à l'ensemble une note subtile, irrésistible.

Cependant, la tasse de café devint vite floue sous ses yeux. Il était incapable de détourner le cours de ses pensées. Au fond, quel mal y aurait-il à inviter Naomi à dîner ? Ou plutôt, à déjeuner, c'était mille fois mieux. Un déjeuner d'affaires, en somme, au cours duquel il ferait l'impossible pour ne pas rêver de lui mordiller le cou afin de connaître la saveur de sa peau.

Il l'observa de nouveau pendant qu'elle lisait consciencieusement le contrat. Elle avait les ongles courts, taillés en arrondi et dépourvus de vernis. Elle ne portait pas de bague. Ce qui signifiait sans doute qu'elle était libre.

Il hocha imperceptiblement la tête. Oui, il allait trouver une formule agréable pour l'inviter à déjeuner dans la semaine.

Naomi lut jusqu'à la dernière ligne, puis elle poussa un petit soupir. Ces documents symbolisaient quelque chose de prépondérant pour elle. C'était un grand jour. Dommage qu'elle ne soit pas seule. Elle avait envie de pleurer de joie en les serrant contre son cœur. Ou de crier de joie. Cependant, elle s'exhorta au calme. Elle posa le contrat sur son bureau et retira ses lunettes.

— Tout me paraît en ordre.

— Vous avez des questions ?

— Non, je pense avoir tout compris. J'ai une licence de droit.

— Parfait. Vous pouvez les signer devant témoin. Puis je les enverrai à vos parents à Scottsdale. Quand ils les auront contresignés, le marché sera conclu.

Naomi se leva.

— Je vais chercher mon assistante.

Cinq minutes plus tard, elle lui tendit une main ferme.

— Merci beaucoup de vous être occupé de cela pour nous.

— Je suis heureux d'avoir été utile. J'ai une liste de livres sur moi, pour mon grand-père… Je crois que vous l'avez rencontré.

— Oui, plusieurs fois.

Son regard se réchauffa et ses lèvres se retroussèrent légèrement.

— Votre grand-mère et lui viennent à la librairie souvent quand ils sont à Boston.

— Il cherche quelques livres rares. Il m'a demandé si vous pouviez faire quelque chose pour lui.

— J'en serais ravie. Nous allons monter au troisième étage. Et si je n'ai pas ce qu'il veut, je ferai une recherche.

— Formidable.

Elle fit quelques pas. Ian resta sans bouger. Quand elle leva les yeux sur lui, il lui adressa un lent sourire.

— Vous avez un parfum fabuleux.

— Oh !

Elle baissa les yeux tandis que ses joues rosissaient. Elle agita les mains, puis elle les serra l'une contre l'autre.

— Merci… C'est un… nouveau parfum.

Elle releva la tête. Une expression paniquée traversa brièvement son regard.

— Nous devrions y aller, dit-elle d'une voix crispée.

Ian la suivit sur le palier et grimpa silencieusement l'escalier derrière elle. Cette montée avait un petit goût de paradis.

2.

Naomi avait toujours pensé que le Grand Canyon n'était pas assez profond pour la cacher. Seul le fait qu'elle soit entourée de livres, ce qui la rassurait toujours, et qu'elle ait un travail urgent à accomplir l'avait empêchée de perdre de vue cette image avant que Ian soit parti. Après avoir trouvé deux des livres qu'il voulait et commencé une recherche pour le troisième, elle lui avait formellement serré la main, l'avait encore remercié et l'avait poliment raccompagné au rez-de-chaussée.

Puis elle était retournée directement dans son bureau, dont elle avait silencieusement refermé la porte. Et elle avait enfoui sa tête dans ses mains.

Quelle imbécile ! Quelle idiote !

Allait-elle toujours se transformer en pie jacasse dès qu'elle avait affaire à un homme attirant, qui ne lui avait même pas montré l'ombre d'un intérêt personnel ? N'avait-elle pas prévu que ce serait un des bénéfices des changements qu'elle avait opérés en elle-même ? La transformation d'une jeune fille trop ronde, malhabile et fade en une jeune femme mince, sûre d'elle et stylée ?

Mais elle s'était ridiculisée parce que Ian MacGregor l'avait complimentée sur le choix de son parfum.

Une semaine plus tard, elle ne s'en était toujours pas remise.

Elle avait trouvé le livre qu'il lui avait commandé. Il était maintenant posé sur son bureau, enveloppé, prêt à être emporté.

Il fallait encore qu'elle trouve le courage de téléphoner à Ian pour lui dire qu'il pouvait passer le prendre.

Désespérée, elle secoua la tête. Une parfaite idiote, voilà ce qu'elle était.

Après tous les efforts qu'elle avait fournis ! Brightstone n'était pas le seul projet qu'elle avait entrepris avec une volonté de revanche. Depuis un an, elle s'était donné un mal fou pour se métamorphoser.

Et ce n'était pas qu'une question de poids. Elle avait commencé à en perdre quand elle s'était convaincue qu'elle devait cesser de noyer sa timidité et sa maladresse en société en mangeant comme quatre. Et elle avait commencé à faire une introspection.

Elle avait trouvé en elle une femme digne de respect.

Elle avait pris l'habitude de suivre un régime raisonnable et de pratiquer des exercices physiques. Elle ne voulait plus se cacher, comme elle l'avait fait pendant toute son adolescence.

Elle se passa les mains sur le visage. Il n'y avait pas que sa garde-robe, bien qu'il lui ait fallu des mois pour se décider à la remplacer par des vêtements flatteurs et attrayants. Et pour ajouter des couleurs. Finis le bleu marine, le marron et le gris qui passaient inaperçus. Finis les vêtements larges dans lesquels ses formes se perdaient.

Elle soupira. Oui, mais cela n'était que l'apparence. Exactement comme les produits de beauté qu'elle avait appris à choisir et à appliquer sur sa peau. Elle ne se fondait plus dans la foule. Elle avait compris ce qu'il fallait faire pour présenter une apparence raisonnablement attirante, compétente et professionnelle.

Intérieurement, elle était arrivée aussi à se métamorphoser. Elle ne s'autorisait plus à être timide, à se cacher, à éviter les gens, comme elle l'avait fait la plus grande partie de sa vie parce qu'elle ne se trouvait pas aussi belle que sa mère, ni aussi épanouie et sûre d'elle que son frère.

240

La librairie Brightstone avait besoin d'une directrice pleine d'assurance, ce qu'elle était devenue.

Elle secoua la tête. Elle avait si bien réussi, et cela l'avait rendue si fière ! Ce rendez-vous avec Ian MacGregor, elle l'avait parfaitement assumé. C'était pourtant le genre d'homme qui, avant, l'aurait rendue muette comme une carpe.

« Le don Juan de Harvard ». Oui, il méritait définitivement ce titre. Il avait une telle allure, et quand il souriait… elle ne devait pas être la seule à sentir son cœur s'affoler.

Cependant, elle avait tenu son rôle. Ils avaient pris le café, discuté, parlé affaires.

Puis il lui avait fait une brève remarque personnelle, un compliment, et elle s'était mise à parler à tort et à travers, et à bégayer. Et, que Dieu lui vienne en aide, elle avait même rougi ! Tout cela parce qu'il lui avait parlé de son parfum.

Elle redressa la tête. Et d'abord, pourquoi s'était-elle parfumée ? Pour que les gens la remarquent, pour se sentir à la fois féminine et sûre d'elle.

Un homme comme lui, avec ses livres, son milieu, son charme, devait avoir le don de flatter les femmes, avec son petit air nonchalant. Et il devait s'attendre à ce qu'elles lui répondent avec naturel, et peut-être en flirtant un peu.

Mais elle, elle avait rougi et bégayé. C'était tout ce qu'elle avait trouvé à faire.

Elle avait réagi comme une adolescente. Ian avait dû bien rire en rentrant chez lui. Ou pire encore, il l'avait peut-être prise en pitié.

Elle fit une petite grimace. Cette idée lui était insupportable. Elle avait passé trop d'années à se ridiculiser ou à se faire prendre en pitié.

Même avec sa famille, qui l'avait pourtant toujours aimée. Mais quand vous étiez le seul petit canard dans une famille de cygnes, c'était difficile de faire comme si tout était normal.

Elle soupira. Ses parents avaient été ravis de voir qu'elle avait fait l'effort de présenter une apparence plus sociable. Sa mère en avait presque eu le vertige quand elle lui avait demandé conseil pour la couleur et la coupe de ses vêtements. Juste avant qu'ils partent pour l'Arizona, son père l'avait prise dans ses bras comme il l'avait toujours fait, à la manière d'un ours. Mais cette fois, au lieu de l'appeler « ma petite fille chérie », comme d'habitude, il avait dit « ma princesse ».

Ses parents lui avaient fait confiance pour Brightstone. Ils savaient qu'elle avait la capacité de diriger la librairie, et qu'elle ne reculerait pas devant la tâche. Elle avait aussi gagné une longue bataille en les convainquant d'apporter des modifications au concept. Son père n'était pas d'accord, au départ. Il ne voulait pas engager de telles dépenses, ni prendre de risques financiers. Il aurait préféré prendre sa retraite et vendre le magasin.

Mais elle l'aimait trop. Et elle en avait besoin. Cette librairie avait été son refuge, sa joie de vivre, aussi loin qu'elle s'en souvienne. Finalement, sa famille avait compris sa démarche et lui avait fait confiance.

Elle releva résolument la tête. Elle n'allait pas les décevoir maintenant. Ni se décevoir elle-même.

Et cela ne servait à rien de ruminer éternellement sa petite maladresse avec Ian. Il devait avoir déjà tout oublié, comme il l'avait sans doute oubliée elle-même. Et pour que ce petit incident ne lui trotte pas trop longtemps dans la tête, et ne l'empêche pas d'atteindre ses objectifs, elle devait l'affronter. Et affronter Ian.

Prenant une longue inspiration, elle saisit le livre et se leva. Elle ne téléphonerait pas à Ian. Elle lui porterait elle-même son livre.

Entrant d'un pas ferme dans le joli bâtiment de deux étages qui abritait les bureaux MacGregor & MacGregor, elle releva la tête et esquissa un sourire. Tout allait bien, elle maîtrisait parfaitement la situation. Elle avait pris le temps de se passer du rouge à lèvres, après l'avoir complètement effacé en se mordillant par nervosité. Et elle avait respiré profondément une dizaine de fois. Un moyen idéal, longtemps éprouvé, de se calmer les nerfs.

Le vrai problème, c'était la réaction qu'elle avait eue en voyant Ian. Dès qu'elle l'avait aperçu, souriant à la jeune vendeuse au deuxième étage de Brightstone, elle avait eu l'impression qu'un ouragan lui coupait le souffle.

Cela lui était déjà arrivé maintes fois, quand elle voyait quelque chose de particulièrement beau et hors de sa portée. Elle éprouvait alors une espèce de nostalgie de ce qu'elle ne pourrait jamais avoir à elle.

Dieu merci, elle s'était ressaisie. Il lui avait suffi de se souvenir que Ian MacGregor n'était pas venu pour la voir elle, mais pour l'affaire qui les intéressait.

Traversant le grand hall d'accueil, elle s'accrocha fermement à cette idée et jeta un coup d'œil circulaire. Les couleurs raffinées — vert pâle et beige rosé — étaient mises en valeur par le marbre veiné de violet de la cheminée, dans laquelle crépitait un feu de bois.

Elle eut un sourire admiratif. Cet endroit était décoré avec beaucoup de goût. Et respirait la tradition. Des qualités, dans le travail aussi bien que dans la famille, qu'elle appréciait à leur juste valeur.

Derrière un grand bureau de bois de citronnier, une hôtesse lui adressa un sourire de bienvenue.

— Bonjour. Puis-je vous aider ?

— Je suis Naomi Brightstone. J'ai…

Elle fit une pause tandis que la porte s'ouvrait et se refermait sur une superbe femme brune, qui entra comme un ouragan.

— J'ai gagné ! La justice a triomphé une fois de plus, et nos enfants seront en sécurité.

Puis, voyant Naomi, elle lui adressa un sourire triomphant.

— Excusez-moi. Nous n'avons pas toujours un comportement aussi peu digne, dit-elle. Je suis Laura Cameron.

— Naomi Brightstone. Félicitations.

— Merci… Brightstone, comme la librairie ?

— Elle-même.

— Oh, j'ai toujours adoré cet endroit.

Chassant une mèche de cheveux qui lui retombait sur les yeux, Laura ajouta avec un air gourmand :

— Et le café est délicieux !

— Merci, nous en sommes très fiers.

— Nous avons quelque chose pour vous, je crois. Ou plutôt, c'est Ian qui…

— Oui, je suis juste passée pour…

— Je suis sa sœur.

— Oui, je sais. Votre grand-père voulait un livre.

Elle brandit son sac à main.

— J'avais quelques courses à faire dans ce quartier, j'ai pensé que je pouvais le déposer.

— Voulez-vous me le laisser, ou préférez-vous voir Ian ?

— Eh bien, je…

Elle se mit à fouiller dans son sac. La sonnerie de son téléphone portable fut un soulagement.

— Quelle invention stupide ! dit-elle avec un petit rire nerveux. Cela me fait toujours sursauter. Excusez-moi un instant.

Elle trouva enfin l'appareil.

— Allô !

— Naomi ? Ian MacGregor à l'appareil.

— Oh !

Le sang envahit ses joues.

— Comme c'est bizarre !

— Quoi donc ?

— Je veux dire… Je suis justement… J'ai le livre que vous cherchiez. J'allais juste…

244

— Parfait. Nous allons faire d'une pierre deux coups. Vos documents sont prêts. Je peux les déposer chez vous et prendre le livre dès que je sortirai du tribunal.

— A vrai dire, ce n'est pas nécessaire…

— Cela ne me pose aucun problème. Vous êtes sur mon chemin, souvenez-vous !

— Oui, je me souviens. Mais je suis juste en bas de votre escalier.

— Où ? Ici ?

Il émit un petit rire enchanté.

— Attendez-moi, dit-il avant de raccrocher.

Naomi regarda son téléphone d'un air stupéfait.

— C'était votre frère.

Laura sourit.

— Je m'en doutais.

Détournant la tête, elle murmura :

— Les miracles de la technologie !

Elle jeta un coup d'œil espiègle à Naomi. Pourquoi cette rougeur subite sur les joues de la jeune femme ? Elle n'aurait pas été surprise d'apprendre que Ian y était pour quelque chose.

Arrivant en courant au bas de l'escalier, Ian ne vit qu'elle. Elle tenait encore son téléphone à la main. Et elle était aussi belle que dans son souvenir. Il lui tendit la main en lui adressant un sourire étincelant.

— Vous pouvez raccrocher, dit-il avec un regard amusé.

Elle retint son souffle.

— Oh… oui, bien sûr !

Et elle se détesta aussitôt. Bravo, Naomi, c'était brillant ! Au point où elle en était, elle pourrait aussi bien lui lécher les pieds.

— Je faisais quelques courses, et j'ai eu l'idée d'apporter le livre de M. MacGregor.

— Excellente idée. Suivez-moi, je vous prie.

— Je ne veux pas vous déranger.

— Vous ne me dérangez pas du tout.

La prenant par le bras, il l'entraîna vers l'escalier.

— Vous devez avoir beaucoup de travail, dit-elle d'une voix qu'elle espérait claire et posée.

Le scénario qu'elle avait mis au point dans sa tête n'incluait pas un détour par le bureau de Ian.

— J'ai quelques minutes. Vous n'avez pas mis longtemps pour trouver ce livre.

— Nous avons plusieurs sources excellentes. Le prix se situe dans la fourchette que je vous ai indiquée. La fourchette supérieure, je le crains.

Ian la guida le long du couloir aux murs tendus de panneaux d'acajou.

— Mon grand-père voulait ce livre à tout prix.

Il lui pressa légèrement le bras. Elle avait encore cette merveilleuse odeur, mais il préféra éviter de le lui faire remarquer. Il n'était pas question de la déstabiliser de nouveau.

— Asseyez-vous.

Ne voyant aucune possibilité de s'éclipser sans paraître grossière, elle prit la chaise qu'il lui indiquait et jeta un regard discret autour d'elle. Cette pièce était en parfaite harmonie avec le reste de la vieille demeure. Le bureau à moitié dissimulé sous l'ordinateur de bois massif supportait des piles de dossiers, et le tapis qui recouvrait une partie du magnifique plancher était un Bristol.

Des placards en chêne étaient alignés contre un mur, des étagères croulant sous les livres en cachaient un autre. La fenêtre au rebord sculpté donnait sur la rue, où le feuillage des arbres commençait à se teinter des couleurs de l'automne.

— Cet immeuble est magnifique.

— Mon père l'a acheté avant d'épouser ma mère. Il n'avait pas encore fini de le réhabiliter quand ma mère a pris un bureau ici. Ils voulaient que la loi soit hébergée dans un lieu plein de caractère et de chaleur.

— Ils ont parfaitement réussi.

— Je vous remercie. Puis-je vous offrir un café ? C'est à peine si j'ose vous le proposer, après avoir goûté le vôtre.

— Je suis sûre qu'il est très bon, mais je vous remercie. Je dois…

— Je vais vous donner les papiers, coupa-t-il.

Il n'allait pas la laisser partir avant d'avoir trouvé le moyen de lancer son invitation.

Il s'assit sur la chaise à côté d'elle.

— J'ai des photocopies pour vous, continua-t-il, mais les originaux seront au palais de justice. Vous êtes maintenant associée et vice-présidente de la librairie Brightstone. Vous avez toute autorité, ainsi que les pouvoirs exécutifs. Félicitations.

Elle ouvrit la bouche pour le remercier, mais aucun son n'en sortit. L'émotion lui coupait la respiration. Elle ne put faire qu'une chose : fermer les yeux.

— Vous allez bien ? lui demanda-t-il doucement.

Elle hocha la tête et porta une main à ses lèvres pour chasser les accès de joie et de peur qui la submergeaient.

— Oui, excusez-moi.

— Je vous en prie.

Sans réfléchir, il lui prit la main. Naomi paraissait à la fois heureuse et terrifiée.

— C'est un grand moment pour vous.

— Le plus grand de toute ma vie. Je croyais y être préparée… Je suis prête, corrigea-t-elle, pour ce travail. Mais le fait de l'entendre, de savoir que c'est la réalité… Je me sens un peu déconcertée. Merci beaucoup.

Elle eut un rire bref.

— Heureusement que j'étais assise.

— Je sais ce que l'on ressent. J'ai éprouvé la même chose le jour où je me suis installé dans ce fauteuil. Je faisais partie d'une œuvre primordiale pour moi. Je suis resté assis pendant au moins une heure en souriant comme un idiot. Euphorie et terreur. C'est bien cela ?

— Exactement.

Sa main se détendit dans la paume douce et chaude de Ian.

— C'est impressionnant d'être le maillon suivant d'une longue chaîne de tradition familiale, ne trouvez-vous pas ? dit-elle d'une petite voix.

— Sans aucun doute. Comment allez-vous fêter cela ?

— Fêter ?

Elle hésita.

— Je crois que je vais retourner travailler.

— Hmm. Que diriez-vous d'un dîner ?

— Un dîner ? Oui, je le préparerai à la maison.

Il l'observa un instant, puis il secoua la tête. Inutile d'user de subtilités.

— Naomi, j'aimerais vous inviter à dîner ce soir, si vous n'avez rien d'autre à faire.

— Oh, eh bien… Non, pas vraiment. Je…

Elle se raidit. Seigneur, elle n'allait pas se mettre encore à jacasser en bégayant !

— Ne vous croyez pas obligé de…

— Très bien. Je vais vous présenter cela d'une autre façon.

Il ne la quittait pas des yeux. C'était fascinant de voir la façon dont le rose lui montait aux joues d'une seconde à l'autre.

— Accepteriez-vous de dîner avec moi ce soir ?

— Oh, oui, merci. Avec plaisir.

— Parfait. A 19 heures ?

— 19 heures, c'est très bien.

— Dois-je vous prendre au magasin, ou à votre appartement ?

— Mon… appartement. Je vais vous donner l'adresse.

— Je l'ai déjà… dans votre dossier.

— Oui, bien sûr.

248

Elle prit une profonde inspiration. Quand allait-elle cesser de se comporter comme une idiote ?

— Il n'est pas loin de la librairie. Je peux aller travailler à pied tous les jours. J'aime beaucoup le quartier, ajouta-t-elle.

Elle se mordit l'intérieur de la joue. « Tais-toi, mais tais-toi donc ! » pensa-t-elle désespérément. « Et sors de là avant de t'être complètement ridiculisée. »

— Je dois partir, dit-elle en se levant précipitamment.

Sa main était toujours prisonnière de celle de Ian.

— Je dois aller travailler… à la librairie.

Ian hocha légèrement la tête. Il la dévorait du regard. Naomi avait des yeux immenses, magnifiques et, pour une raison qu'il ignorait, emplis de peur…

— Vous êtes sûre que tout va bien ? s'enquit-il encore.

— Oui, tout va bien. Merci.

— Je vais vous raccompagner à la sortie.

— Non, surtout, ne vous dérangez pas.

Désespérée, elle libéra sa main.

— Je connais le chemin.

— Naomi…

— Hmm ?

— Le livre ?

— Le livre ? Oh !

Se maudissant, elle se retourna et lui tendit le sac qu'elle avait gardé à la main.

— Désolée, j'avais complètement oublié. Au revoir.

— Merci. A ce soir.

— Oui, à ce soir.

Elle s'éclipsa.

Ian posa le livre sur son bureau d'un air pensif. C'était curieux. Naomi ne lui avait pas paru écervelée. Ce devait être la signature du contrat qui lui avait un peu tourné la tête.

A moins… que ce soit lui qui la rende nerveuse. Est-ce que ce ne serait pas un gentil petit bénéfice supplémentaire ? Après tout, cela ne le dérangerait pas le moins du monde de faire perdre un peu la tête à la jolie et efficace Naomi Brightstone.

Se rapprochant du bureau, il appela sa secrétaire et lui demanda de réserver une table pour deux chez Rinaldo, pour 19 h 30. Puis, fourrant les papiers dans son attaché-case, il partit pour le palais de justice en sifflotant.

Il ne se rappelait pas avoir attendu une soirée avec une telle impatience.

3.

Ian nouait sa cravate quand le téléphone sonna. Il l'ignora. Il n'avait pas de temps à perdre. Il devait encore passer chez le fleuriste avant d'aller chez Naomi.

Une voix tonitruante à l'accent écossais retentit dans le répondeur. En soupirant, il saisit le récepteur.

— Je suis chez moi, mais pas pour longtemps, annonça-t-il.

— Pourquoi aucun de mes petits-enfants ne peut-il rester tranquille ? se lamenta Daniel. Toujours à courir le guilledou ! Votre grand-mère n'a pas une minute de repos. Elle se fait un sang d'encre pour vous tous.

— Ah oui ?

Ian se mordilla la lèvre.

— Je croyais qu'elle s'inquiétait parce que je ne sortais pas assez et que j'étais toujours plongé dans mes livres.

— L'un n'empêche pas l'autre, répliqua Daniel sans se démonter. Quand vas-tu te décider à venir nous voir ?

— Grand-père, je suis venu le mois dernier pour le mariage de Duncan, tu te souviens ?

— Et alors ? C'était le mois dernier ! Qu'y a-t-il, ce mois-ci, qui t'empêche de penser à tes pauvres grands-parents ?

— Rien. Vous allez bientôt me voir venir.

251

— Tu as intérêt à tenir parole, mon garçon. Je ne veux pas que ta grand-mère me harcèle nuit et jour pour que je te téléphone. Bien, en attendant, que fais-tu de beau ?

— Je me prépare pour aller dîner avec une jolie femme, grâce à toi.

— A moi ? Comment cela ? Je n'y suis strictement pour rien. Et ne t'avise pas de raconter à ta grand-mère que j'y suis pour quelque chose. Tout ce que j'ai fait…

Ian éclata de rire.

— Détends-toi. Je ne t'accusais pas de te mêler de ce qui ne te regarde pas. Disons que c'est une heureuse coïncidence. Tu m'as demandé d'aller chez Brightstone pour chercher ton livre, tu te souviens ?

— Et alors ? N'importe qui a le droit de chercher un livre rare, non ?

Ian leva les yeux au ciel.

— Oui, grand-père. Naomi m'a apporté ton Walter Scott au bureau, aujourd'hui, ce qui m'a permis de la revoir. Et je l'ai invitée à sortir avec moi. Alors, je te remercie.

— Très bien, très bien.

Dans son bureau de Hyannis Port, Daniel était aux anges. Son petit-fils était futé, mais pas autant que lui. Ha !

— C'est très bien, répéta-t-il. C'est une adorable jeune femme, cette Naomi. Elle a de bonnes manières, et de la matière grise.

— Ne t'emballe pas, grand-père. Je l'ai simplement invitée à dîner.

— Pourquoi veux-tu que je m'emballe ? Je disais seulement que c'est très bien de dîner avec une belle jeune femme. Qu'y a-t-il de répréhensible, j'aimerais le savoir ?

— Rien, rien du tout.

Ian consulta sa montre.

— Je dois partir si je ne veux pas être en retard à mon rendez-vous.

— Eh bien qu'attends-tu ? Vas-y, mon garçon, et n'oublie pas de rendre visite à ta grand-mère.

Daniel raccrocha et se frotta les mains. Tout allait comme sur des roulettes.

Affolée, Naomi faisait défiler les cintres de sa garde-robe. Qu'allait-elle porter ce soir ? Et quand elle aurait trouvé la robe adéquate, il resterait un problème à résoudre : ses cheveux. Qu'allait-elle en faire ?

L'heure avançait, et elle était incapable de se décider. C'était horrible. En désespoir de cause, elle finit par se décider pour une robe noire toute simple à encolure montante et manches courtes. Quant à ses cheveux, elle allait les laisser libres.

Elle soupira. Pourvu que sa tenue soit suffisamment recherchée tout en restant assez décontractée pour ne pas trahir son désarroi ! Elle passa autour de son cou la triple rangée de perles que sa grand-mère lui avait donnée, et se glissa dans de fines chaussures noires à hauts talons. Elle aurait mal aux pieds avant la fin de la soirée, mais elle se sentait plus sûre d'elle. Elle s'aspergea de parfum, celui que Ian avait remarqué.

S'observant dans le miroir, elle murmura :

— Tu n'es pas si mal. Tu es prête, et tu ne vas pas te comporter stupidement. Un homme charmant a eu l'idée généreuse de t'inviter à dîner pour fêter un événement important de ta vie. C'est tout.

Elle sursauta quand on frappa à la porte.

— Oh, Seigneur !

Fermant les yeux, elle prit les dix profondes inspirations qui lui sauvaient la mise chaque fois.

Elle était sûre d'elle et souriante en ouvrant la porte. Son cœur fit un bond dans sa poitrine quand elle le vit sur le seuil — aussi beau qu'un prince de conte de fées — mais elle n'en laissa rien paraître.

— Vous êtes ravissante.

— Merci. Vous aussi.

Elle se mit à rire. Elle ne se sentait pas trop ridicule.

— Je parlais des fleurs, ajouta-t-elle.

Il baissa les yeux sur le bouquet de roses.

— Elles vous plaisent ?

— Beaucoup.

Elle lui prit le bouquet en rougissant.

— Entrez. Mettez-vous à l'aise pendant que je les mets dans un vase.

Il hocha la tête. Ce ne serait pas difficile. Le salon était confortable, agréable et simple. Comme le bureau de Naomi. Comme elle. Les couleurs chatoyantes, verts profonds et mauves, les lignes traditionnelles des meubles Queen Anne, le raffinement des objets et des œuvres d'art, tout était à son image.

Au bout de quelques minutes, Naomi revint avec le bouquet de roses, qu'elle avait joliment disposé dans un vase. Elle le contempla d'un air satisfait. Dieu merci, elle n'avait pas perdu son aplomb devant ces fleurs, bien que ce soit la première fois qu'elle en reçoive d'un homme qui ne soit pas de la famille. Plus tard, elle pourrait passer tout le temps qu'elle voudrait à rêvasser en les admirant.

— Elles sont vraiment très belles. Merci encore.

— Vous êtes très belle vous aussi. J'aime beaucoup votre salon.

— Vraiment ?

Posant le vase sur la petite table basse, elle se félicita intérieurement. Elle n'avait pas tremblé, ni fait tomber une goutte d'eau. Elle pouvait être fière d'elle.

— Je voulais un appartement proche de mon travail, et je n'ai pas besoin de beaucoup d'espace. Il y avait des appartements neufs qui auraient peut-être été plus fonctionnels, mais j'aime les immeubles anciens. Et leur fantaisie.

— Moi aussi. J'ai acheté une maison il y a quelques mois. Les planchers craquent, les canalisations gargouillent et la cave est humide comme un caveau. Une vraie maison hantée. Mais j'adore ça.

— Elle me fait penser à la maison de mon enfance. Je suis toujours prise de nostalgie quand je passe devant. Voulez-vous boire quelque chose avant que nous partions ?

— Non, merci. Je vous conseille de prendre un manteau, il commence à faire frais dehors.

Sortant dans le petit corridor, elle ouvrit un placard et poussa un soupir de soulagement. Elle était arrivée à prendre sur elle, à se conduire tout à fait normalement, et Dieu sait pourtant que cet homme l'impressionnait. En se retournant, elle se cogna contre lui, fit un bond en arrière comme si elle était montée sur ressorts, et faillit tomber dans le placard.

Il la prit par le bras pour la stabiliser, tandis qu'un sourire se dessinait lentement sur ses lèvres. Oui, il la rendait très nerveuse. Hmm, c'était délicieux.

— Désolé, mentit-il. Je ne voulais pas vous faire peur.

— Je n'avais pas vu que vous étiez derrière moi. J'étais venue… prendre mon manteau.

Elle le brandit entre eux comme un bouclier.

Il le lui prit des mains.

— Laissez-moi vous aider.

La gorge sèche, Naomi hocha légèrement la tête. Son cœur cognait à grands coups dans sa poitrine. C'était certainement à cause de cette scène ridicule. Elle se méprisait pour son incorrigible maladresse. Prenant une profonde inspiration, elle rassembla ses esprits. Après tout, il n'y avait peut-être pas de quoi désespérer. Quelques mois plus tôt, elle se serait consolée avec un grand paquet de chips.

Se forçant à rester calme, elle se retourna et enfila son manteau.

Elle s'éloigna rapidement de lui et attrapa son sac à main.

— Nous y allons ?

*
* *

Ce fut plus facile au restaurant, avec la lumière douce des bougies et la saveur veloutée du bon vin. Et c'était merveilleux de discuter avec Ian, de l'écouter. Mais surtout, elle constata avec ravissement qu'ils avaient de nombreux points communs.

— J'aime l'esprit et le charme de la musique traditionnelle, dit-elle. Je laisse toujours un fonds musical à la librairie. Je crois que si la musique n'est pas envahissante, elle est bonne pour le moral des clients.

— Etes-vous allée au festival de musique celtique, cet été ?

— J'y ai passé une journée entière.

— Moi aussi.

Il piqua des champignons au porto de sa fourchette.

— La musique était magnifique… et les danseurs stupéfiants.

— J'adore regarder les gens danser.

Faisant une pause, elle se pencha sans réfléchir par-dessus son assiette pour prendre la bouchée qu'il lui tendait. Elle mâcha lentement.

— Hmm… c'est délicieux.

— Vous en voulez encore ?

— Non, merci, je n'ai plus faim. C'était par gourmandise. J'ai un faible pour la cuisine italienne.

— Je l'aime particulièrement, moi aussi. Et je sais préparer un poulet picata.

Naomi leva un sourcil étonné.

— Vous aimez cuisiner ?

C'était difficile de l'imaginer en train de s'affairer dans une cuisine. Sans attendre sa réponse, elle continua :

— Moi aussi. Et je suis prête à mettre ma sauce clam en compétition avec votre picata, un de ces jours.

— Défi accepté. Nous organiserons une séance de cuisine.

Elle lui adressa un petit sourire.

Ian l'observa quelques instants en silence. Il ne devait pas brûler les étapes. Après tout, son grand-père n'était pas le seul MacGregor

256

qui soit capable de mettre une stratégie au point. Et lui, il en avait déjà une en tête.

— En fait, Naomi, j'ai une petite proposition de travail à vous faire.

— De travail ?

Elle lui jeta un coup d'œil surpris, tandis que le serveur enlevait les assiettes d'apéritif et déposait les entrées devant eux.

Ian hocha la tête.

— J'espère qu'elle vous plaira autant qu'à moi. Je veux transformer une chambre d'amis en bibliothèque. J'ai déjà une idée, mais j'aimerais vous la soumettre pour que vous me fassiez des suggestions. Et j'aimerais que vous me donniez des conseils pour choisir ma collection.

— Naturellement, dit Naomi, le visage impassible.

Elle ignora la déception causée par les paroles de Ian. De toute façon, c'était beaucoup mieux ainsi. Ian s'intéressait à elle sur le plan professionnel. Que pouvait-elle attendre d'autre ?

— Vous voulez investir dans des livres rares ?

— Pas forcément. Je veux une bibliothèque avec des livres variés, pas un musée. J'aimerais que ce soit une pièce confortable. Je n'ai pas envie que mes invités se sentent mal à l'aise et n'osent pas sortir un livre des rayons. J'ai déjà un certain nombre de titres, et pour le reste, je veux explorer les librairies.

— Je serai enchantée de vous aider. Si vous pouviez me donner une liste des livres que vous avez, et de ceux que vous cherchez, nous commencerons très vite.

— Formidable. Pourrez-vous vous libérer pour venir voir la pièce dans laquelle je vais l'installer ? Vous n'hésiterez pas à critiquer, s'il le faut.

— Très bien. Dites-moi à quel moment cela vous conviendrait.

— Que diriez-vous de samedi, vers 18 heures ?

Elle était trop surprise, et trop éblouie par son sourire, pour répondre par autre chose qu'un hochement de tête.

Le vent faisait ployer les arbres quand il se gara devant l'immeuble de Naomi. Le clair de lune éclairait la rue, et la musique douce qui s'échappait de l'autoradio invitait à la rêverie.

Ian sourit. C'était une soirée parfaite.

Le parfum subtil de Naomi flottait dans la voiture. Elle avait commencé à se détendre quand ils avaient repris leur discussion sur les livres. Elle s'était même particulièrement animée. Il ne pouvait que se féliciter d'avoir trouvé le bon stratagème.

Non que ce soit uniquement un stratagème. Après tout, c'était vrai, il voulait cette bibliothèque, et c'était logique qu'il aille chercher des conseils auprès de Naomi, qui était une fine connaisseuse. Et si, de plus, c'était une femme attirante qui suscitait son intérêt à un niveau plus personnel, il ne pouvait que s'en réjouir.

Et il voulait bien être damné si cet intérêt n'était pas réciproque.

Se tournant vers lui, elle rejeta en arrière sa chevelure bouclée qui tombait en cascade sur ses épaules.

— Merci de m'avoir accompagnée pour fêter cela.

— Merci à vous.

Il se glissa hors de la voiture et contourna le capot pour lui ouvrir la portière. Elle arriva à déboucler sa ceinture de sécurité sans trop de maladresse, mais avant qu'elle puisse lui dire qu'il n'avait pas besoin de la raccompagner à sa porte, il lui avait pris la main.

Elle eut un brusque accès de panique. Il ne lui avait pas pris le bras, mais la main. Ils marchaient côte à côte, main dans la main. C'était si... intime.

Etait-elle censée l'inviter chez elle ? C'était impossible, tout à fait hors de question. Elle n'avait pas du tout prévu cela pour la soirée, elle n'y était pas préparée et elle risquerait d'avoir un comportement ridicule.

— Demain sera votre première journée en tant qu'associée, dit-il tandis qu'ils entraient dans le hall de l'immeuble.

Elle poussa un imperceptible soupir de soulagement. Dieu merci, il venait de lui lancer une bouée de sauvetage.

— Tout à fait, s'empressa-t-elle de répondre. J'ai une réunion importante demain matin, où nous parlerons de la nouvelle organisation pour les signatures d'auteurs. Nous avons notre première séance de lecture pour les enfants samedi prochain.

— Vous ne vous contentez pas de vendre des livres ?

Il passa nonchalamment le pouce sur son poignet. C'était un plaisir de sentir son pouls s'emballer.

Elle prit une profonde inspiration.

— Non, répondit-elle, le souffle un peu court.

Ils étaient maintenant dans l'escalier qui conduisait chez elle.

— C'est… important pour une librairie d'offrir des activités liées au livre. Je veux, enfin… nous voulons, être capables de proposer des services et des événements qui intéressent toutes les catégories sociales et tous les âges.

Quand ils arrivèrent sur son palier, Ian lui prit l'autre main. Frémissante, elle se mit à parler à toute vitesse.

— Et nous sponsorisons trois clubs de lecture. Chaque mois, ils organisent des rencontres au… au …

De plus en plus troublée, elle fit une pause. Bon sang, quel était le nom qu'elle cherchait ?

— Au Café, finit-elle par dire d'une voix à peine audible.

Se libérant une main, elle prit son petit sac, qu'elle avait coincé sous son bras. Il fallait qu'elle trouve ses clés, vite.

— Eh bien… merci pour ce dîner charmant.

Elle laissa tomber ses clés et faillit lui cogner la tête quand ils se baissèrent pour les ramasser. Elle se redressa, raide comme un poteau téléphonique.

Hésitant un instant, Ian lui tendit les clés. Puis il prit doucement son visage entre ses mains pour l'obliger à rester en place.

— Essayons comme ceci, murmura-t-il en posant sa bouche sur la sienne.

A sa grande surprise, elle ne réagit pas. Peut-être avait-il mal compris cet enchevêtrement de signaux ? Brusquement, il sentit qu'elle entrouvrait les lèvres. Incapable de résister, il glissa ses mains dans sa chevelure soyeuse. Il émit un son rauque en l'attirant contre lui.

Naomi ferma les yeux. Pendant toute la soirée, la terre n'avait pas été très ferme sous ses pieds, mais maintenant, avec ces lèvres de feu qui lui donnaient le vertige, elle semblait vouloir littéralement céder sous elle.

Lui échappant pour la seconde fois, les clés tombèrent dans un bruit métallique tandis qu'elle s'agrippait au bras de Ian. Puis, lentement, avec la sensation d'osciller comme un roseau, elle se détendit contre lui.

Une nappe de brume semblait envelopper son esprit.

Ian desserra un peu son étreinte pour l'observer. Elle entrouvrit ses grands yeux verts, embrumés de désir. Sa bouche pulpeuse frémissait sous son souffle saccadé.

Il fit glisser ses mains sur ses épaules. Elle frissonna.

— Il faut que je recommence, chuchota-t-il.

Elle posa sur lui un regard si vacillant qu'il ne put s'empêcher de sourire.

Avec fougue, il prit de nouveau sa bouche, l'embrassa plus profondément. Et il éprouva le même accès de désir qu'il avait expérimenté avec le premier baiser. Naomi poussa un petit soupir qui embrasa ses sens.

Il se noyait dans son odeur, dans ce parfum singulier qui avait titillé ses sens depuis le moment où il l'avait rencontrée. Naomi Brightstone lui faisait littéralement perdre la tête.

Elle lui effleura la nuque d'une main hésitante, tandis que ses lèvres capitulaient lentement sous la pression impérieuse de sa bouche. Conscient qu'il allait bientôt lui en demander plus, il fit un effort pour reculer.

Sans rien dire, il se baissa pour ramasser ses clés et ouvrit sa porte.

— Bonne nuit, Naomi.

La regardant dans les yeux, il posa les clés dans sa main.

— Oui… bonne nuit… merci.

Elle entra en titubant dans son appartement. Sans se retourner, elle lui ferma la porte au nez.

Il resta un instant immobile. Avait-il fait une erreur en l'embrassant, ou en s'arrêtant de l'embrasser ? Puis il entendit le petit bruit métallique des clés qui tombaient de nouveau par terre.

Avec un large sourire, il s'éloigna à grands pas. Il n'avait pas fait la moindre erreur. Et il recommencerait très bientôt à embrasser Naomi Brightstone. Aucun doute là-dessus.

4.

— Tu n’as pas du tout de chocolat ? se lamenta Julia.

Remuant une sauce, Ian lui jeta un coup d’œil par-dessus son épaule. Sa cousine était toujours aussi jolie, toujours aussi impatiente, et enceinte jusqu’aux yeux.

— Tu as tout mangé la dernière fois que tu es venue, lui rappela-t-il.

Elle posa sur lui un regard acéré, et continua l’exploration des placards.

— Tu pourrais aller faire des courses de temps à autre, non ?

Ian se mit à rire.

— Il y a des fruits frais au réfrigérateur. Je regrette, ils ne sont pas enrobés de chocolat.

Lui faisant un signe de tête, il lui tendit une cuillère de bois contenant quelques gouttes de liquide rougeâtre.

— Tiens, goûte plutôt cela.

Avec un petit soupir résigné, Julia s’approcha de lui. Posant une main sur son ventre volumineux, elle s’exécuta.

— Hmm… pas mauvais du tout. Où est le dessert ?

Riant encore, Ian posa la cuillère.

— Cullum te fait mourir de faim ?

— Ce n’est pas moi, c’est lui. Il veut du chocolat, dit-elle en caressant tendrement son abdomen. Tu n’as même pas de bonbons ?

— Désolé, mais je vais en constituer un stock. Pour Travis, c'était les crèmes glacées, si je me souviens bien. Des tonneaux.

— Il aime toujours les crèmes glacées, dit Julia avec un tendre sourire. Ses premiers mots ont été : « crème au chocolat ».

Comme Ian riait encore, elle inclina la tête sur le côté.

— Tu es drôlement de bonne humeur, mon vieux.

— C'est grâce à une femme.

— En général, c'est toujours la réponse. Elle ne s'appellerait pas Naomi Brightstone, par hasard ?

— Comment l'as-tu deviné ? Elle va arriver d'un instant à l'autre…

— Ne t'inquiète pas, Cullum et Travis vont venir me chercher. Je ne vais pas t'encombrer longtemps. Où est le projet final pour ta bibliothèque ?

— A l'étage. Je l'ai étudié hier soir.

— Qu'attends-tu pour me le montrer ?

— Merci, Julia, j'apprécie beaucoup que tu t'y intéresses.

Il posa un bras affectueux autour de ses épaules et ils se dirigèrent vers l'escalier.

— Grâce à toi et à Cullum, cette maison a vraiment pris forme.

Julia sourit.

— Je ne peux pas dire que tu sois resté les bras croisés. Tu as fait du beau travail ici, Ian. Beaucoup de gens trouvent irréaliste qu'un célibataire s'attache à une grande maison comme la tienne.

— Beaucoup de gens peut-être, mais pas toi.

— Non. Je trouve que rien ne vaut une maison à soi.

Elle fit courir un doigt sur la rambarde en chêne.

— Celle-ci te ressemble. Elle est ouverte, pratique, solide, avec un œil sur l'avenir et l'autre sur le passé.

Elle poussa un petit soupir.

— Je ne vais pas monter cet escalier. Il faudrait que je redescende, et j'ai du mal à voir mes pieds depuis quelques jours.

— Je vais chercher les plans. Va t'asseoir dans le salon.

— Je n'ai pas envie de m'asseoir.

Elle se massa le bas du dos pour soulager la fatigue.

— C'est du chocolat qu'il me faut !

— La prochaine fois, je te jure que j'en aurai.

Tandis qu'il grimpait l'escalier, elle déambula dans les pièces du rez-de-chaussée, admirant l'harmonie des proportions, le charme du décor. Elle avait été tout à fait sincère avec Ian. Oui, sa maison lui ressemblait. C'était agréable de savoir qu'elle l'avait aidé à la trouver, et qu'elle avait pu le faire bénéficier de son expérience et de celle de Cullum pour qu'il en fasse son foyer.

Elle hocha la tête. Oui, Ian avait besoin d'un foyer.

Le bébé se mit à s'agiter et à lui donner de grands coups de pied.

— Patience, murmura-t-elle en se frottant les flancs. Papa va bientôt arriver et il nous donnera une grosse boîte de brownies.

Quand on sonna à la porte, elle se déplaça aussi vite que le bébé le lui permettait.

Ce n'était pas Cullum, mais une jeune femme ravissante qu'elle ne connaissait pas. Elle la regardait avec insistance, un léger sourire aux lèvres.

— Vous devez être Naomi ? Ian vous attend avec impatience. Je suis Julia, la cousine du Golden Boy.

Elle lui adressa un sourire étincelant.

Un peu crispée, Naomi lui rendit son sourire. Julia avait le style dont elle avait toujours rêvé. Une masse de cheveux roux tombait en boucles foisonnantes autour d'un visage resplendissant de santé et illuminé par de grands yeux bruns, chaleureux.

— Oui, je vous ai reconnue, dit-elle. Je vous ai entendue parler au déjeuner des Femmes d'affaires, il y a quelques années.

Julia se mit à rire.

— J'étais un peu plus mince à cette époque.

Elle tapota son ventre et s'effaça pour la laisser passer.

— Entrez. Ian est allé me chercher le plan de sa bibliothèque. Mon mari et son équipe vont faire le plus gros du travail.

Elle la regarda d'un air songeur. Naomi était très belle. Elle avait un corps magnifique, des cheveux fabuleux, un regard doux. Mais elle avait l'air un peu timide. Julia hocha la tête. Naomi allait subir l'interrogatoire de Laura et Gwen, ses cousines et celles de Ian. Elles se délecteraient sûrement à lui demander une foule de détails sur sa relation avec lui.

— Il paraît que vous avez repris la librairie Brightstone ? lui demanda-t-elle.

— Oui, je la dirige maintenant.

— Il paraît aussi que vous faites de fabuleux mokas au chocolat ?

— Oui, ils sont délicieux.

Posant les mains sur son ventre, Julia poussa un petit gémissement.

— Allons, allons, calme-toi. La simple évocation du chocolat le met dans tous ses états, dit-elle en riant.

Comme Naomi paraissait alarmée, elle ajouta en souriant :

— Il est fou de chocolat. Ne vous inquiétez pas, il a encore deux mois à passer ici.

— Il veut du chocolat ?

Naomi baissa les yeux sur la mappemonde cachée par un long sweater vert.

— J'en ai sur moi. Du chocolat noir.

Roulant les yeux, Julia l'attrapa par un bras.

— Vous plaisantez ?

— Pas du tout, je parle sérieusement. J'en emporte toujours, au cas où je sauterais un repas, ou si j'ai besoin d'un petit encouragement.

C'était encore quelque chose qu'elle avait appris récemment : ne pas nier le besoin de s'offrir des douceurs, mais ne pas en abuser. Ouvrant son sac, elle en sortit un sachet.

— Si vous me les offrez, dit Julia d'une voix pleine d'émotion, je donnerai votre nom à mon bébé. Que ce soit une fille ou un garçon, il s'appellera Naomi.

— C'est ce que tu m'as fait croire quand tu attendais Travis et que tu m'as chipé ma glace au caramel, commenta Ian en arrivant au bas de l'escalier.

Naomi tendit le sachet à Julia.

— Régalez-vous.

— Je n'oublierai jamais votre geste, promit Julia en déchirant le sachet.

Elle sortit une poignée de chocolats.

— Hmm… oui, délicieux. Vous voyez, grâce à vous, mon bébé est heureux maintenant.

— Il joue au foot ? Super !

Posant une main sur le ventre de sa cousine, Ian sourit jusqu'aux oreilles.

— Il a mis un but.

Se tournant vers Naomi :

— Venez voir !

En un clin d'œil, il lui prit la main et la pressa sous la sienne contre le ventre de Julia.

Elle commença par être gênée, mais cela ne dura pas longtemps. Les mouvements qu'elle sentait sous sa paume lui allèrent droit au cœur.

— Oh, c'est merveilleux !

Quand elle plongea les yeux dans ceux de Julia, un courant passa entre elles, que seules les femmes pouvaient comprendre.

Deux faibles coups frappés à la porte les interrompirent.

— Voilà Cullum ! s'exclama Julia. Nous étudierons les plans ce soir, Ian.

Elle prit les feuilles et leva la tête pour l'embrasser.

— Heureuse de vous avoir rencontrée, Naomi.

Elle secoua le sachet de chocolats.

— Et merci encore !

— Dommage que son fils ne soit pas venu, dit Ian en regardant sa cousine marcher vers la voiture. Il est formidable. Il a deux ans à peine, et il parle déjà à vous en écorcher les oreilles.

Naomi lui adressa un sourire attendri.

— J'ai l'impression que vous aimez beaucoup les enfants.

— Oui, beaucoup.

Il referma la porte sur la brise d'automne.

— Dans ma famille, il vaut mieux les aimer, continua-t-il. Il y en a une quantité astronomique, et il y en a toujours un en route. Deux, en ce moment, celui de Julia, et celui de Mac, un autre cousin.

Faisant une pause, il la prit par les épaules.

— Merci d'être venue.

Et il l'embrassa sur la joue.

Elle recula brusquement.

— Vous avez un problème ?

— Non, non. Ce n'est rien.

Sauf qu'elle avait réussi à se convaincre qu'il l'avait embrassée à la fin de la soirée passée ensemble par simple habitude.

— Parfait. Laissez-moi vous offrir un verre de vin.

— Je ne devrais pas en boire. Je conduis.

Mais elle se laissa mener le long du couloir.

— Je croyais que nous allions examiner vos… la pièce que vous voulez aménager, puis…

Une savoureuse odeur de sauce lui parvint. Elle entra dans la cuisine. C'était une pièce très chaleureuse, et pas seulement grâce aux odeurs d'épices. Un comptoir en carreaux de couleurs chaudes, des pots d'herbes sur le large rebord de la fenêtre, le foyer en brique de la cheminée, tout cela contribuait à en faire une pièce agréable, où l'on avait envie de s'attarder. Une grande poêle à frire attendait sur la cuisinière.

— Vous avez des invités. Je ne serai pas longue.

Prenant une bouteille de vin sur le comptoir, Ian commença à remplir un verre.

— Naomi, je vous ai demandé de venir. C'est vous, mon invitée.

— Oh !

Il lui tendit le verre.

— Puisque je vous fais travailler un samedi soir, c'est la moindre des choses que je vous offre un dîner.

— Il ne fallait pas vous donner tout ce mal. Cela ne me dérange nullement que nous soyons samedi soir. Votre projet de bibliothèque m'intéresse beaucoup.

— Hmm.

Il s'appuya nonchalamment contre le comptoir.

— Dois-je trouver une excuse chaque fois que j'ai envie de dîner avec vous ?

— Je… non.

Incapable de répondre, elle baissa les yeux. La dévorant du regard, il dit :

— Je devrais peut-être vous demander si vous êtes uniquement intéressée par mon projet de bibliothèque, ou si vous l'êtes aussi par ma personne.

Elle leva les paupières. Ce qu'il lut dans ses superbes yeux verts lui fit faire un pas en avant.

— Ou alors, je devrais vous dire tout simplement que je suis très attiré par vous, et que j'aime être en votre compagnie.

Il lui prit le verre des mains et le posa sur la table.

— Et que je désire passer plus de temps avec vous…

Baissant la tête, il effleura ses lèvres des siennes.

— … et que je veux apprendre à vous connaître…

Puis il se mit à les mordiller doucement.

— … et que je vous veux.

Naomi était pétrifiée. Son cerveau semblait obscurci par un nuage opaque.

— Que vous me voulez… Pourquoi ?

Reculant légèrement, il secoua la tête, puis il lui déposa des petits baisers sur les joues.

Sa bouche revint sur la sienne, et elle sentit une lame brûlante percer son nuage. Entrouvrant les lèvres, elle émit un faible gémissement tandis que ses mains cherchaient les épaules de Ian.

Il la voulait ? Elle ? pensa-t-elle en sentant ses jambes flageoler. Une immense vague de sensations la submergea, lui donnant le vertige. Elle s'accrocha à lui pour ne pas être emportée.

Ian n'avait pas voulu aller trop vite, mais la réaction inattendue de Naomi en décida autrement. La faisant pivoter, il la fit s'appuyer contre le comptoir pour pouvoir dévorer plus à son aise cette bouche adorable.

Ses mains coururent sur ses hanches, sur ses flancs, et elles se refermèrent sur ses seins fabuleux.

Il sentit que son cœur battait violemment sous ses paumes.

— Pourquoi n'essaierions-nous pas de faire plus ample connaissance, tout à l'heure ? dit-il d'une voix rauque.

Un violent désir s'emparant de lui, il lui mordilla le cou.

— Je veux tout savoir : les histoires de votre vie, vos rêves et vos espoirs, vos goûts, et ce que vous détestez. Bon sang, Naomi, je vous désire.

— Oui… non, attendez !

Elle était terrifiée par cette faim sauvage qui lui mordait le ventre.

— Dites oui, Naomi.

— Non, je vous en prie…

Levant les mains sur son torse, elle sentit la tension qui vibrait en lui. Elle riva ses grands yeux gris-vert aux siens.

— Je vous en prie, répéta-t-elle.

Elle se mit à trembler quand il recula.

— Je suis désolée.

— Ne le soyez pas. Nous allons sans doute un peu trop vite.

Levant un verre de vin, il le vida d'un trait.

— C'est ma faute. J'ai cru que nous avancions au même rythme.

Naomi resta un instant silencieuse. Il était en colère, c'était évident. Il essayait de le cacher, mais son regard le trahissait.

— Je suis vraiment navrée, finit-elle par dire. J'avais mal compris pourquoi vous m'avez demandé de venir chez vous, pourquoi vous...

Il l'interrompit.

— Vous êtes-vous méprise aussi sur la raison pour laquelle je vous ai embrassée, l'autre soir ? Et sur la façon dont je vous ai embrassée ? Et sur la façon dont vous, vous m'avez embrassé ?

Elle n'avait plus de doute, la colère bouillonnait dans ses yeux.

Elle secoua la tête.

— Je ne sais pas, dit-elle d'une voix faible.

Croisant nerveusement les bras, elle lutta contre un horrible mélange de confusion et de gêne.

— Je ne sais pas, tout simplement, continua-t-elle. Je n'ai aucune expérience en la matière. Je suis désolée, je n'ai jamais fait que ce que vous attendiez de moi.

La fureur qu'elle avait vue grandir dans ses yeux fut remplacée par l'incrédulité.

— Vous n'avez jamais….. vraiment jamais ?

— Non.

La gêne devenait un supplice. Elle baissa les paupières.

— Je dois partir, murmura-t-elle.

Il semblait être encore sous le coup de la nouvelle. Elle se précipita vers la porte.

— Naomi, attendez ! Bon sang !

Il la rattrapa dans le couloir.

— Attendez ! ordonna-t-il en l'attrapant par l'avant-bras. Laissez-moi une minute.

270

— Je ne vais pas vous présenter encore des excuses, marmonna-t-elle entre ses dents.

— Non, c'est à moi de vous en présenter.

Il la lâcha et se prit le visage entre les mains. Il fallait qu'il se reprenne, et vite. Qu'il surmonte sa surprise, son sentiment de culpabilité. Et surtout, que Dieu lui vienne en aide, qu'il dompte son excitation, décuplée par cette nouvelle.

— Pardonnez-moi, murmura-t-il en la regardant dans les yeux.

Il secoua légèrement la tête. Dieu tout-puissant ! Naomi n'avait jamais été touchée par un homme ! Et lui qui lui avait donné des baisers fougueux et avides.

— Naomi, je suis désolé de vous avoir harcelée de la sorte. Vous avez dû être terrifiée.

— Un peu, oui.

— Je ne recommencerai pas.

Levant lentement la main, il lui passa un doigt léger sur la joue.

— Je ne vous brusquerai pas. Nous pouvons faire un pas en arrière.

Elle l'observa un instant, puis elle ferma les yeux et prit dix profondes inspirations.

— Quel genre de pas en arrière ?

— Nous allons examiner l'espace de la future bibliothèque en prenant un verre de vin. Je vous montrerai le plan. Puis nous dînerons.

— Vous n'êtes pas furieux contre moi ?

— Bien sûr que non. J'espère que vous ne l'êtes pas non plus. Voulez-vous rester, pour me donner une autre chance de… vous connaître ?

— Oui.

Elle lui adressa un petit sourire.

— Avec plaisir.

— Bien. Je vais chercher le vin.

Ignorant le nœud de désir qui lui tiraillait le ventre, il se rendit d'un pas vif dans la cuisine. Il devait gagner sa confiance, ce qui prendrait du temps. Il la désirait plus que jamais, maintenant qu'il savait qu'il serait le premier. Mais cela ne l'aiderait en rien de le lui dire.

— Sois patient, MacGregor, murmura-t-il entre ses dents.

Il sortit un autre verre du placard.

— Sois très patient, répéta-t-il en revenant vers elle.

5.

C'était ridicule d'être gênée parce qu'elle lui avait avoué son manque total d'expérience avec les hommes. Si elle avait été plus intelligente, elle lui aurait dit qu'elle n'était pas sûre d'avoir envie de vivre une relation amoureuse.

Certaines femmes auraient échangé des baisers fulgurants, accepté ses attentions, puis laissé tranquillement mariner.

Elle soupira. N'aurait-elle pas dû murmurer : « Plus tard, mon chéri, peut-être. »

Mais ce genre de promesse brûlante ne devait-elle pas être émise d'une voix rauque, agrémentée d'un petit rire sexy ? Et il aurait fallu l'accompagner d'une caresse furtive sur la joue, du bout des doigts aux ongles longs comme des griffes, parfaitement manucurés et vernis, ce qui aurait accru le désir de son soupirant. Sans parler du regard qu'elle aurait dû lui couler entre de longs cils épaissis de mascara.

Elle soupira encore. Non, tout cela relevait de talents de séductrice qu'elle n'aurait jamais. Elle n'osait même pas en rêver.

Cependant, il était complètement idiot, et inutile, d'être embarrassée parce qu'elle avait dit en bafouillant qu'elle n'avait jamais eu de relations avec un homme.

Cela avait au moins apaisé la tension qu'il y avait entre eux.

La diplomatie naturelle de Ian lui avait permis d'effacer sa maladresse rapidement, et de l'emmener à l'étage pour lui montrer la pièce qu'il voulait aménager pour ses livres.

Et quand ils y étaient entrés, personne n'aurait pu imaginer que quelques minutes plus tôt, ils avaient échangé des baisers enflammés dans la cuisine.

Quelques jours plus tard, elle avait elle-même du mal à le croire. Elle haussa les épaules. C'était beaucoup mieux ainsi. Si elle se laissait aller à revivre ces minutes dans les bras de Ian, cela ne ferait qu'augmenter l'émotion tumultueuse qu'elle éprouvait au fond d'elle. Il valait mieux travailler, c'était une façon plus positive et plus productive d'occuper son temps.

Les mains croisées devant elle, elle se tenait à l'arrière de la salle qu'elle avait créée avec son équipe pour la nouvelle « soirée des femmes », dans la librairie Brightstone. L'auteur invité donnait une petite conférence mêlée d'anecdotes et de courtes lectures extraites de son livre *Rendez-vous depuis l'enfer… et comment y survivre*, face à un public qui semblait hypnotisé.

Les rires qui fusaient régulièrement avaient attiré d'autres clients, obligés de rester debout derrière les rangées de chaises occupées. Naomi parcourut l'audience d'un œil satisfait. Rien au monde n'aurait pu lui provoquer plus de joie.

Une séance de dédicaces était prévue à la fin de la conférence. Elle se glissa discrètement vers la table pour vérifier s'il ne manquait rien. Les livres étaient disposés en piles bien nettes et plusieurs stylos étaient à la disposition de l'auteur. Les fleurs commandées étaient arrivées à temps. Elle avait prévu de les offrir à la jeune femme après la signature. Et de lui proposer un choix de boisson, en plus de la bouteille d'eau fraîche à sa disposition sur la table.

Naomi eut un petit sourire. Elle pouvait être fière d'elle. Sa première soirée consacrée aux rencontres avec les écrivains féminins était une réussite.

Elle se tourna vers le coordinateur pour lui rappeler qu'il devait annoncer la séance de dédicaces dès la fin de la conférence. Puis, faisant demi-tour, elle faillit rentrer la tête la première dans Ian.

Elle sursauta.

— Pardon, dit-il.

Il lui prit le bras pour la maintenir en équilibre.

— On dirait que j'ai la spécialité de surgir près de vous au moment où vous ne vous y attendez pas.

— C'est ma faute. Je n'ai pas regardé…

Elle plongea son regard dans le sien, et, brusquement, elle n'eut aucun mal à se rappeler ce baiser qui l'avait fait chanceler. Elle en retrouvait même la saveur.

Ian lui donna une petite pression de la main, d'une façon plutôt fraternelle, avant de la lâcher.

— Vous avez attiré les foules ce soir, commenta-t-il avec un sourire admiratif.

Elle jeta un coup d'œil par-dessus son épaule.

— C'est Nelly Goldsmith.

— J'ai vu l'annonce dans le journal. Excellente idée, cette soirée littéraire féminine. C'est la vôtre ?

— Oui. Avez-vous assisté à la conférence ?

Il releva un sourcil tandis que les applaudissements crépitaient.

— Hmm… avec un peu de retard.

— Oh, excusez-moi.

Elle se précipita vers le podium pour remercier l'auteur et lui serrer la main.

Sans bouger de l'endroit où il se trouvait, Ian l'observa. Naomi avait beaucoup d'aisance dans ce métier, elle était faite pour cela. A la fois très professionnelle et chaleureuse. A cet instant précis, elle remerciait le public et l'invitait à discuter avec l'auteur et à lui faire signer un autographe.

Ian s'effaça de leur passage quand Naomi accompagna Nelly Goldsmith à la table de signature. Elle lui proposa un café, et, d'un

275

simple regard, ordonna à un assistant de leur en apporter. Puis, penchée en avant, un sourire aux lèvres, elle prit un moment pour discuter avec elle.

Ian ne la quittait pas des yeux. Elle était efficace, et incroyablement sexy dans ce tailleur coupé très près du corps, et dont la couleur vert mousse mettait en valeur ses yeux verts et ses cheveux magnifiques enroulés en chignon.

Cette coiffure dégageait sa nuque délicate. Une nuque qu'il avait goûtée.

Il soupira. S'il voulait tenir ses promesses avec Naomi, il valait mieux qu'il chasse de son esprit enfiévré ce genre de pensées.

En se rendant à la soirée, il savait qu'elle allait être très occupée. En fait, il avait eu l'intention de rentrer directement chez lui après le travail. Il n'avait aucune raison de faire un détour par Brightstone… si ce n'était pour l'apercevoir.

Mais n'avait-il pas promis de la laisser tranquille ? Cependant, il était là, quelques jours à peine après l'avoir pratiquement dévorée dans sa cuisine.

C'était stupide. Démoralisant.

Et irrésistible.

Jaugeant la queue qui s'était formée devant la table, il secoua la tête. Bon, il allait sortir, elle en avait pour toute la soirée.

Assise près de l'écrivain, Naomi le vit partir du coin de l'œil. Elle fit un violent effort pour ne pas laisser ses épaules s'affaisser. Qu'allait-elle s'imaginer ? Il était plus que probable qu'il était passé uniquement pour acheter un livre.

« Après tout, je tiens une librairie, non ? » pensa-t-elle, prenant presque plaisir à se tourmenter. Voyant la foule, il avait dû rester un moment pour satisfaire sa curiosité.

Maintenant, il avait trouvé son livre et s'en allait. Rien de plus logique. Et tout ce qu'elle avait trouvé à faire, c'était de trébucher en lui marchant sur les pieds.

Reprenant ses esprits, elle se mit à bavarder avec quelques clients qui attendaient leur tour pour faire signer leur livre.

Il était plus de 9 heures du soir. Naomi était enchantée. Cette soirée avait été très réussie, et chaque minute avait valu la peine de s'être donné tant de mal pour l'organiser.

Elle avait raccompagné tous ses hôtes à la porte. Et maintenant, elle ne désirait plus qu'une chose : passer un quart d'heure assise les yeux fermés, dans un coin tranquille.

— Beau travail !

Ian l'avait attendue, mais il n'avait pas perdu son temps. Il portait un sac Brightstone chargé de livres. Elle sentit le rouge lui monter aux joues.

— Je n'avais pas vu que vous étiez encore là.

— J'allais me mettre à feuilleter des livres.

Il sourit en secouant le sac.

— A ce rythme, je vais être obligé d'ajouter des étagères à ma bibliothèque.

— Brightstone apprécie que vous fassiez partie de ses clients, dit-elle en lui rendant son sourire.

Elle se força à empêcher ses mains de tripoter ses cheveux.

— Avez-vous trouvé tout ce que vous vouliez ? interrogea-t-elle d'une voix égale.

Ian plongea dans ses yeux un regard pénétrant. Oui, il l'avait trouvée, *elle*. N'était-ce pas le principal ?

— J'ai l'impression, répondit-il lentement. Et j'ai fait un peu d'espionnage pour vous.

— De l'espionnage ?

— Disons que j'ai écouté aux portes, si vous préférez. Vous avez beaucoup de clientes très satisfaites. Il y avait un groupe de femmes qui discutaient dans l'allée des livres de fiction. Elles ne tarissaient pas d'éloges au sujet de cette soirée, et elles projetaient déjà de revenir le mois prochain.

— Magnifique. C'est exactement ce que j'espérais.

— Etes-vous libre maintenant ? lui demanda-t-il en gardant un ton neutre.

— Oui, Dieu merci.

Il se mit à rire et proposa, sans la quitter des yeux :

— Que diriez-vous d'un excellent café Brightstone ?

Clignant des paupières, elle hésita. Ian mit ses scrupules de côté et insista :

— J'espérais vraiment vous montrer les changements que nous avons apportés au plan. Je crois que je le tiens, maintenant.

— J'aimerais beaucoup les voir. Voulez-vous monter dans mon bureau ?

Ian ne répondit pas tout de suite. Dans son bureau, il serait seul avec elle. Non, ce n'était pas une bonne idée.

— Je veux bien aller au Café.

— Très bien. Mais c'est Brightstone qui régale. C'est le moins que nous puissions faire pour un si bon client.

Elle passa devant lui et jeta un coup d'œil sur le coin des enfants, où régnait un beau désordre. Si Ian n'avait pas été là, elle se serait empressée de ranger tous les jouets et les livres disséminés sur le sol.

— Fatiguée ? s'enquit-il tandis qu'ils grimpaient la courte volée de marches menant au Café.

— Hmm ? Non, à vrai dire, je suis plutôt nerveuse. J'avais donné mon feu vert pour le budget publicité et promotion de ce nouveau programme. Je jurerais que mon père a fait la grimace quand je lui ai parlé de ces dépenses. Je dois dire qu'il m'a beaucoup aidée.

— Il vous a vraiment laissé la bride sur le cou.

— Oui, il me fait confiance, dit-elle d'une voix plus chaleureuse. J'ai hâte de lui dire qu'il ne s'est pas trompé.

Elle parcourut le Café des yeux. Il était presque plein. C'était un vrai bonheur. Apercevant un groupe de femmes qui riaient en écoutant l'une d'elles lire des passages du livre de Nelly Goldsmith, elle esquissa un sourire radieux.

Ian la prit par le coude et l'entraîna vers l'une des rares tables libres.

— Nous avons de la chance. Il va bientôt falloir réserver sa place ici. Brightstone va devenir une adresse incontournable.

— Parfois, quand je vois tous ces clients, je me sens prise de vertige, et je suis très émue.

Agacée de lui avoir parlé de ses réactions, elle ajouta vivement :

— C'est idiot.

— Absolument pas. Vous êtes en train de faire vos preuves, Naomi. Vous devriez être fière de ce que vous accomplissez. Je vous ai observée pendant la séance de dédicaces. Vous étiez très à l'aise. Ce métier est fait pour vous.

Médusée, Naomi garda un instant le silence. Qu'est-ce qui lui faisait le plus plaisir ? Le compliment, ou le fait qu'il l'ait observée ?

— J'ai toujours rêvé de faire ce métier. Quand j'étais petite, je venais ici avec mon père, je me promenais entre les rayons, je me blottissais dans un coin avec un livre, ou je m'asseyais derrière le comptoir. Les poupées que ma pauvre mère m'achetait devenaient mes clientes et mes employées quand je jouais à la libraire.

Elle fit une pause. Les poupées étaient aussi un prétexte pour manger des bonbons qu'elle prétendait leur donner. Parce que sa mère était déçue qu'elle ne soit pas la jolie petite fille gracieuse qu'elle aurait voulue.

— Certaines personnes sont nées pour faire quelque chose de bien précis, murmura Ian. C'est votre cas.

— Oui, c'est mon cas.

Elle poussa un petit soupir. Dieu merci, les journées passées à se cacher dans les coins n'étaient plus qu'un mauvais souvenir. Elle fit signe à la serveuse, qui s'approcha d'elle.

— Il y a un monde fou, ce soir, Tracy.

— C'est ce que nous espérions depuis 5 heures de l'après-midi. Que puis-je vous apporter, madame Brightstone ?

— Deux cappuccinos, s'il vous plaît.

Elle demanda d'un regard l'approbation de Ian. Il hocha la tête.

Tracy lui adressa un large sourire.

— Je vous les apporte tout de suite. Vous devriez goûter le « Péché au chocolat » , madame Brightstone. Il est extraordinaire. Et cela vous retapera. Vous êtes debout depuis des heures.

— Oh non, je…

— Nous le partagerons, coupa Ian en adressant un sourire radieux à Tracy. Merci.

— Six millions de calories, marmonna Naomi.

Ian se mit à rire.

— Mon ange, vous les avez déjà brûlées au cours de cette soirée. Comment faites-vous pour être ainsi ?

Ce « Mon ange » l'avait déstabilisée, et le changement subit de sujet acheva de la déconcerter.

— Pardon ?

— Vos couleurs. Vous avez les mêmes cheveux que ma mère, d'un noir très profond. Le nom de Brightstone est-il celui d'un Indien d'Amérique ?

— Oui. J'ai un peu de sang cherokee dans les veines, du côté de mon père, mélangé avec toutes sortes d'autres. Du sang italien, français, gallois, et anglais du côté de ma mère. Elle aime dire que ses enfants sont hybrides.

— J'ai du sang comanche par ma mère, mais c'est Laura qui en a les couleurs.

— Elle est très belle.

— Oui, très belle.

— Toute votre famille est éblouissante. Chaque fois que je vois une photographie dans le journal, ou un flash d'informations, je suis admirative. Vous ressemblez à votre père. Je suppose qu'un de ces jours, vous serez un mélange d'homme d'Etat distingué et de beau mec de Harvard.

Il fit une petite grimace et elle roula les yeux. Venait-elle vraiment de prononcer ces paroles ?

— Euh… je suis désolée… Quelle réflexion stupide.

Amusé de la voir plus gênée que lui, il pencha la tête.

— Vous voulez dire que je ne suis pas un beau mec, et que je n'ai aucune chance d'atteindre un statut distingué ?

— Non, enfin si. Naturellement, vous avez toutes les chances, et…

Elle ferma les yeux. Pourquoi diable fallait-il toujours qu'elle se mette dans des situations impossibles ?

Ian se mit à rire. Apportant les cafés, la serveuse lui jeta un coup d'œil ravi. Enfin, Mme Brightsone avait un peu de chance. Il était temps ! Apparemment, elle avait gagné le jackpot.

Se calmant, Ian soupira en prenant sa tasse.

— Je n'oublierai jamais cette photo dont vous parlez. Je devais avoir vingt-trois, vingt-quatre ans. J'étais parti pour une virée en bateau. Quand j'ai retiré ma chemise pour bronzer un peu, un type a appuyé sur le bouton. Il m'a immortalisé !

— La presse doit être pénible.

— J'ai grandi avec.

Prenant une cuillerée de chocolat crémeux, il la lui offrit.

— On s'y habitue, ajouta-t-il.

— Je crois que je ne pourrais pas.

Comme il n'avait pas l'air offensé, elle accepta la bouchée qu'il lui tendait.

— Voilà bientôt un an que j'ai affaire aux médias pour la publicité de la librairie. Je donne des interviews aussi. Je ne peux pas dire que je m'y sois habituée.

— L'essentiel est de le faire bien.

Il goûta le chocolat.

— Son nom lui va comme un gant. « Péché au chocolat ». Hmm, absolument délicieux.

Il reporta les yeux sur Naomi. Ce devait être encore plus délicieux de savourer le chocolat sur ses lèvres pulpeuses. Mais elle regardait le chocolat comme si elle voyait le diable en personne.

Sentant son estomac chavirer, Naomi prit sa tasse de café.

— Vous allez être obligé de pécher tout seul. Moi, je résiste.

— Encore une cuillerée, murmura-t-il.

Il plongea sa fourchette dans le dessert et leva vers elle une bouchée tentatrice. Naomi la prit du bout des dents. Il sourit. C'était bon de voir qu'elle pouvait se laisser tenter malgré ses bonnes résolutions.

Mais s'il voulait survivre à cette soirée, il valait mieux qu'il retrouve son attitude professionnelle.

— Je vais vous montrer ce que j'ai trouvé. Vous me direz ce que vous en pensez.

Ouvrant son attaché-case, il en sortit le dessin millimétré du plan dont il lui avait parlé.

— Je le donnerai à Cullum dès demain. Il pourra se mettre tout de suite au travail, dit-il.

— Vous êtes rapide.

Hochant la tête, il lui décocha un regard brûlant.

— Oui, en général, murmura-t-il.

Il déplia le plan sur la table.

Troublée par son insinuation, Naomi fouilla désespérément dans son sac, à la recherche de ses lunettes. Elle les trouva enfin et les posa d'un geste nerveux sur son nez.

La dévorant des yeux, Ian ouvrit la bouche pour parler, mais il se ravisa aussitôt. Il n'allait pas lui dire qu'elle était encore plus adorable avec ses lunettes, et qu'elle lui faisait monter l'eau à la bouche. C'était inutile de l'effaroucher.

Elle se pencha en avant pour examiner le dessin, et il sentit l'odeur envoûtante de son irrésistible parfum. Il soupira silencieusement en continuant à l'observer.

— Oh, c'est merveilleux. Vous avez mis la même échelle qu'à la librairie, et la console, s'exclama-t-elle.

— C'étaient d'excellentes suggestions. Merci d'y avoir pensé.

— Je suis si heureuse d'avoir pu vous aider. Votre bibliothèque va être fabuleuse. Vous avez un espace fantastique pour mettre les meubles en valeur. Et la cheminée est exactement au bon endroit. En vous asseyant à côté, vous serez bien installé pour profiter des livres que vous avez choisis.

Ian hocha la tête. Oui, il s'y voyait déjà. Mais plus encore, il les voyait tous les deux, étendus sur un canapé en face d'un feu ronronnant, avec une bonne bouteille à portée de main, et une musique d'ambiance en sourdine.

Il commencerait par lui masser ses adorables petits pieds. Puis il les embrasserait, et il continuerait son chemin en la mordillant en douceur, jusqu'à ce que…

Du calme ! Tâchant de retrouver ses esprits, il fit un violent effort pour se concentrer sur le sujet qui les occupait tous les deux. S'éclaircissant la gorge, il l'interrogea :

— Avez-vous des modifications à me suggérer ?

Naomi secoua la tête.

— Aucune. C'est tout simplement parfait ainsi. Je trouve ce plan très réussi, Ian.

— Moi aussi.

Il avait une envie folle de lui effleurer la main, de caresser doucement son poignet si fin.

Une fois de plus, il se contrôla et se consola avec une bonne part de « Péché au chocolat ».

Une voix s'éleva dans le haut-parleur pour annoncer discrètement la fermeture de la librairie dans un quart d'heure. Etonnée, Naomi leva les yeux. Comment le temps avait-il pu passer si vite ?

283

— Je ne savais pas qu'il était si tard !

— A vrai dire, moi non plus… Avez-vous encore quelque chose à faire ? demanda-t-il d'une voix aussi neutre que le lui permettaient les battements précipités de son cœur.

— Non. Et je n'ai pas besoin de revenir avant demain en milieu de matinée. Je m'offre ce petit congé en compensation des douze dernières heures presque ininterrompues de travail.

— Voulez-vous aller au cinéma ?

— Au cinéma ?

— Pourquoi pas ? dit-il sans la quitter des yeux.

L'air circonspect, elle resta un instant silencieuse. Il l'observa sans rien dire. S'il voulait qu'elle apprenne à lui faire confiance, il devrait renouveler ce genre d'invitations régulièrement pour qu'elle s'habitue à sa compagnie. Comme elle ne répondait pas, il finit par dire :

— Nous avons bu pas mal de café. Aucun de nous deux ne va dormir tout de suite. Alors pourquoi ne pas aller voir un bon film ?

— Eh bien… je suppose…

— Parfait !

D'un geste vif, il replia le plan.

— Vous êtes venue travailler à pied, je crois ? Ma voiture est garée au carrefour. Après le cinéma, je vous reconduirai chez vous.

Il se leva d'un bond, portant d'une main le sac et l'attaché-case, et tendant l'autre à Naomi.

6.

Une de ses plus grandes qualités était la patience. Il savait attendre.
Il connaissait l'importance de construire des fondations solides, de
développer des relations et de se lier d'amitié.

Il aimait prendre son temps, s'arrêter sur des moments particu-
liers et faire des projets. Pour lui, les brefs instants qu'il passait avec
Naomi avaient autant de valeur que les journées entières auprès
d'elle. Ils lui étaient infiniment précieux. Et il voulait la connaître
encore plus, parler avec elle de leur famille, de leur travail, de leurs
intérêts mutuels.

Après tout, il ne courait pas simplement après elle pour coucher
avec une novice. Il était un homme civilisé, raisonnable, qui trouvait
du plaisir et de la satisfaction dans la compagnie d'une femme qu'il
appréciait, qu'il respectait, et dont il aimait la compagnie.

Ian soupira. Oui, tout cela était vrai, ô combien ! Cependant,
il n'en était pas moins vrai que s'il n'arrivait pas à se rapprocher
physiquement de Naomi Brightstone le plus vite possible, il allait
devenir complètement fou.

Elle était fascinante, fabuleuse, et terriblement sexy. La plupart
du temps, quand il était à côté d'elle, il se sentait comme un cheval
sauvage impatient. Et en même temps, il était ébloui quand il prenait
conscience qu'il l'avait trouvée, elle, Naomi Brightstone. La femme
de sa vie.

Il prenait le plus grand soin de ne pas la toucher, excepté quelques petites tapes amicales, un baiser sur la joue, mais rien qui puisse égaler ce premier baiser torride au milieu de sa cuisine, quelques semaines plus tôt. Des semaines qui commençaient à lui paraître des mois. Néanmoins, il s'en tenait prudemment à ses bonnes résolutions. Il ne voulait pas courir le risque de la faire fuir.

Depuis qu'il connaissait un peu mieux Naomi, il avait découvert une chose : elle était beaucoup plus timide, plus vulnérable et plus insécurisée qu'il ne l'avait imaginé en faisant sa connaissance.

Ils allaient au cinéma, à des concerts, et ils faisaient de longues promenades. De temps à autre, ils préparaient des petits plats ensemble. Et tous les soirs, quoi qu'il arrive, ils passaient un temps fou au téléphone.

L'air pensif, Ian hocha la tête. Il n'avait pas connu une expérience aussi intense, merveilleuse et innocente, mais également aussi frustrante, depuis le lycée.

Et quand, par-ci par-là, il tâtait le terrain, Naomi se repliait sur elle-même comme un lapin dans son terrier, le laissant plus frustré que jamais.

Mais il s'accrochait à une pensée : s'ils finissaient par devenir amants, il serait le premier homme avec lequel elle aurait une relation sexuelle. Non seulement il aurait ce plaisir intense, mais il en porterait aussi la responsabilité.

Ce n'était pas simple. Il ne pouvait pas prendre cela à la légère, ni brûler les étapes.

Surveillant les derniers travaux dans sa bibliothèque, il soupira. Dieu merci, il était patient. Il avait toujours été capable d'avancer vers les buts qui lui paraissaient primordiaux d'un pas mesuré, mais ferme, quand c'était nécessaire.

Pendant quelques secondes, il observa les ouvriers qui apportaient les dernières finitions. La réalisation de ce projet était importante aussi, à sa manière. Cette bibliothèque avait fait l'objet de longues réflexions, c'était une création qui durerait. Cullum avait vraiment ait du beau travail. Aussi précis qu'inventif. Les étagères de bois de cerisier brillaient, leurs coins taillés en arrondi. Elles paraissaient presque fluides.

Elles avaient été installées à différentes hauteurs, pour éviter l'uniformité. Il avait voulu que rien ne soit rigide ou gênant dans cette pièce. Entre les deux hautes fenêtres s'élançait un citronnier planté dans un large pot de cuivre. Un cadeau de ses parents. Passant un doigt léger sur une feuille brillante, Ian sourit. Ils avaient toujours su ce qui lui convenait le mieux.

Il avait déjà arrangé la partie salon, avec un long canapé bleu, deux chaises profondes, des petites tables qui invitaient les occupants de la bibliothèque à y poser les pieds pour se détendre. Naomi l'avait aidé à choisir les lampes, l'une en étain ajouré, les autres, plus romantiques, en forme de globes.

Les deux magnifiques chandeliers en bronze qui ornaient le manteau de la cheminée lui avaient été offerts par ses grands-parents. Entre eux trônait un superbe vase de Wegdewood, dans lequel il avait disposé un bouquet d'asters jaune foncé qu'il avait cueillis dans son jardin.

Il avait mis beaucoup de lui-même dans cette pièce. Et des objets offerts par ceux qu'il aimait.

Y compris Naomi.

S'asseyant dans un immense fauteuil, il passa une main dans sa chevelure aux reflets dorés. Cela ne servait à rien de se le cacher : il était amoureux de Naomi. Il avait tout bonnement eu le coup de foudre dès l'instant où il l'avait vue.

Il hocha la tête. Oui, il croyait à ces choses-là, au coup de foudre, au destin, à l'amour pour la vie. Et il voulait que cela lui arrive. Même pendant ses années de lycée, alors qu'il travaillait comme un fou, il avait toujours gardé un œil fixé sur cette possibilité.

Il savait parfaitement ce qu'il rêvait de faire de sa vie. Sa carrière était importante, mais les buts qu'il se fixait étaient clairs. Ils s'appelaient foyer, mariage, famille, enfants.

Il se releva et se mit à arpenter sa bibliothèque. Non, il ne pouvait pas se servir de ses sentiments pour faire pression sur Naomi. Pourtant il était prêt à mettre sa main au feu que s'il lui avouait son amour elle succomberait dans ses bras. De là, il pourrait la convaincre de vivre avec lui, puis, avec un peu plus de persuasion, il l'amènerait doucement à l'épouser.

Et il obtiendrait exactement ce qu'il voulait.

Mais cela ne lui dirait pas ce que Naomi désirait de son côté. En soupirant, il fourra les mains dans ses poches et regarda par la fenêtre. Il fallait que ce soit elle qui prenne la décision.

Naomi s'arrêta devant l'adresse que Julia lui avait indiquée et examina la magnifique façade de brique. La maison était située à quelques rues de celle où habitait Ian.

Elle aurait voulu être avec lui. Elle pouvait bien se l'avouer maintenant, elle avait toujours envie d'être là où il se trouvait.

Elle soupira. Il devait être en train d'installer sa bibliothèque. Des livres qu'ils avaient choisis ensemble. Il lui avait demandé de venir voir la dernière étape.

Mais elle avait déjà accepté de venir participer à la « journée entre filles », comme disait Julia.

Elle sourit imperceptiblement. Au cours des dernières semaines, elle s'était tellement attachée à Julia, pendant qu'ils examinaient les projets de Ian, qu'elle avait été incapable de refuser.

Prenant sur le siège du passager une boîte de gâteaux, elle sortit de sa voiture et se dirigea vers la maison. C'était dimanche et le soleil brillait de tous ses feux. Elle redressa les épaules. Après tout, c'était la première fois qu'elle allait participer à une « journée entre filles ».

Quand elle était adolescente et que les autres sortaient en bandes, parlaient garçons et fanfreluches, elle restait toujours à l'écart, incapable de s'intégrer au groupe, de se sentir à l'aise dans cette atmosphère féminine. Et elle avait fini par se persuader qu'elle n'en avait aucune envie.

Mais bien sûr, c'était faux.

Aujourd'hui, pour une fois, elle allait savoir ce que c'était.

Un peu anxieuse, elle tira sur l'ourlet de son sweater rouge. Julia avait dit qu'il fallait s'habiller décontracté. Prenant une longue inspiration, elle sonna à la porte.

— Hé, qu'est-ce que tu apportes ?

D'une main experte, Julia s'empara de la boîte et, de l'autre, elle attrapa Naomi par la main pour l'attirer à l'intérieur.

— Des brownies.

— Hmm… je t'adore. Et tu arrives au moment idéal. Nous venons juste de coucher les gosses pour la sieste.

— Oh, non ! J'espérais voir Travis !

— Ne t'inquiète pas, tu le verras. Lui et Daniel, le fils de Laura, ne restent jamais tranquilles très longtemps.

Sans cesser de parler, elle l'entraîna dans un grand salon.

— Tu connais déjà Laura ?

— Oui, bonjour Laura.

— Bonjour, Naomi. Je suis heureuse que tu aies pu venir.

Assise par terre, Laura grignotait des chips.

— Qu'est-ce qu'il y a dans cette boîte ? s'enquit-elle d'un air gourmand.

— Des brownies.

— Magnifique. Passe-les-moi !

— Ne sois pas si gourmande ! gronda Julia. Naomi, je te présente notre cousine Gwen.

Assise sur une chaise, Gwen se vernissait consciencieusement les ongles des pieds.

— J'ai beaucoup entendu parler de vous, dit-elle en se levant. Je suis toujours fourrée dans votre librairie. Branson est votre auteur du mois prochain.

— Il est formidable ! Branson Maguire est un des plus brillants écrivains de Boston ! dit Naomi avec enthousiasme. J'ai tous ses livres dans ma collection personnelle, et ils sont tous signés.

— Sais-tu que dans son dernier livre, il s'est inspiré de Gwen pour créer le personnage du médecin psychopathe ?

— Pas pour l'aspect psychopathe, pour l'aspect du médecin dévoué, coupa Gwen en riant. Mais passons aux choses sérieuses. Nous pouvons t'offrir du chocolat chaud, de la mousse au chocolat, des morceaux de chocolat, et des bretzels enrobés de chocolat.

— C'est Julia qui a choisi le menu, expliqua Laura en riant.

— Non, c'est lui, dit Julia en se caressant le ventre.

Posant la boîte de gâteaux sur la table, elle l'ouvrit en un tour de main.

— Et je sens qu'il ne va pas se faire prier pour ceux-ci. Assieds-toi, Naomi, et prends quelques calories.

Une heure plus tard, elle était dopée à la caféine, son estomac protestait contre une avalanche de douceurs qu'elle ne s'était pas permise depuis trois ans, et elle avait tant ri qu'elle avait mal au ventre. Il faut dire que cela ne lui était pas arrivé depuis un siècle !

Adolescente, elle n'arrivait jamais à se laisser aller, à se faire plaisir. Mais aujourd'hui, elle s'était installée confortablement par terre et avait parlé des sujets les plus fantaisistes avec aisance. Elle s'était vraiment sentie à sa place, un sentiment qui la remplissait d'une joie ineffable.

Chez Julia, elle s'était débrouillée pour se faire trois amies en un temps record. Le temps qu'il fallait pour dévorer à quatre une boîte de brownies.

— Mmm…

Julia lécha ses doigts pleins de chocolat.

— Attends de voir la bibliothèque de Ian, dit-elle à Gwen. Elle est superbe.

— Cullum a fait un boulot fantastique, dit Laura en se versant une troisième tasse de chocolat chaud.

— N'oublie pas que je l'ai aidé à dessiner les plans, lui rappela Julia.

La bouche pleine, elle montra Naomi du doigt.

— Et elle aussi !

— Je n'ai pas fait grand-chose, dit modestement Naomi. Ian savait déjà très bien ce qu'il voulait.

— Il a déjà installé ses livres ? voulut savoir Julia.

— Il le fait aujourd'hui.

— Bien… Et vous deux, comment ça va ?

— Oh, très bien. C'est un ami merveilleux.

— Un ami ?

Laura faillit s'étrangler.

— Ce n'est pas à ça que je pensais, étant donné la façon dont il te regarde… J'avais plutôt l'impression qu'il voulait se jeter sur toi.

Naomi baissa les yeux.

— Il ne pense pas à moi de cette façon.

— Depuis quand ?

Haussant les épaules, Naomi tendit la main vers la chocolatière. Une goutte de plus ne lui ferait pas de mal.

— Il y a pensé, mais c'est fini, répondit-elle.

— Excusez-moi, dit Julia en levant la main. Nous sommes toutes amies, maintenant, n'est-ce pas ?

Sans attendre de réponse, elle hocha la tête.

— Très bien. Dis-moi, Naomi, est-ce que tu perds la tête ?

— Je ne vois pas de quoi tu parles.

— Ian n'a d'yeux que pour toi, ma chérie. Il a plongé, il est gaga de toi. Gwen, tu ne l'as pas vu, mais tu le connais, hein ?

— Je le connais et je l'adore, dit Gwen.

Tendant son pied nu, elle admira ses orteils aux ongles colorés. Impitoyable, Julia continua :

— Bon. En termes médicaux, quel est ton diagnostic pour un patient que tu connais bien, qui passe tout son temps libre avec la même femme, qui parle constamment d'elle dès qu'elle n'est pas avec lui, qui rêve debout, et qui prépare des petits repas pour deux ?

— Hmm. En terminologie médicale, je dirais qu'il est gaga.

Julia se tapota le ventre pour convaincre le bébé de donner des coups de pied moins virulents.

— Au bureau aussi, il rêve éveillé, commenta Laura. Et la semaine dernière, je l'ai entendu dire à sa secrétaire de bloquer tous les appels pour la matinée, sauf s'ils venaient de Mlle Brightstone.

— Complètement gaga, conclut Gwen avec un léger hochement de tête. Un état qui fend le cœur, et qui jusqu'à présent a laissé la science impuissante.

Naomi voulut protester.

— Mais il n'est pas…

Elle fit une pause, partagée entre l'envie de rire et celle de gémir. Elle prit quelques carrés de chocolat à l'orange.

— Il me considère comme sa sœur.

— Il est vraiment très malade, dit Gwen, prenant un air faussement tragique. Si tu veux avoir plus de détails, je serai heureuse de te suggérer un traitement.

— Il m'embrasse sur les joues, marmonna Naomi tandis que son front se plissait lentement. Il me tapote la tête. De temps à autre, il me regarde dans les yeux, et je me dis : « Ça y est, il va se décider. » Mais non, il ne se passe rien. Avant que je lui dise que je n'avais pas encore eu de rapports sexuels, il m'a embrassée à me couper le souffle, mais maintenant…. Oh !

Comme Laura s'étouffait, elle fit une pause. Se tournant vivement vers elle, elle lui tapa dans le dos.

— Ça va ?

— Oh, le pauvre Ian !

Laura éclata de rire, suivie immédiatement par ses deux cousines, qui riaient aux larmes.

Médusée, Naomi se leva et observa ses trois amies.

— Je suis désolée, Naomi, dit Laura en portant ses deux mains à son cœur. Je me doute que ce n'est pas drôle pour toi, ni pour lui, mais nous, nous sommes de sa famille. Nous ne pouvons que rire. Il doit souffrir comme un damné, le pauvre Ian.

Reprenant son souffle, elle fit signe à Gwen de la relayer. Gwen continua :

— Naomi, tu terrifies Ian.

Elle sourit. Comment ne pas se rappeler la façon romantique dont Branson était devenu le premier pour elle ?

Naomi haussa les épaules.

— C'est ridicule.

— Non !

Gwen lui tendit une main amicale.

— Il ne veut pas te bousculer, ce n'est pas son style. Il a trop peur de te choquer, de t'effrayer ou de te blesser. Et si tu l'attires autant que je veux bien le croire, ce ne doit pas être facile pour lui de t'embrasser fraternellement, comme tu dis. Il attend que tu fasses le premier pas, il veut être sûr que ce soit vraiment ce que tu désires.

Eperdue, Naomi regarda les trois visages qui lui souriaient.

— Je croyais qu'il ne s'intéressait plus à moi de cette façon après avoir appris que je n'avais aucune expérience en la matière.

— Ian ne forcerait jamais une femme, dit Laura.

Elle lui pressa doucement la main.

— Et plus c'est important pour lui, plus il est prudent.

— Tu crois vraiment...

Faisant une pause, Naomi sourit aux anges.

Julia adressa un clin d'œil à sa cousine.

— Oh, oh... docteur Maguire, je crois que nous avons un autre cas de gâtisme, dit-elle en se tenant les côtes. Cela pourrait bien provoquer une épidémie !

*
* *

293

Il faisait presque nuit quand Naomi gara sa voiture devant la maison de Ian. Les lumières étaient allumées, comme si elles l'invitaient à entrer. Elle leva les yeux sur celles de la bibliothèque. Ian était-il encore là-haut, en train de ranger ses livres ? Se demandait-il si elle allait lui téléphoner ou passer le voir ?

En avait-il envie ?

Ou sa famille se trompait-elle lamentablement ? Ne la considérait-il pas plutôt comme une amie ?

De plus, il n'était peut-être pas seul.

Quand cette idée s'insinua dans son cerveau, elle s'agrippa au volant. Ian était si attirant, si charmant, si… tout ! Il devait avoir toutes les femmes à ses pieds. Des femmes belles, expérimentées, cultivées.

Pourquoi l'attendrait-il, elle, Naomi Brightstone ?

Secouant la tête, elle tambourina du poing sur le volant. Non, elle devait cesser d'avoir ce genre de pensées ! Cela, c'était bon pour avant, mais maintenant, elle était différente. Elle avait tout fait pour changer. Peut-être avait-elle encore un long chemin à parcourir, mais elle avait fait des progrès. De gros progrès. Elle était raisonnablement attirante quand elle prenait soin d'elle. Elle pouvait tenir une conversation. Et, que diable, elle dirigeait sa propre affaire. Elle avait des employés, et personne ne la voyait comme une personne insignifiante, sans la moindre personnalité.

Trois femmes absolument délicieuses et intelligentes la considéraient maintenant comme leur amie. Elle ferma les yeux. C'était un véritable trésor. Elle se souviendrait toute sa vie de ce fol après-midi.

Et ces trois femmes connaissaient bien Ian, et elles l'aimaient. Pourquoi remettrait-elle en cause leur opinion ?

Et surtout, pourquoi était-elle si lâche et n'allait-elle pas découvrir par elle-même la vérité ?

Elle hocha la tête.

— D'accord, très bien, on y va ! marmonna-t-elle.

Elle respira longuement pour se calmer et se dirigea vers la porte d'un pas mal assuré. Apparemment, sa méthode n'était pas efficace, elle avait absorbé trop de caféine. Prenant son courage à deux mains, elle appuya sur la sonnette.

Ian ouvrit la porte. Il était vêtu d'un jean délavé, d'un vieux sweater Harvard Law, et il était pieds nus. Il lui adressa un sourire de bienvenue qui lui réchauffa aussitôt le cœur.

— Bonsoir ! Je ne croyais pas vous voir ce soir.

— J'aurais dû téléphoner. Mais j'étais chez Julia et…

— Je sais, la « journée entre filles » !

Il lui prit les mains et l'attira à l'intérieur.

— Elles font cela tous les deux ou trois mois. Mais que se passe-t-il dans une telle journée ?

— On se vernit les ongles, on mange du chocolat. On parle des hommes.

— Ah oui ? Et que dites-vous ?

— Oh…. eh bien, puis-je avoir quelque chose à boire ?

— Bien sûr. Pardonnez-moi. Venez, j'ai un peu de vin à la bibliothèque, et je meurs d'impatience de vous montrer ce que j'ai fait.

Il la couvait des yeux. Elle avait les joues roses, les yeux très sombres, et son sweater un peu trop grand lui donnait des démangeaisons aux doigts. Il aurait voulu aller papillonner dessous. Gardant prudemment les mains dans ses poches, il se dirigea vers l'escalier.

— J'y ai passé presque toute la journée. Rien n'aurait pu m'interrompre.

Il s'arrêta à quelques mètres de la porte ouverte.

— Fermez les yeux.

Sans poser de questions, elle obéit. Il serra les poings et dut faire un violent effort pour les desserrer et poser doucement les mains sur ses épaules. Il la guida vers la pièce.

— Nous y sommes. Vous pouvez regarder.

Ouvrant les yeux, elle poussa une exclamation de surprise.

— Oh, Ian, c'est magnifique. C'est extraordinaire !

295

Les yeux brillants, elle inspecta la pièce entière. Toutes les étagères étaient garnies de livres. De vieilles éditions, des ouvrages flambant neufs, des livres à reliure gravée et d'autres aux couvertures un peu mal en point.

— C'est parfait. Et vous avez déjà reçu la petite échelle. J'aime vraiment beaucoup l'ensemble. C'est une réussite !

Elle examina encore tout autour d'elle. Puis, se tournant vers lui, elle lui adressa un sourire radieux.

— Je voulais que vous soyez là, dit-il à voix basse.

Son cœur battait beaucoup trop fort dans sa poitrine. D'une voix un peu rauque, il continua :

— Je voulais voir comment je me sentirais dans cette pièce en votre présence. C'est parfait.

Il enfonça de nouveau ses mains dans ses poches, pour les ressortir quelques secondes après.

— Je vais chercher le vin.

Naomi porta les mains à son cœur. Les laissant retomber, elle réunit tout son courage.

— Ian, voulez-vous coucher avec moi ?

La surprise lui fit verser le vin à côté du verre. Il aspergea son sweat-shirt et se mit à jurer.

— Pardon ? dit-il, médusé.

— Je ne veux pas vous mettre dans une situation pénible. Mais je voudrais savoir si je vous attire encore ou non. Si votre réponse est négative, ce n'est pas grave. Mais si elle est positive, et si vous avez des égards pour moi parce que je n'ai encore jamais connu d'homme, vous pouvez les oublier.

Elle fit une pause pour retrouver son souffle et, pour compenser, elle haussa les épaules. Ian la dévisageait, une bouteille de vin dans une main, un verre à demi plein dans l'autre. Et une large éclaboussure de sauvignon sur son beau sweat-shirt.

7.

Il finit par poser la bouteille.

— Vous ne voulez pas que j'aie des égards pour vous ? dit-il d'un air incrédule.

— Non, pas vraiment.

Il posa le verre près de la bouteille.

— Vous ne voulez pas que je garde mes mains dans mes poches ?

Naomi frissonna de plaisir.

— Non, pas si je vous intéresse encore.

Il resta un instant silencieux. Il avait la gorge sèche comme du parchemin. La femme qu'il désirait le plus au monde venait s'offrir à lui, comme elle ne l'avait jamais fait avec aucun autre homme.

Un sourire retroussa lentement le coin de ses lèvres tandis qu'il se dirigeait vers elle.

— Le témoin est exigé pour répondre à la question. Oui ou non, voulez-vous que je laisse mes mains dans mes poches ?

— Non.

Elle rejeta la tête en arrière pour garder les yeux rivés dans les siens.

— Dieu merci, murmura-t-il dans un souffle.

L'enlaçant, il la souleva presque de terre, et sa bouche vint capturer la sienne en un long baiser. Prise de vertige, Naomi ferma les yeux. Son cœur menaçait d'exploser.

— Est-ce que cela répond à votre question ?

Il glissa ses lèvres sur la gorge tendre qui fit entendre un son rauque.

— Quelle question ?

— Est-ce que je vous veux ? Est-ce que j'ai envie de faire l'amour avec vous ?

Seigneur, elle était délicieuse.

— Au cas où vous n'auriez pas compris ma réponse la première fois, je vais la répéter.

Ses lèvres effleurèrent sa joue avant de se poser, brûlantes, sur sa bouche.

— Vous avez compris maintenant ?

— Oui.

Pour garder l'équilibre, et par plaisir, elle noua les bras autour de son cou.

— Oui, j'ai compris maintenant.

— Vous avez failli me rendre fou pendant toutes ces semaines.

La faisant tournoyer, il l'emmena lentement vers la porte.

— Je…

Naomi ouvrit de grands yeux. Elle avait failli le rendre fou ? C'était aussi agréable que stupéfiant à entendre.

— Vraiment ? dit-elle.

— Le fait d'avoir des égards pour vous me tuait.

— N'aviez-vous pas décidé que nous serions amis ?

— Nous sommes amis.

Il continua à l'emmener, en une danse lente, le long du couloir, jusqu'à sa chambre.

— Je n'en ai eu que plus envie de vous, ajouta-t-il.

— Cela ne m'est jamais arrivé.

Le regardant avec des yeux débordant d'émotion, elle lui caressa la joue.

— Je ne sais pas ce que je dois faire.

— Je vais vous aider, comptez sur moi.

Il tourna la tête et ses lèvres effleurèrent la main posée sur son visage.

— Faites-moi confiance, Naomi, je ne vous ferai aucun mal. Et si vous voulez que je m'arrête, je m'arrêterai.

— Je ne voudrai pas.

Il laissa la lumière allumée. Il aurait préféré qu'il y ait un feu dans la cheminée, et des bougies. Mais il n'était pas capable de la laisser le temps de s'en occuper.

Elle tremblait légèrement, mais ses grands yeux gris-vert restaient rivés aux siens. Il pouvait y lire une confiance absolue. Il se fit un serment silencieux : quels que soient ses propres désirs, il ne trahirait pas cette confiance.

Il lui mordilla doucement les lèvres.

— J'aime votre bouche.

Il prit sa lèvre supérieure entre ses dents.

— Elle est si sexy.

Etonnée, elle cligna des paupières. Il se mit à rire.

— Surprise, hein ? J'ai si souvent rêvé de mordiller vos lèvres.

Ce qu'il fit, jusqu'à ce que le volcan de désir qui grondait en elle menace d'entrer en éruption. Avec un petit cri étouffé, elle jeta ses bras autour de lui, et sa bouche devint frénétique.

Il prit une profonde inspiration. Son sang bouillonnait dans ses veines, battait à ses tempes. Il devait se maîtriser.

Même si la réaction de Naomi ressemblait à un rêve érotique, il ne devait pas oublier qu'aucun homme ne l'avait encore touchée.

Et il lui avait donné sa parole.

Adoucissant son baiser, il commença à dénouer la longue tresse qui retenait sagement ses cheveux. Il voulait prendre sa chevelure luxuriante à pleines mains et s'en envelopper. Sa texture et son parfum l'exaltaient. La coiffant du bout des doigts, il fit un pas en arrière. Puis, dardant sur elle un regard brûlant, il releva doucement son sweater.

Naomi posa instinctivement les mains sur ses seins, mais il les prit dans les siennes. Haletante, elle sentit de petits frissons parcourir sa peau tandis qu'il la parcourait d'un regard extasié.

Lâchant ses mains, il passa un doigt léger sur le renflement moelleux, au-dessus du soutien-gorge. Elle serra ses mains et s'ordonna aussitôt de se détendre. Elle devait être assez courageuse pour faire ce qu'elle avait envie de faire. Elle prit une inspiration un peu tremblotante et, à son tour, lui souleva son sweat-shirt.

— Seigneur !

Dieu, il était magnifique ! Des muscles effilés, une peau hâlée et soyeuse. Sans réfléchir, elle effleura son torse du bout des doigts. Elle le sentit tressaillir et écarta ses mains.

Avec un rire tendu, il les prit dans les siennes et les ramena sur sa poitrine.

— Enlevez vos chaussures, murmura-t-il.

Elle hocha vaguement la tête. Elle sentait sous ses doigts son cœur qui battait la chamade. Et son torse était si… dur.

— Mes chaussures…

— Enlevez-les.

— Mmm.

Fascinée, elle écarta les doigts tout en ôtant ses chaussures. Et elle eut un sursaut quand il déboutonna son pantalon.

— Détendez-vous, murmura-t-il en approchant sa bouche de la sienne.

Il l'embrassa tandis que son pantalon glissait sur ses hanches. Pendant que sa bouche continuait à jouer avec ses lèvres, il la souleva et la déposa sur le lit.

Naomi émit un petit râle. La chaleur de ce corps d'athlète sur le sien contrastait avec la fraîcheur du drap sous elle. Son cœur bondit quand il fit lentement glisser ses mains sur ses flancs. Elle frissonna, subjuguée de désir. Les paumes et les lèvres de Ian la faisaient dériver dans un monde inconnu, fascinant.

Ian l'observait. Il n'avait jamais été aussi prévenant avec une femme. Il n'avait jamais non plus éprouvé le besoin de tant donner. Il voulait l'éveiller à ses propres désirs. C'était plus facile qu'il ne l'avait cru de tempérer le feu qui brûlait en lui.

Les yeux fermés, elle respirait profondément. Mais il sentait son cœur battre violemment sous ses lèvres. Le lent gémissement qu'elle fit entendre quand il détacha son soutien-gorge le bouleversa.

Ses hanches s'arquèrent instinctivement pendant qu'il lui titillait le bout des seins. Il observa le plaisir mêlé d'étonnement sur son visage, ses cils qui papillonnaient. Bientôt, ses paupières se relevèrent sur des yeux brillants de désir.

Elle prit une inspiration.

— Que devrais-je faire ? murmura-t-elle sans cesser de faire courir ses mains sur son dos.

— Détendez-vous.

Il approcha sa bouche de ses seins, leur infligea une douce torture du bout de la langue. N'en pouvant plus, elle l'attira contre elle.

Avec de brefs effleurements des doigts, il commença à la rendre folle. Tendue comme un arc, elle haletait. Il fit glisser lentement ses mains plus bas, toujours plus bas en caressant des lèvres ses épaules et ses seins. Sa paume longea le contour de ses cuisses. Il la prit tendrement dans ses bras, lui laissant le temps de s'habituer à cette nouvelle intimité.

Dans un râle, elle murmura son nom, tandis qu'elle sentait son corps sur le point d'exploser.

Devant sa réaction, Ian dut faire un violent effort pour se maîtriser. Prenant une longue inspiration, il enfouit son visage dans ses cheveux défaits.

Naomi sentait son corps dériver, elle avait le souffle court. Rien ne l'avait préparée à affronter ce choc sublime, cette vague de fond de plaisir brûlant. Délirante, elle tourna la tête vers lui, chercha sa bouche.

Il avait la peau moite. Elle adorait cette sensation. Elle voulait en connaître d'autres, de plus en plus fortes. Elle fit courir ses lèvres sur les puissantes épaules et le cou de Ian, tandis que ses hanches se soulevaient, se pressaient contre lui.

Son corps ressemblait à un orage prêt à éclater, son esprit à une tornade.

Le sang battant follement dans ses veines, Ian lutta plus que jamais pour se contrôler. Il enleva lentement son jean. Il voulait la noyer dans le plaisir, la faire vibrer.

Tandis qu'elle tendait un corps hurlant son impatience vers le sien, et qu'un gémissement s'échappait de sa gorge, il agrippa ses hanches et se glissa en elle. La résistance de sa virginité le fit frissonner. Prenant sa bouche, il avala le cri bref qu'elle poussa.

Et il la fit sienne.

Il la garda encore palpitante dans ses bras, lui caressant les cheveux, attendant de retrouver son propre équilibre.

— Tu vas bien ? lui demanda-t-il d'une voix douce.

— Mmm.

Elle ne put rien répondre d'autre. Il sourit.

— Comment te sens-tu ? questionna-t-il une minute plus tard.

— Légère, un peu ivre.

Elle soupira.

— Et incroyablement détendue. J'étais sûre que je serais gênée, après. Est-ce que j'ai fait tout ce qu'il fallait ?

Elle avait la voix ensommeillée.

Il leva un sourcil amusé.

— Non, tu m'as beaucoup déçu. J'ai bien peur d'être obligé de te prier de partir.

Relevant vivement la tête, elle posa sur lui des yeux épouvantés. Elle cligna des paupières en le voyant sourire malicieusement.

— Je ferai certainement mieux quand j'aurai de l'expérience.

— Hmm. Je te donnerai d'autres leçons, ma belle Naomi.

Prenant son visage entre les mains, il posa un baiser sur ses lèvres.

— Tu veux boire du vin ?

— Tout ce que tu veux.

Elle soupira. Elle n'en avait pas spécialement envie, mais peut-être le vin l'aiderait-il à se remettre du long frisson qu'elle avait éprouvé quand il l'avait appelée « ma belle Naomi ».

Il sortit du lit et traversa la chambre sans prendre la peine de s'habiller. Elle fit semblant de ne pas le regarder. Dès qu'il fut sorti, elle posa une main sur son cœur. C'était stupéfiant. Comment avait-elle pu susciter l'intérêt d'un homme comme lui, qui combinait la beauté physique — il avait l'allure d'un dieu — à une profonde gentillesse ?

Elle se retourna dans le lit. Inutile de se poser ce genre de question. Prenant brusquement conscience qu'elle était aussi nue que lui, elle tira le drap sur elle au moment même où il revenait.

S'immobilisant un instant, il secoua la tête.

— Comment se fait-il que personne ne t'ait dévorée avant moi ? interrogea-t-il d'un air incrédule.

Elle rougit, ce qui ne fit qu'accroître son charme à la fois enfantin et terriblement sexy.

— Personne n'a vraiment essayé.

En riant, il apporta le vin et les verres près du lit.

— Sérieusement, tu n'as pas dû y faire attention.

— J'ai toujours été mal à l'aise avec les garçons. Les hommes, les mâles.

Comme elle commençait à se sentir de nouveau embarrassée, elle prit le verre qu'il lui tendait.

— Chérie, permets-moi de te dire que ce sont plutôt les hommes qui t'ont connue qui devaient être gênés, si aucun d'eux n'est arrivé à t'approcher.

Du bout des doigts, il tira légèrement le drap qu'elle avait remonté jusqu'à ses seins.

— Tu as un corps magnifique.

— J'ai toujours rêvé d'être grande et mince.

Elle sirota un peu de vin.

— Je me suis développée très jeune. C'était très pénible.

— Pourquoi ?

— Oh... je suppose qu'il n'y a que les filles capables de comprendre ce que c'est qu'être adolescente et d'avoir soudain...

— De superbes seins, termina-t-il en souriant. Mais les garçons aiment les seins, Naomi. Nous les considérons comme un des plus beaux miracles de la nature.

Elle se mit à rire.

— J'ai passé des années à essayer de les dissimuler.

— Et tu continues.

Il fit glisser le drap jusqu'à sa taille. Comme elle se mettait à bafouiller, il eut un sourire ravi.

— C'est beaucoup mieux ainsi. Comment trouves-tu le vin ?

— Très bon.

Résolument, elle tira de nouveau le drap sur elle. Elle ne pouvait tout de même pas rester dans son plus simple appareil en sirotant un verre de vin.

— Je suis désolée pour ton sweat-shirt. Tu devrais pouvoir faire partir la plupart des taches si tu le mets tout de suite dans la lessive.

Il secoua la tête.

— Je veux les garder. Elles me rappelleront la nuit la plus fabuleuse de mon existence.

Elle rit.

— Comment peux-tu t'intéresser à moi ?

Elle se mordit l'intérieur des joues. Pourquoi avait-elle posé cette question stupide ? Mais Ian l'examina longuement avant de répondre :

— Tu as des seins magnifiques.

304

Indignée, elle ouvrit la bouche pour protester. Mais elle éclata de rire en voyant la lueur espiègle dans ses yeux.

— J'ai de la chance.

Il lui caressa tendrement les épaules, la gorge, et s'empara de nouveau du drap.

— Quand tu auras fini ton vin, je crois que nous devrions entamer une nouvelle séance pratique.

— Oh !

Il la désirait encore. La vie était soudain pleine de miracles. Dardant son regard émeraude sur lui, elle dit :

— Très bien. Mais cette fois, je préférerais que nous le fassions à la bibliothèque.

Ce fut à son tour de lire la surprise dans ses yeux. Elle ajouta malicieusement :

— Je fais cela très bien au milieu des livres.

Il planta un regard de flamme dans le sien.

— Naomi ?

— Oui ?

— Finis ton vin.

Elle dut d'abord avaler sa salive. Puis, rejetant la tête en arrière, elle vida son verre d'un seul trait.

— Terminé ! annonça-t-elle.

C'était merveilleux d'être étendu dans l'obscurité, avec Naomi lovée contre lui. Si seulement cela pouvait être toujours ainsi. Elle s'était glissée dans sa vie naturellement, et elle y avait désormais sa place.

Il soupira de bien-être. Il s'imaginait avec elle dans le grand lit de sa vieille maison, année après année. Les enfants dormiraient dans la chambre d'en face, et un chien ronflerait sur le tapis du couloir.

Ils seraient très occupés, avec leur carrière respective et leurs enfants à élever, mais ils réussiraient.

Ses parents y étaient bien arrivés avec brio. Ce lien qui les unissait, il aurait voulu le créer avec Naomi.

Il n'avait qu'une chose à faire : prendre son temps, avancer pas à pas. En faisant attention à elle, il avait gagné sa confiance. Il lui avait laissé le temps de s'habituer à l'idée d'une intimité physique entre eux. Et elle était venue vers lui non seulement consentante, mais avide.

D'une avidité qui le mettait encore dans tous ses états.

Il lui laisserait quelques semaines, puis il la persuaderait de s'installer chez lui. Surtout, ne pas brûler les étapes, ne pas l'effaroucher. Il pouvait contrôler sa propre impatience, ses besoins, quand cela en valait vraiment la peine.

Oui, il lui laisserait le temps.

Ensuite, ils auraient toute une vie à vivre ensemble.

8.

Raccrochant le téléphone, Ian secoua la tête. Son grand-père n'avait cessé de l'appeler, ces derniers jours, pour qu'il aille les voir à Hyannis Port.

Il soupira. Il fallait vraiment qu'il prenne le temps de leur rendre visite. Ce serait fabuleux d'aller y passer un week-end avec Naomi.

Mais…

Il était prêt à parier que si Daniel MacGregor trouvait Naomi à son goût, il allait se mêler une fois de plus de ce qui ne le regardait pas. Il allait faire des allusions très peu subtiles au mariage, aux devoirs des enfants de fonder un foyer. Il allait lui rabâcher sur tous les tons qu'à son âge, il devait penser à pérenniser la lignée des MacGregor.

Il sourit. Son grand-père ne devait pas imaginer un seul instant que c'était exactement ce qu'il avait en tête.

Et rien ne le ferait changer d'avis.

Un coup frappé à la porte le tira de sa rêverie. Sa mère entra. Il admira sa taille élancée, ses cheveux bruns rejetés en arrière, son visage altier.

— Tu as beaucoup de travail ? s'enquit-elle.

— Pas trop.

Elle posa une pile de dossiers sur son bureau.

— Eh bien, maintenant, tu en as !

— J'espère que ce n'est pas l'affaire Perinsky ? dit-il d'un air affolé.

307

Diana lui adressa un sourire.

— Tu as tapé dans le mille. Cette fois-ci, Mme Perinsky a décidé de faire un procès au supermarché qui est près de chez elle parce qu'il ne lui a pas livré son thé favori. Elle prétend qu'il a violé ses droits civiques.

Ian feuilleta l'épais dossier alimenté par les lettres incessantes que Mme Perinsky aimait adresser au tribunal. Il soupira. Quelle vieille chouette ! Elle n'avait donc rien d'autre à faire ? Mais il ne put s'empêcher d'éprouver un élan d'affection pour la vieille dame.

— Laura s'en tire beaucoup mieux avec elle, dit-il en jetant sur sa mère un regard plein d'espoir.

— Peut-être, mais la cliente préfère avoir affaire à toi.

En riant, elle s'assit sur le bord du bureau.

— Je crois qu'elle a un faible pour toi, mon chéri.

— Dommage qu'elle ait au moins cent cinquante ans.

— Et qu'elle n'ait pas oublié le plaisir d'avoir un beau jeune homme à sa disposition. Je sais que c'est pénible, Ian, mais c'est une très vieille cliente. Tu n'étais pas encore né quand elle est venue chez nous pour la première fois.

— Toi non plus, marmonna-t-il.

Diana éclata de rire.

— Presque. Quoi qu'il en soit, elle est très seule, et elle a besoin que l'on s'intéresse à elle. Prête-lui un peu d'attention, tu fais cela très bien. Elle va t'offrir quelques cookies, et tu vas la convaincre d'abandonner ce procès contre son épicier.

— Je peux essayer. Mais tu me revaudras cela.

— Est-ce qu'un plat mijoté à la maison rétablirait la balance ?

Souriant, il fit mine de réfléchir.

— Peut-être qu'un pot-au-feu ferait l'affaire.

— Je crois que nous pouvons arranger cela. Pour dimanche ?

Il hocha la tête.

— Ce sera parfait si tu peux ajouter un couvert.

— Pour Naomi ?

— Oui.

Ian observa sa mère. Ils n'en avaient jamais vraiment parlé.

— Tu es d'accord ?

— Je l'aime beaucoup.

— Et moi, je l'aime.

— Oh !

Diana eut les larmes aux yeux.

— Je suis désolée !

— Attends !

Alarmé, il se leva pour fermer la porte, puis il se rua vers sa mère et la prit par les épaules.

— Qu'y a-t-il, maman ? Je croyais que tu l'aimais bien.

— Oui, naturellement.

Diana agita la main et la tendit vers lui. Elle lui caressa la joue.

— Mais tu es resté mon bébé.

Se redressant, elle posa sa joue contre la sienne. Elle soupira. Cet instant lui rappelait tant de choses.

— Mon bébé, murmura-t-elle. Ian, je suis si heureuse pour toi !

— Tu m'as fait peur !

— Pardonne-moi.

Elle eut un petit rire et s'éloigna de lui.

— Il y a une place dans mon cœur où tu seras toujours mon petit garçon. Et une autre, où je suis incroyablement fière de l'homme que tu es devenu.

Il la prit tendrement dans ses bras.

— Maman, tu vas bientôt me faire pleurer.

Lui enlaçant possessivement la taille, elle prit une profonde inspiration et poussa un grand soupir.

— Je sais qu'il y a eu d'autres filles, d'autres femmes.

— Moi ? Des filles ? Des femmes ? Je me demande où tu es allée chercher de telles idées, protesta-t-il.

Elle se mit à rire.

— C'est peut-être à force de les avoir vues s'agglutiner à la maison, ou de les avoir entendues répondre au téléphone quand je t'appelais au lycée. Mais…

Faisant une pause, elle prit son visage entre ses mains.

— C'est la première fois que tu me dis que tu aimes quelqu'un. Alors je sais que c'est la vérité.

— Oui, c'est la vérité.

— Elle a beaucoup de chance.

Diana déposa un baiser léger sur son front.

— Et je dis cela sans la moindre idée préconçue.

— Alors tu pourrais peut-être en profiter pour faire quelques commentaires sur ton fils exceptionnel, quand elle viendra dîner à la maison.

Elle hocha la tête en souriant.

— Cela ne me paraît pas impossible.

— Avec subtilité, bien sûr. Elle est très timide et je ne veux pas lui faire peur.

Surprise, Diana releva les sourcils.

— Tu ne lui as pas dit ce que tu éprouvais pour elle ?

— J'y pense. C'est dans mes projets.

— Ian, si j'ai une critique à faire à ton sujet, c'est que tu prends un peu trop de précautions. A moins que…

Elle lui jeta un regard brillant.

— A moins que tu ne « complotes », à la Daniel MacGregor !

— C'est bon pour lui, dit joyeusement Ian. Et je vois d'ici sa réaction quand je vais lui présenter la femme que je veux épouser. Il va en faire une jaunisse de n'avoir pas eu le temps de jouer les entremetteurs.

Diana fit une petite moue pour s'empêcher de rire. Daniel avait confié à Ian une longue liste de livres à acheter, alors qu'il aurait aussi bien pu passer la commande par téléphone. Mais à quoi bon en parler à son Ian ? Il valait mieux que son bébé garde ses illusions.

Naomi tenait à disposer elle-même sur la table de présentation les exemplaires du dernier thriller de Branson Maguire. Elle avait toujours apprécié son œuvre, mais elle lui témoignait maintenant un intérêt personnel. N'était-elle pas devenue l'amie de sa femme et de sa famille ? Elle avait même pris ses filles sur ses genoux.

Interrompant un instant son travail, elle sourit. Elles étaient absolument adorables. Aussi délicieuses que les fils de Laura. Sans parler de Travis. Elle avait une tendresse spéciale pour le fils de Julia. Il débordait d'énergie.

Posant un exemplaire de *Tueur en fuite* sur une pile déjà impressionnante, elle sourit. Elle avait toujours été très à l'aise avec les enfants. Elle aimait leur univers. L'une de ses premières tâches d'adulte, dans la librairie familiale, avait consisté à créer le coin jeunesse et les séances de lectures hebdomadaires.

Cependant, elle n'était jamais allée jusqu'à penser à ceux qu'elle pourrait avoir. Mais maintenant, elle pouvait se le permettre.

Si elle ne se comportait pas comme une bécasse, Ian pouvait tomber amoureux d'elle. Ce n'était pas impossible, plus rien ne l'était désormais. Il la désirait, et il avait des sentiments pour elle, elle le savait. Il n'y avait aucune raison que ces sentiments ne deviennent pas de l'amour.

Un amour profond, émouvant et brûlant, comme celui qu'elle éprouvait pour lui.

Un jour, il prendrait son visage entre ses mains, comme il le faisait parfois, il la regarderait droit dans les yeux, et il lui dirait : « Je t'aime, Naomi. »

— Naomi ?

Une petite tape sur son épaule la fit redescendre sur terre. Elle se retourna et regarda Julia d'un air éberlué.

— Tu as fait bon voyage ? interrogea la jeune femme.

— Oh !

Elle se mit à rire et secoua la tête pour s'éclaircir les idées.

— Je rêvassais, Julia. Mais tu ne devrais pas sortir seule en voiture alors que tu es près d'accoucher d'une minute à l'autre.

Julia leva les yeux au ciel.

— Seigneur, j'ai l'impression d'entendre Cullum. Et tu seras certainement ravie d'apprendre qu'il est en train de se garer. Il m'a laissée devant la porte, et je me suis dandinée jusqu'ici. Je ne peux pas me déplacer autrement en ce moment.

— Si tu voulais un livre, tu aurais pu téléphoner, je te l'aurais apporté.

Touchée, Julia sourit et son regard s'adoucit.

— Je sais. Tu es absolument adorable, Naomi. Mais j'avais envie de sortir un peu. J'étais énervée. Et Cullum commençait à devenir fou à cause de moi. Il a eu la brillante idée de me calmer avec un moka au chocolat.

Naomi se mit à rire.

— Allons au Café. Je vais en commander un.

Julia jeta un coup d'œil sur la tour de livres qui dominait la table.

— C'est magnifique. La file de lecteurs pour la signature va faire le tour de l'immeuble.

Prenant Julia par le bras, Naomi jeta un coup d'œil sur l'édifice de livres qu'elle avait presque terminé.

— J'y compte bien. Est-ce que tu l'as déjà lu ?

Julia secoua la tête.

— Non, en ce moment, je n'arrive pas à me concentrer assez pour lire. C'était la même chose quand j'attendais Travis. Mais j'ai pensé à glisser le livre de Branson dans mon sac pour mon séjour à la clinique. Tout de suite après l'accouchement, je suis capable de me mettre en boule comme un chat pendant des heures.

— Tu vas aimer ce bouquin, j'en suis sûre. Il procure beaucoup d'émotions.

— Je devrais en choisir deux ou trois autres, pendant que j'y suis.

312

Portant une main à son dos, Julia fronça les sourcils. Non, décidément, elle n'en aurait pas le courage aujourd'hui.

— Je ne suis pas d'humeur à faire des achats, quels qu'ils soient, avoua-t-elle.

— Veux-tu que je t'en choisisse quelques-uns ? proposa Naomi.

— Si tu as le temps, ce serait formidable.

Brusquement, elle s'appuya lourdement contre une étagère et posa ses deux mains sur son ventre.

— Waououo…

— Il donne des coups de pied ? Veux-tu t'asseoir ? interrogea Naomi, un peu affolée.

— Non, je crois qu'il veut sortir. Je comprends mieux pourquoi je me suis sentie bizarre toute la journée.

— Il veut sortir ?

Julia ne répondit pas. Elle haletait. La gorge nouée par la panique, Naomi continua :

— Il veut sortir m… maintenant ?

— Pas à la seconde, articula péniblement Julia.

Elle prit une longue inspiration pour se détendre. Elle ne s'était pas attendue à avoir des contractions aussi violentes. Pour Travis, elles avaient commencé doucement, puis elles étaient progressivement devenues plus fortes. Se redressant à demi, elle marmonna :

— Je crois qu'il ne va pas tarder. Dommage, c'est fichu pour le moka.

— Il faut que tu t'assoies, insista Naomi.

Elle chercha désespérément du regard l'aire de repos la plus proche.

— Là ! Viens t'asseoir et attends tranquillement.

Elle l'accompagna jusqu'aux chaises.

— Je vais chercher Cullum.

— Bonne idée.

Julia se laissa tomber dans un fauteuil.

— Naomi ! Dis-lui de se dépêcher. Je crois que le bébé est impatient d'arriver.

Deux heures plus tard, Naomi faisait les cent pas dans la salle d'attente de l'hôpital remplie de MacGregor. Elle leur jeta un coup d'œil étonné. Comment faisaient-ils pour rester si calmes ? Comment pouvaient-ils rester tranquillement assis à rire, bavarder, se raconter des histoires de famille ?

En ce qui la concernait, elle avait l'estomac complètement noué et les mains moites.

La mère de Ian discutait joyeusement au téléphone avec l'ancien Président et l'ancienne Première Dame des Etats-Unis. En route pour Boston, les parents de Julia prenaient régulièrement des nouvelles de leur fille par téléphone.

Téléphonant de son côté, Caine riait en parlant aux futurs arrière-grands-parents.

Naomi jeta un coup d'œil dans le couloir. Ian était introuvable.

Voyant sortir Gwen de la salle d'accouchement, elle se précipita, sans penser un seul instant qu'elle ne faisait pas partie de la famille.

— Comment va-t-elle ? Est-ce que le bébé arrive ?

Un chapelet de jurons se fit entendre de l'autre côté de la porte. Elle ouvrit de grands yeux interrogateurs.

— Ne me dis pas comment je dois respirer, Murdoch, tête de mule. Je sais comment je dois respirer !

Gloussant de rire, Gwen tapota les joues livides de Naomi.

— Ne t'inquiète pas, elle s'en tire très bien. Le bébé se présente bien, il n'y aura aucune complication.

Posant une main sur l'épaule de Naomi, elle sourit aux visages qui les regardaient dans la salle d'attente.

— J'y retourne. Elle est prête à se mettre à pousser.

Au téléphone, Diana s'écria :

— Shelby, as-tu entendu ?

Elle eut un petit rire cristallin.

— Non, je reste au téléphone. Elle est près d'accoucher. Oui, je sais. Gwen lui dira que tu l'aimes.

— Je n'y manquerai pas, promit Gwen.

Elle sortit dans le couloir et se trouva nez à nez avec Ian.

— Est-ce que j'ai raté la naissance ? demanda-t-il, essoufflé.

Il avait couru depuis le parking et grimpé l'escalier quatre à quatre. Les ascenseurs étaient bien trop lents pour le satisfaire.

— Tu as failli.

En souriant, Gwen ouvrit la porte de la maternité. Julia donnait encore de la voix.

— Ne me dites pas que je ne dois pas pousser tout de suite, espèce de crétin sadique ! Vous êtes renvoyé !

Amusée, Gwen commenta :

— C'est la troisième fois qu'elle veut renvoyer l'obstétricien. C'est moins que pour Travis. Elle l'avait envoyé au diable cinq fois.

Avec un sourire radieux, Gwen entra et referma la porte derrière elle.

Naomi se tordit les mains.

— Elle doit souffrir. Elle doit être terrifiée.

— Terrifiée ? Julia ? Ce serait bien la première fois ! dit Ian en riant.

Elle se retourna si brusquement que Ian recula.

— Comment peux-tu le savoir ?

Toute la famille MacGregor la regarda d'un air surpris.

— Tu n'étais même pas là ? Où étais-tu passé ? dit-elle encore.

— J'étais piégé chez une vieille dame capricieuse, qui m'a gavé de cookies un peu rances. J'ai réussi à partir dès que j'ai eu le message.

Il posa la main sur son bras.

— Veux-tu un verre d'eau, Naomi ? Tu es très pâle.

— Non, je ne veux pas de verre d'eau.

Rejetant sa main, elle s'éloigna dans le couloir. En revenant dans la salle d'attente, elle refréna l'envie de faire demi-tour. La plupart des visages tendus vers elle affichaient un sourire ravi.

Elle rougit et se mit à bégayer.

— Je… je suis désolée. Je suis vraiment… vraiment désolée. Je n'ai jamais connu ce genre de situation. Je me sens très nerveuse. Pourquoi suis-je la seule à être nerveuse ?

Ian la prit par le coude.

— Nous y sommes passablement habitués. Cela fait plusieurs années que cet événement se répète régulièrement dans la famille. Mais tu devrais t'asseoir, proposa-t-il en la prenant par le coude.

— Non.

Elle respira lentement en comptant jusqu'à dix. Puis, le regardant dans les yeux, elle répéta :

— Je suis désolée, je n'aurais pas dû te parler sur ce ton désagréable.

— Tu as le droit d'être désagréable quand tu en éprouves le besoin.

Lui passant un bras autour des épaules, il la conduisit vers une chaise libre.

— J'ai téléphoné à la librairie quand j'ai reçu le message au sujet de Julia. Je voulais savoir où elle en était. Ton assistante m'a expliqué.

Naomi finit par s'asseoir. Elle se força à rester tranquille, mais elle ne tint bon que quelques minutes.

— Crois-tu qu'il y en ait encore pour longtemps ? demanda-t-elle d'une voix anxieuse.

— C'est difficile à dire. Quand Travis est né, j'ai eu l'impression que ça prenait au moins dix ans.

— Quatorze heures, corrigea Laura. Trois heures de moins qu'il m'en a fallu pour mon premier enfant, et une heure de plus que pour le second.

Ian hocha la tête. Il comprenait la nervosité de Naomi. Ne s'était-il pas senti aussi tendu et angoissé quand Laura avait mis au monde son premier bébé ?

— En tout cas, cela m'a paru une éternité, dit-il.

Il jeta un coup d'œil circulaire dans la pièce.

— Où est Branson ?

— Il garde tous les enfants de la famille. On a tiré à la courte paille, répondit Caine en souriant. Il nous a demandé de prier pour lui !

Il alla chercher une tasse de thé qu'il tendit à Naomi.

— Merci !

N'osant pas lui dire qu'elle ne voulait rien, elle sirota son thé en écoutant les bavardages et les rires. Quand elle eut terminé sa tasse, elle se détendit. La boisson lui avait calmé l'estomac, et les nerfs.

Gwen fit son apparition sur le seuil de la salle d'attente. Elle avait le visage luisant de sueur, et débordant de joie.

— Mesdames et messieurs, j'ai le bonheur de vous annoncer la naissance de Fiona Joy Murdoch. Elle a fait son apparition dans ce monde à 16 h 43 précises, elle pèse quatre kilos. La mère, le père et la fille se portent comme des charmes.

Brusquement, elle se mit à pleurer.

— Fiona est absolument adorable.

Tout le monde commença à parler en même temps, à se congratuler, à rire et à pleurer. Naomi se retrouva dans un véritable tourbillon. Les femmes l'embrassèrent, le père de Ian lui offrit un cigare, qu'elle regarda comme s'il s'agissait d'une curiosité. Quand Ian put enfin l'approcher, il la prit dans ses bras et la souleva de terre.

— N'est-ce pas merveilleux, Naomi ? murmura-t-il en la faisant tournoyer.

9.

C'était la famille la plus extraordinaire que l'on pouvait imaginer. Et ils l'avaient accueillie comme si elle en faisait partie. Elle avait partagé avec eux un de leurs moments les plus merveilleux.

Naomi poussa un petit soupir ému. Elle avait vu le bébé à travers la vitre. La petite Fiona était dans les bras de Cullum. Et quand Caine avait annoncé qu'ils sortaient tous pour aller fêter l'événement, elle n'avait pas eu le temps de réfléchir ou d'hésiter. Ils l'avaient emmenée avec elle.

Personne ne l'avait considérée comme une étrangère, comme quelqu'un n'appartenant pas à la famille.

Ils avaient tous l'esprit ouvert, et ils étaient pleins d'amour, de générosité et d'une grande franchise. Elle secoua la tête. Elle n'avait pas été vraiment franche avec Ian.

Mais quand elle avait accepté d'aller chez lui, ce soir, elle était prête à l'être.

— Il y aura une autre vague de famille demain, annonça-t-il pendant qu'il ouvrait la porte. Tu peux compter là-dessus. Et d'après toi, qui ouvrira le cortège ? Le vieux MacGregor lui-même. Il commencera par fanfaronner, puis il essuiera une larme en contemplant le bébé. Et quand D.C. et Layna arriveront, il ne les lâchera pas tant qu'ils ne lui auront pas dit pourquoi ils n'en ont pas encore fait un.

L'examinant intensément, il fit une pause. Il valait mieux la prévenir tout de suite, pour qu'elle sache ce qui se passerait ensuite.

— Et après, ce sera ton tour.

— Mon tour ?

Horriblement nerveuse, elle arpenta le salon, remit en place des coussins qui n'en avaient nul besoin.

Ian hocha la tête.

— Je l'entends d'ici : « Pourquoi une jeune beauté comme vous n'est-elle pas encore mariée ? Est-ce que vous n'aimez pas les bébés ? Si vous les aimez, qu'attendez-vous pour en faire ? »

Il arrosa son discours avec un verre de whisky écossais.

Il espérait qu'elle allait sourire, mais elle était plus sérieuse que jamais.

— Ian, ce n'est pas bien. Ni pour toi, ni pour ta famille. Vous êtes tous si gentils avec moi.

Il la regarda avec des yeux arrondis de surprise.

— Qu'est-ce qui n'est pas bien ?

— Je n'ai pas été franche avec toi. Tu ne me connais même pas.

Poussant un soupir à fendre l'âme, elle ouvrit les bras en un geste d'impuissance et les laissa retomber.

— Je n'aurais jamais dû te laisser croire que j'étais comme cela. Je fais de mon mieux pour le devenir, mais j'en suis encore loin, et c'est injuste pour toi.

De plus en plus stupéfait, Ian posa son verre et s'avança vers elle. Il la prit par les épaules.

— Naomi, je ne comprends pas un traître mot de ce que tu me racontes.

— Je n'ai fait que changer la surface. Il y a deux ans, tu ne m'aurais même pas regardée. Pourquoi l'aurais-tu fait ? Personne ne me regardait. J'étais horrible. Je faisais tout pour grossir parce que c'était plus facile de manger que d'accepter de ne jamais être comme ma mère, quels que soient les efforts que je pouvais déployer.

— Comme ta mère ? répéta-t-il, médusé.

Une passion inattendue vibrait maintenant dans la voix de Naomi.

— Oui, comme elle : mince, belle, féminine jusqu'au bout des ongles. Je savais que je ne pourrais jamais être comme elle... Alors je mangeais et je me cachais entre les étagères de la librairie.

— Naomi, il y a un tas d'adolescents qui passent par une phase boulimique.

— Ce n'était pas une phase. C'était une condition, et un symptôme de ce que j'étais à l'intérieur. J'étais fade, mal fagotée, maladroite. Un jour, j'ai commencé à détester la façon dont je me traitais et j'ai essayé de changer. J'ai voulu voir ce qu'il y avait réellement au fond de moi, et apprendre à l'aimer.

— Et tu y es arrivée. Tu n'es ni fade, ni mal fagotée.

— Mais si !

Elle le repoussa impatiemment.

— Le matin, je ne sais toujours pas quoi me mettre sur le dos. Je suis obligée d'ouvrir mon ordinateur.

— Ton ordinateur ?

Naomi hocha la tête. C'était mortifiant d'en être réduite à tout lui raconter.

— Toute ma garde-robe est enregistrée dans mon ordinateur, avec les accessoires, les chaussures, et le rouge à lèvres appropriés pour chaque tenue. J'ai un autre dossier dans lequel je note ce que j'ai porté à telle ou telle date, et dans telle ou telle circonstance, pour ne pas mettre la même robe trop souvent.

Ian n'en revenait pas. La dévorant des yeux, il inclina la tête sur le côté.

— Vraiment ? C'est génial.

— Génial ? Ridicule, plutôt. Une femme normale n'a pas besoin de faire un tel cirque. Elle ouvre la porte de sa penderie, et elle en sort ce qu'elle a envie de porter. La semaine dernière, nous avons eu une panne d'électricité, et je n'ai pas pu allumer mon ordinateur. J'ai failli avoir une crise de nerfs tellement j'ai paniqué.

Elle poussa un profond soupir.

— C'est pathétique, conclut-elle.

— Tu es fabuleuse, je ne crois pas que tu aies besoin de t'in-quiéter.

— Tu ne peux pas comprendre. Tu es beau, tu as grandi en le sachant, en étant sûr de toi. Mes parents sont des gens étourdissants, et mon frère ressemble à une vedette de cinéma. Et moi, au milieu…

— Naomi.

Il lui prit la main.

— Tu es très belle, Naomi.

— Non. Je sais que je peux être présentable si je fais attention, et j'en suis satisfaite. Je peux même affirmer que j'en suis très heureuse. Je pense qu'à force de pratique, ce sera de plus en plus simple.

— Comment peux-tu croire à ces bêtises ?

Partagé entre l'amusement et l'agacement, il l'attira dans le couloir et la fit pivoter sur ses talons pour qu'elle se trouve face au miroir accroché au mur.

— Qu'est-ce que tu vois là ?

— Toi.

Son cœur tambourina dans sa poitrine.

— Je ne vois que toi. Personne ne voulait de moi avant toi.

Ian resta interdit. Pour la première fois, la signification réelle de ces paroles pénétrait dans son cerveau. Il eut un sentiment de culpabilité. Naomi continua :

— Je n'ai jamais rien éprouvé de tel avec quelqu'un d'autre. Toute ma vie, je me suis sentie à l'arrière-plan, et je ne croyais pas que quelqu'un s'intéresserait assez à moi pour me laisser marcher à son côté.

— Naomi.

— Laisse-moi finir.

Rassemblant tout son courage, elle se retourna pour affronter Ian. C'était terrifiant, mais elle devait aller jusqu'à bout.

— Je ne veux pas que tu continues à croire que je suis celle que je ne suis pas. Une part de moi est restée la fille maladroite qui a eu exactement deux rendez-vous au lycée, pas un de plus, et encore, c'étaient des amis de mon frère qui m'avaient prise en pitié. L'autre part, c'est la jeune femme qui a passé toute sa vie d'étudiante enfouie au milieu des livres, parce que c'était le seul endroit où elle se sentait bien. Et cela m'arrive encore.

Elle fit une pause pour retrouver son souffle.

— Tu es le premier homme qui m'ait offert des fleurs, le premier qui m'ait emmenée dîner au restaurant, le premier qui soit capable de m'écouter, me regarder.

Sa voix se brisa. Elle lutta pour arriver jusqu'au bout de ce qu'elle avait à dire :

— Et tu es le seul homme à m'avoir touchée et embrassée.

Profondément ému, Ian ravala la boule qui lui obstruait la gorge. Il était le premier pour elle, à tous points de vue, et surtout le plus important. Pas seulement sur le plan physique, mais aussi sur le plan affectif. Elle avait dormi dans son cocon, comme un papillon attendant de s'envoler, d'étendre ses ailes. Et il l'avait arrachée à l'air avant même qu'elle en sente la puissance.

Il secoua légèrement la tête. Seigneur ! Qu'avait-il fait ? Et qu'allait-il faire maintenant ?

— Je ne suis pas le seul qui s'intéressera à toi. Et tu te trompes en croyant que tu n'es pas comme je te vois.

Lui caressant doucement le bras, il l'attira contre lui et appuya une joue sur ses cheveux. Et soudain, il eut un coup au cœur. Il venait de comprendre une chose évidente : non seulement Naomi avait besoin qu'il lui laisse du temps, mais elle allait certainement partir, afin qu'elle se voie vraiment telle qu'elle était et qu'elle s'accepte. Et quand elle le ferait, il n'avait qu'à espérer qu'elle reviendrait vers lui.

Il se força à s'éloigner d'elle de quelques pas.

— Tu es une très belle femme, Naomi, une femme fascinante.

— Et toi, tu es le seul qui ait jamais pensé cela.

Ses yeux se mirent à scintiller de larmes. Ian continua :

— Je crois que tu ne faisais pas assez attention aux garçons. Et maintenant que j'y pense, je me rends compte que j'ai monopolisé tout ton temps libre depuis quelques semaines.

— Mon temps libre ?

— Oui, je n'avais pas pensé que tu avais à peine terminé les modifications à la librairie quand je t'ai sollicitée pour ma bibliothèque.

Parlant toujours doucement, il entra dans le salon, et l'invita à le suivre. Il l'examina d'un œil rêveur. Il voulait bien lui laisser encore six mois de réflexion. Mais au bout de six mois, si elle ne se décidait toujours pas, il passerait à l'attaque. Elle aurait intérêt à être prête.

— Je ne t'ai pas laissé beaucoup de temps pour t'installer dans ta nouvelle vie et tes nouvelles responsabilités.

Cherchant à s'occuper les mains pour ne pas risquer de les poser sur elle, il s'accroupit devant la cheminée et disposa méticuleusement des bûches dans le foyer.

— Nous sommes arrivés un peu trop vite là où nous en sommes. Nous ferions peut-être mieux de ralentir.

Elle ouvrit la bouche et la referma aussitôt. Elle venait d'avoir un grand coup au cœur, qui lui coupa le souffle. La gorge sèche, elle dit :

— J'aimerais que tu parles plus clairement, Ian. Je n'ai pas assez d'expérience dans ce genre de relation pour être sûre que je comprends tes sous-entendus.

Il craqua une allumette et contempla la flamme vacillante. Ce qu'elle venait de dire était exactement le cœur du problème.

— Il n'y a aucun sous-entendu, Naomi. Je suggère seulement que nous ralentissions un peu, que nous nous accordions un moment de repos.

— Tu ne veux plus me voir ?

— Si, je veux encore te voir.

Il observa la flamme qui s'élevait dans l'âtre, mais qui ne le réchauffait pas.

— Ce que je veux dire, c'est que nous ne sommes pas obligés d'avoir une relation exclusive.

Il se leva et se tourna vers elle avec assurance. Il faisait la seule chose à faire pour elle. Et cela allait peut-être apaiser le tourment qui grondait dans sa poitrine. Comme Naomi ne disait rien, il ajouta :

— Tu devrais voir d'autres gens.

— D'autres gens, murmura-t-elle.

Elle garda le silence. C'était inouï, il voulait lui faire comprendre à demi-mot qu'il désirait voir d'autres femmes. Naturellement, elle aurait dû s'y attendre. Elle prit plusieurs profondes inspirations et finit par dire :

— Je pense que c'est très raisonnable.

Un bref sourire ironique retroussa ses lèvres. Dans sa fureur, elle se remit à le vouvoyer.

— Nous avons beaucoup de chance que j'aie toujours été quelqu'un de raisonnable, de sensé, vous ne trouvez pas ? J'imagine que certaines femmes pourraient se mettre en colère, ou du moins être vexées en entendant une suggestion comme celle-ci. Mais Dieu merci, je ne ressemble pas à toutes les femmes, n'est-ce pas ?

— Non, c'est vrai, dit-il doucement. Il ne doit y en avoir qu'une sur un million comme vous.

Elle laissa échapper un petit rire de dérision.

— Une sur un million, murmura-t-elle.

Peut-être, mais apparemment, elle n'était pas encore assez bien pour lui.

— Bon, la journée a été longue. Je suis très fatiguée. Je vais rentrer chez moi.

— Naomi, je ne veux pas que vous partiez ce soir.

Elle l'observa un instant. Il tournait le dos au feu qui jetait des lueurs dorées sur ses cheveux.

— Et moi, je n'ai pas envie de rester, dit-elle d'un ton ferme.

Longeant le couloir, elle se dirigea vers la porte d'entrée.

— J'ai été honnête avec vous, Ian, je vais donc continuer à l'être. Voilà, je vous aime. Depuis le début.

Elle sortit précipitamment, avant qu'il puisse prononcer quelques paroles gentilles qui lui auraient fait encore plus mal.

Poussant un profond soupir, il parla à haute voix dans la maison vide.

— Je le sais. Mais vous n'aviez jamais eu vraiment d'autres occasions d'aimer. Maintenant, vous en aurez.

Pendant une interminable journée, il tourna comme un ours en cage. Il était malheureux comme les pierres. Il se traîna lamentablement toute la semaine. Mais il ne prit pas le téléphone pour l'appeler, et ne céda pas à l'envie d'aller jusque chez elle et de frapper à sa porte.

S'approchant de la fenêtre de son bureau, il regarda au-dehors d'un air maussade, ce qui lui arrivait un peu trop souvent depuis quelques jours. Il haussa les épaules. Après tout, il avait décidé de lui laisser six mois.

Oui, Naomi aurait six mois de liberté, pendant lesquels elle pourrait apprendre à se connaître et à savoir ce qu'elle voulait. Et pendant ces six mois, elle pourrait fréquenter d'autres hommes si elle en avait envie.

Et si l'un d'eux la touchait, la caressait….

Luttant contre la jalousie qui le torturait, il se redressa. Non, justement, il n'était pas question de casser la figure à qui que ce soit. Au contraire, il fallait espérer qu'elle connaisse d'autres hommes. Sinon, comment pourrait-elle jamais savoir si elle l'aimait vraiment, au point de l'épouser et de passer sa vie avec lui ?

Un coup frappé à la porte le fit tressaillir. Il resta immobile. Il voulait l'ignorer, ou, mieux encore, se mettre à hurler : « Fichez le camp, vous ne comprenez donc pas que je ne veux voir personne ? »

Au lieu de quoi il demanda d'un ton sec :

— Qu'est-ce que c'est ?

La porte de son bureau s'ouvrit en grand. Anna et Daniel MacGregor entrèrent d'un pas ferme. Daniel déclara d'un air joyeux :

— Voilà un jour idéal pour discuter, mon garçon. Mais dis-moi, accueilles-tu tous tes clients comme des chiens dans un jeu de quilles, ou réserves-tu ta mauvaise humeur à tes pauvres grands-parents ?

— Désolé.

Ian s'approcha d'eux pour les embrasser. Daniel le prit dans ses bras et lui donna une accolade bourrue. Anna lui déposa un baiser tendre sur les joues.

Il éprouva le besoin de se justifier.

— Je pensais à autre chose, dit-il en essayant d'adoucir sa voix.

— Nous n'allons pas te retenir longtemps, promit Anna.

Elle jeta à son mari un coup d'œil qui avait valeur d'avertissement, ce qui n'empêcha pas Daniel de s'installer confortablement sur une chaise.

— Nous sommes venus te dire au revoir, dit-il.

— Déjà ? Vous venez juste d'arriver.

— Ta grand-mère ne tient pas en place, marmonna Daniel.

— Tu as autant hâte que moi de retrouver ton lit, rétorqua Anna en riant. Nous allons passer voir le bébé de Julia avant de rentrer à la maison.

— Vous allez me manquer.

— Viens nous voir plus souvent.

Tambourinant du poing sur son accoudoir, Daniel lui dit avec un air de reproche :

— Tu es trop occupé à passer du bon temps avec les femmes. Tu ne penses plus à tes vieux grands-parents.

— Je viendrai dans quelques semaines. Pour l'instant, je ne passe pas particulièrement du bon temps.

— Et pourquoi diable ? Et d'abord, où est Naomi ?

— Je suppose qu'elle est à son travail.

Inclinant la tête, Ian lui jeta un coup d'œil suspicieux.

— Pourquoi cette question ? demanda-t-il, sur la défensive.

— Tout le monde parle d'elle, dans la famille.

Daniel fit une pause, puis, posant un regard perçant sur son petit-fils :

— Tout le monde, sauf toi. Pourquoi ne vous ai-je pas vus ensemble depuis que nous sommes arrivés, alors que vous ne vous quittiez pas, paraît-il ?

— Parce que nous prenons nos distances pendant quelque temps.

— Vos distances ? Quelle mouche vous a piqués ? Vous êtes faits l'un pour l'autre, cela crève les yeux. Cette fille a été faite pour toi, et pour toi seul, espèce de tête de bois ! Elle est intelligente et douce. Elle vient d'une bonne famille. Et ne va pas te laisser berner par sa fragilité apparente. Il y a une femme forte derrière son visage de madone, de la race de celles qui ont du cran.

— Tu sembles connaître rudement bien une femme que tu n'as rencontrée que deux ou trois fois dans une librairie.

Daniel lui lança un regard noir.

— Je connais sa famille, non ?

Secouant la tête, Anna poussa un soupir sonore.

— Oh, Daniel, j'aurais dû m'en douter !

— Te douter de quoi ? dit-il en posant sur elle des yeux bleus aussi innocents que ceux d'un nouveau-né.

Ian hocha lentement la tête. C'était donc cela. Le vieux renard avait encore sévi.

— C'est toi qui as tout comploté, dit-il en essayant de prendre un ton coléreux.

Il l'imita :

— « Ian, tu veux bien aller me chercher ces livres rares ? En même temps, demande à la petite Naomi si elle peut t'aider pour ta bibliothèque. »

En riant à moitié, il leva les yeux au plafond.

— Dire que je n'ai rien soupçonné !

— Et alors ? Je t'ai seulement demandé de faire une course pour moi. Ce n'est pas un crime. Si ce que tu as vu ne t'avait pas plu — ce qui aurait été bien stupide de la part d'un de mes descendants — tu n'aurais eu qu'à te contenter d'acheter les livres et de me les apporter.

Il lui adressa un sourire rusé.

— Mais il me semble que tu as beaucoup apprécié ce que tu as vu, jeune homme. Est-ce que je me trompe ?

Ian secoua la tête.

— Non.

— Alors, c'est tout ce que tu trouves à me dire ?

— Merci, grand-père.

Surpris, Daniel cligna des paupières. Il devait y avoir un piège dans la réaction de son petit-fils. Incrédule, il répéta :

— Merci ?

— Merci d'avoir eu le bon goût de reconnaître la femme que j'espère épouser.

— Ha, ha !

Avec une rapidité surprenante pour un homme de son âge, il se redressa sur le bord de sa chaise.

— Voilà un brave petit gars.

Il se tourna vers sa femme.

— Tu vois, Anna, lui au moins sait apprécier la sagesse de son grand-père. Cela explique pourquoi, parmi tous mes petits-enfants, c'est lui que je préfère.

— C'était Julia que tu préférais, il y a deux jours, lui rappela Ian. Je t'ai entendu le lui dire.

— Eh bien, elle venait d'avoir un bébé. Elle avait besoin d'être chouchoutée. Mais c'est toi maintenant.

Un sourire radieux aux lèvres, il se renversa sur sa chaise. Mais son sourire s'évanouit aussitôt.

— Qu'entends-tu par « j'espère l'épouser » ? Tu vas épouser cette petite, oui ou non ? J'espère bien t'entendre répondre oui, parce que je ne veux pas avoir de tête fêlée dans ma famille.

Ian soupira.

— Je lui laisse le temps de réfléchir. Quelques mois. Ensuite, j'espère que nous reprendrons les choses là où nous les avons laissées.

Daniel poussa un cri.

— Quelques mois ?

Horrifié, il secoua la tête.

— Mais si, apparemment, j'ai bien une tête fêlée parmi mes petits-enfants ! Qu'est-ce que tu attends pour aller chercher cette adorable jeune fille ? Vas-y immédiatement, pour l'amour du ciel !

Anna fronça les sourcils.

— Daniel, laisse-le tranquille. Il sait ce qu'il a à faire.

— Sûrement pas !

Donnant une légère tape sur la tête de son petit-fils, il gronda :

— Es-tu amoureux de cette jolie jeune fille, oui ou non ?

Ian sortait rarement de ses gonds. Mais pour une fois, sa colère fut à la hauteur de celle de son aïeul.

— Oui ! Je le suis assez pour savoir ce dont elle a besoin, et pour le lui donner. C'est toi qui es responsable de notre rencontre, et je t'en suis reconnaissant. Mais la suite ne regarde que moi !

Surgissant à la porte du bureau, Caine cria à pleins poumons pour se faire entendre :

— Excusez-moi, mais j'ai cru comprendre que ce lieu était un lieu de travail ! Les querelles de famille ne sont pas au programme avant 18 heures !

Sans tenir compte de son intervention, Daniel continua à hurler :

— Sais-tu ce que ce garçon est en train de faire ? Ton propre fils ? Il a bien la tête aussi dure que toi. Tu ferais mieux de lui remettre les idées en place. Sinon, moi, je m'en lave les mains !

— Quelle bonne idée ! dit Caine en souriant. Et si tu allais te laver les mains pendant que je discute avec lui ?

— Débrouille-toi.

Daniel renifla.

— Allons voir Julia ! Elle au moins, elle n'a pas un petit pois dans la tête comme l'un de mes petits-fils. Elle nous a fait un précieux petit bébé… Et toi…

Il passa une main rude sur la tête de Ian.

— Et toi, tâche de te conduire intelligemment en rattrapant cette fille.

Caine leur dit au revoir en riant, tandis qu'Anna entraînait un Daniel toujours vociférant. Puis il referma la porte et s'assit tranquillement sur une chaise, le sourire aux lèvres. Ian se frotta le front.

— Il a la main ferme, hein ? dit Caine.

— Il ne m'a pas boxé les oreilles depuis mes douze ans.

Il ne put s'empêcher de sourire.

— Ils me manquent déjà, tous les deux.

— Je comprends ce que tu veux dire. Assieds-toi, Ian.

L'expression de Caine devint plus sérieuse.

— Il est temps que nous parlions. J'aimerais juste savoir ce qui se passe, et pourquoi, depuis la semaine dernière, tu montres les crocs à tous ceux qui t'approchent ?

— J'ai des soucis, je ne suis pas censé être agréable vingt-quatre heures sur vingt-quatre !

Caine releva un sourcil.

— Je t'ai dit de t'asseoir. Cela t'épargnera une migraine. Tu n'as sans doute pas oublié que Daniel MacGregor n'est pas le seul capable de te boxer les oreilles.

10.

Ian s'assit en face de son père. Sans rien dire, il se mit à pianoter sur sa cuisse et le regarda droit dans les yeux.

Caine l'observa en silence, avec un air mêlé d'admiration et d'agacement. Jusque-là, il avait considéré l'obstination de son fils, pour ne pas dire sa tendance à être entêté, comme une de ses principales qualités. De plus, Ian se mettait rarement dans une situation conflictuelle, mais si cela se présentait, il n'était pas du genre à fuir.

Caine poussa un grand soupir avant de lui demander :

— Que se passe-t-il entre Naomi et toi ?

Les yeux de Ian se chargèrent de colère. C'était typique de son père d'aller droit au but.

— J'ai presque trente ans, rétorqua-t-il d'une voix qu'il aurait souhaitée moins sèche. Il me semble que cela ne regarde qu'elle et moi.

Caine hocha la tête avec un sourire complaisant.

— Tu as parfaitement raison. Mais ce raisonnement ne tient pas compte d'un certain Daniel MacGregor. Quant à moi, je m'inquiète de ne pas te voir au mieux de ta forme depuis quelques semaines, Ian.

— Cela va s'arranger.

— J'en suis sûr. Mais en attendant…

Se penchant vers lui, il posa la main sur son bras.

— Tu peux toujours me parler si tu en ressens le besoin.

Brusquement submergé par ses émotions, Ian bondit de sa chaise.

— Bon Dieu ! Je fais ce qu'il faut faire, ce qui est le mieux pour elle.

— C'est-à-dire ?

— Je prends mes distances.

— Est-ce que c'est ce qu'il y a de mieux pour toi aussi, Ian ? Tu es amoureux d'elle. Je ne te pose pas la question, c'est écrit sur ton visage. Je sais ce que c'est, j'éprouve la même chose pour ta mère.

— Je sais. C'est une évidence. Moi aussi, je veux vivre une véritable histoire d'amour.

Il se passa deux mains agitées dans les cheveux.

— Je lui laisse un peu de temps et d'espace. Naomi doit savoir ce qu'elle veut.

— Et elle ne le sait pas ? Le lui as-tu demandé ?

Prenant une profonde inspiration, Ian se rassit.

— Elle n'a pas connu d'autres hommes avant moi.

— Je vois.

Caine baissa les yeux et examina longuement ses mains.

— Est-ce que tu l'as séduite ?

— Non, j'ai reculé. Je voulais que ce soit sa décision, qu'elle soit prête. Que pouvais-je faire d'autre ?

— Rien, puisque tu es un MacGregor. Maintenant, je suppose que tu es tourmenté par le fait d'être le seul à l'avoir touchée.

— Je croyais maîtriser la situation. Mais ce n'est pas seulement le fait qu'elle n'ait jamais eu de rapports sexuels. Elle n'a jamais rien connu, ni personne. Elle s'est mise à me raconter qu'elle vivait dans la supercherie, que j'étais attiré par une fausse image d'elle. Elle m'a dit tout cela sans détour, qu'elle était fade et maladroite, qu'elle se cachait parce qu'elle ne se sentait pas à la hauteur. Elle n'a même jamais eu de rendez-vous avec un garçon, elle n'a jamais eu l'occasion de voir ni de vivre quoi que ce soit. Elle commence juste à se rendre compte de ses propres capacités, de sa force, et moi, j'allais lui parler mariage et enfants alors qu'elle ne connaît rien de la vie.

— Donc… si je comprends bien, tu lui as dit que tu l'aimais assez pour lui laisser le temps de connaître un peu la vie ?

— Si je lui avais dit que je l'aimais, elle n'aurait pas écouté la suite.

Il se mit à méditer cette évidence.

— Elle croit être amoureuse de moi.

— Elle le croit seulement ?

— Comment diable pourrait-elle le savoir ?

Levant les mains dans un geste d'impuissance, il quitta de nouveau le fauteuil.

Caine hocha pensivement la tête.

— Bonne question, marmonna-t-il. Mais dis-moi, comment sais-tu que tu l'aimes ?

— Parce que je n'ai jamais eu envie de passer toute ma vie avec une autre femme. Parce que je nous vois vivre ensemble dans un an, dans dix ans. Dans cinquante ans.

Il fit le tour de la pièce et s'arrêta devant son père.

— Tu sais bien que j'ai raison. Ce ne serait pas juste de profiter de son innocence, de lui demander de m'épouser avant qu'elle ait le temps de vivre autre chose.

— Je suppose que mon avis ne t'intéresse pas.

— Bien sûr que si !

— Alors, je vais te le donner.

Caine se leva à son tour et posa la main sur l'épaule de son fils.

— Tu es une tête fêlée.

— Pardon ?

— Dieu sait que cela me déplaît d'être d'accord sur ce point avec Daniel MacGregor, mais je n'ai pas le choix. Tu es bel et bien une tête fêlée. Tu ne crois même pas que la femme que tu prétends aimer est capable de savoir ce qu'elle veut, et de connaître ses propres sentiments. Tu as pris une décision à sa place, et cela, tu n'en as absolument pas le droit. Voici mon opinion, bien que je souffre qu'elle soit l'écho de celle de mon père : ce que tu as de mieux à faire, c'est de prendre tes jambes à ton cou et d'aller la retrouver.

Loin d'être convaincu par les arguments des hommes de sa famille, Ian alla néanmoins se planter devant la porte de l'appartement de Naomi, et attendit.

Il avait eu l'idée d'aller à la librairie, mais finalement, il l'avait rejetée. S'ils devaient parler de leur avenir commun, il ne fallait pas que ce soit dans un lieu public.

Cependant, au fur et à mesure que l'heure avançait, il sentit un doute s'insinuer en lui. Il n'avait pas pris la bonne décision. En allant chez Brightstone, il aurait été sûr de la trouver. Mais maintenant, il ne savait pas du tout où elle pouvait bien être.

Brusquement, les pas de Naomi résonnèrent dans l'escalier. Il se redressa.

En l'apercevant, elle s'arrêta net. Puis elle passa son attaché-case de sa main droite à sa main gauche et s'avança vers lui.

— Bonsoir, Ian.

— Tu as travaillé tard.

Elle avait la même merveilleuse odeur.

— En effet.

Elle sortit ses clés de son sac et en glissa une dans la serrure.

— Est-ce que je peux entrer un instant ? J'aimerais te parler.

— Le moment est plutôt mal choisi…

Elle fit une pause. Elle avait trop mal en le voyant pour que le moment soit jamais bien choisi.

— S'il te plaît, Naomi.

Il posa la main dans l'embrasure de la porte pour la maintenir ouverte.

— Naomi, il faut que nous parlions.

Elle soupira.

— D'accord.

Après tout, elle pouvait affronter cette situation. Ne se l'était-elle pas promis ?

— Mais fais vite. Il faut que je me change.

— Pourquoi ?

— J'ai rendez-vous.

Elle entra dans l'appartement. Elle venait de dire un énorme mensonge, dont elle aurait certainement honte plus tard. Mais pour l'instant, la dignité était plus vitale que l'honnêteté.

— Avec un homme ?

Le choc qu'elle venait de lire sur son visage fit monter sa fierté d'un cran.

— J'ai essayé de sortir avec un babouin, mais nous n'aimions pas les mêmes films, plaisanta-t-elle.

D'un geste rapide, elle posa son attaché-case et suspendit son manteau.

— Que puis-je faire pour toi ?

Ian enfonça ses poings dans ses poches. Il voulait lui dire de l'épouser, de porter ses enfants.

— Je n'ai pas été clair l'autre jour, finit-il par dire.

— Mais si, parfaitement clair.

— Nous, je ne t'ai pas donné mes raisons.

— Je les ai parfaitement comprises.

Elle avait envie de se haïr elle-même, et de le haïr, pour être si amoureuse de lui. C'était pathétique.

— Je t'ai dit que ce que tu voyais en me regardant ne correspondait pas à ce qu'il y avait en dessous. Tu étais d'accord, et voilà.

— Non, je… Seigneur Dieu ! Est-ce que c'est vraiment ce que tu as cru, Naomi ? Je suis navré.

Il tendit la main vers elle. Elle recula.

— C'est complètement faux. J'ai très mal présenté les choses. Laisse-moi t'expliquer.

— Je n'ai pas beaucoup de temps, Ian.

Il se mit presque à crier :

— Ton rendez-vous attendra !

Fourrant de nouveau ses mains dans ses poches, il fit les cent pas dans la pièce. Les sourcils relevés, elle l'observa.

— Quand tu m'as dit que tu n'avais jamais connu d'hommes…. je ne parlais pas uniquement de sexualité !

Il hurla vraiment cette fois. Naomi plissa les yeux.

— Dieu, la sexualité n'est qu'un des nombreux aspects d'une relation à deux. Il y a l'humour, et les nuits passées à discuter, les dîner à deux, les sorties main dans la main. Enfin, tout ce que l'on fait quand on sort avec quelqu'un. Et que tu n'as jamais fait, sauf avec moi.

Sûr de se maîtriser de nouveau, il se tourna vers elle.

— Je voulais te laisser le temps de réfléchir, d'être certaine que tu voulais vivre tout cela avec moi seul.

— Me laisser le temps ?

Elle aurait aimé éclater d'un rire dédaigneux, mais tout ce qu'elle arriva à faire fut un petit son dérisoire.

— Tu m'as dit que tu voulais voir d'autres femmes pendant que tu me laissais le temps de réfléchir.

— Je n'ai jamais voulu voir d'autres femmes ! se défendit-il.

Faisant un effort pour ravaler sa fureur, il continua :

— Je pensais qu'il valait mieux que tu rencontres d'autres hommes. Et je dois reconnaître que je ne me trompais pas, puisque, apparemment, cela ne te pose pas le moindre problème.

Elle le dévisagea.

— C'est toi qui voulais que je voie d'autres hommes, répéta-t-elle lentement.

— Ce n'est pas ce que je voulais. Est-ce que tu es devenue folle ?

Il la transperça d'un regard brûlant.

— C'est ce qu'il te fallait. Comment veux-tu que je te demande de m'épouser si tu n'as aucun point de comparaison possible ?

336

Comment pourrais-tu être sûre de m'aimer ? J'essayais d'être honnête avec toi.

— Honnête ? Honnête ?

La fureur lui fit battre le cœur plus vite.

— Tu as décidé de ce qui était bon pour moi, et ce qui était bon pour moi, c'était de me briser le cœur ?

— Non. De te protéger.

— De quoi ? De toi ? De moi-même ? Comment oses-tu prendre de telles décisions à ma place ?

— Ce n'est pas exactement ce que j'ai fait.

L'air désespéré, il secoua la tête. Il avait brusquement l'impression de tomber dans un trou très profond.

— Je voulais juste… je pourrais peut-être…

Elle lui coupa la parole.

— Oh, j'ai envie de te frapper ! Je m'en sens capable !

Retenant ses larmes, elle se détourna pour ne pas céder à ses impulsions. Elle n'avait jamais éprouvé de colère aussi froide, c'était une réaction toute nouvelle, à laquelle elle allait sans doute devoir s'habituer.

— Je n'ai jamais frappé personne, mais là, je m'en sentirais capable. Et je me demande quelle impression cela me ferait.

Comme il s'approchait d'elle, elle s'écria :

— Ne me touche pas ! Ou je saurai quelle impression cela fait.

Ian s'arrêta et fronça les sourcils. Il ne l'avait jamais entendue parler ainsi depuis qu'il la connaissait. Visiblement, elle était hors d'elle.

— Naomi !

Elle fit volte-face avant qu'il puisse prononcer un second mot.

— Tu me prends pour une imbécile.

— Bien sûr que non. Je…

— Tu me prends pour une femme qui ne peut pas faire confiance à sa propre tête, à son propre cœur.

En gesticulant, elle se mit à arpenter la pièce à grands pas nerveux, tandis que ses yeux lançaient des éclairs.

— Je suppose que la seule façon de savoir si je t'aime est d'avoir des relations sexuelles avec une dizaine d'hommes. Ou vingt ? Combien, d'après toi ?

— Je ne veux pas que tu aies de relations sexuelles avec d'autres hommes !

— Oh, parfait, ce n'est pas une question de sexualité. Bien, je vais te donner un papier et tu vas écrire le nombre de dîners romantiques, de rendez-vous, de promenades dans la campagne et de je ne sais quoi que je dois vivre avant que tu me considères capable de savoir ce que je pense et ce que j'éprouve.

Joignant le geste à la parole, elle sortit un bloc de papier de son attaché-case.

— D'accord, ça suffit !

Il lui arracha le bloc des mains et le jeta par terre.

— Je me moque pas mal de ce qui est juste pour toi et de ce qui ne l'est pas. Je ne vais pas passer les six prochains mois à attendre que tu fasses tes petites expériences.

— Six mois. C'était la limite ? Tu avais vraiment tout programmé.

Une joie sauvage se mêlait maintenant à sa fureur. La tête lui tournait sous l'effet de cette combinaison. Et curieusement, elle se sentait forte.

— Parfait, cela nous mène au mois d'avril. Nous nous reverrons peut-être à ce moment-là.

Elle se dirigea vers la porte avec la ferme intention de partir. Mais Ian la rattrapa et lui colla le dos au mur. Rapprochant son visage du sien, il la dévisagea sans cacher son exaspération.

Elle soutint son regard. Elle était fière d'avoir réussi à le faire sortir de ses gonds. Il l'aimait au point d'être devenu complètement incohérent.

Bien qu'elle soit maladroite. Comme c'était merveilleux !

Et elle y était arrivée sans rien faire de plus qu'être elle-même.

— Je t'ai dit d'oublier tout cela, gronda Ian en lui saisissant la main. Je ne veux pas vivre six mois sans toi. Ni même un seul jour. Tu vas m'épouser, et si tu te rends compte plus tard que nous sommes allés un peu trop vite pour toi, tu n'auras qu'à t'en prendre à toi-même.

— Très bien.

— Et tu ferais mieux d'emballer tes affaires tout de suite, parce que…

Comme il faisait une pause, elle refréna un sourire. C'était absolument délicieux de voir Ian MacGregor complètement abasourdi.

— Très bien ? répéta-t-il d'une voix rauque.

— Oui.

Savourant son nouveau pouvoir, elle l'attrapa par sa chemise et posa sa bouche sur ses lèvres.

Frissonnant d'impatience, il la prit dans ses bras et la serra très fort. Leurs cœurs battaient à l'unisson l'un contre l'autre.

— Depuis quelques jours, ma famille m'appelle affectueusement « tête fêlée », murmura-t-il.

— Tête fêlée, répéta-t-elle. Comme ce nom te va bien ! Oh, je suis tellement en colère contre toi !

Elle embrassa son visage et, bientôt, ses lèvres brûlantes revinrent trouver sa bouche.

— C'est ce que j'ai vu, marmonna-t-il.

Il lui mordilla la lèvre supérieure.

— Continue, reste encore un peu en colère. Je l'ai bien mérité.

— D'accord.

— Je t'aime, Naomi.

Il lui prit le visage entre les mains et recula pour planter son regard dans le sien.

— Je t'aime, répéta-t-il.

Elle ferma les yeux, baignant dans le flot d'émotions qui l'envahissait.

— Répète un peu ce que tu viens de dire.

Il l'embrassa d'abord, sur le front, les joues, les lèvres.

— Je t'aime, Naomi. Ce n'est pas seulement pour ton apparence. Dieu sait pourtant qu'elle est parfaite. Je t'aime aussi pour ce que tu es. Tout ce que tu es. Je suis tombé amoureux de toi dès que je t'ai vue.

Elle poussa un petit soupir de bonheur.

— Moi aussi, cela s'est passé exactement de la même façon, et pour les mêmes raisons. Oh, Ian, j'étais si malheureuse sans toi.

— Si cela peut te consoler, je n'ai passé que des nuits blanches depuis que tu es partie.

— Oui, c'est bon à entendre.

Elle sourit quand il se mit à rire.

— J'espère que tu as souffert. Et je te rappellerai ce que tu as souffert la prochaine fois que tu décideras de ce qui est le mieux pour moi.

Il passa les doigts dans ses cheveux.

— C'est moi, ce qui est le mieux pour toi.

— Il t'a fallu du temps pour le comprendre !

Elle posa la tête sur son épaule et continua :

— Et moi, je suis ce qu'il y a de mieux pour toi. Je veux que nous passions notre vie ensemble, Ian.

— Ne perdons plus une minute. Rentrons à la maison.

Le Clan des MacGregor

Orgueil et Loyauté, Richesse et Passion

❧

**Tournez vite la page,
et découvrez en avant-première,
un extrait du neuvième épisode
de la nouvelle saga de Nora Roberts :**

Le triomphe de la passion

❧

A paraître le 1er juin

Extrait de
Le triomphe de la passion
de Nora Roberts

Preston passa la main dans ses cheveux en désordre et se concentra sur la dernière réplique qui apparaissait à l'écran. Il fit abstraction du vacarme hallucinant qui montait jour et nuit de la rue new-yorkaise et entra dans la peau tourmentée de son personnage.

Il jura avec force lorsqu'on sonna à la porte. Coupé net dans son inspiration, il se trouva brutalement ramené sur terre, dans son appartement new-yorkais.

Qui pouvait bien se permettre de le déranger en pleine création ? Il n'existait donc pas de lois, dans cette ville, pour protéger les honnêtes citoyens de l'indiscrétion de leurs voisins ? Car il s'agissait forcément d'une personne de l'immeuble. Un intrus venu de l'extérieur aurait eu recours à l'Interphone.

Preston hésita. Il pouvait s'abstenir de répondre, bien sûr. Mais cela ne lui apporterait qu'un répit temporaire. Tôt ou tard, son visiteur reviendrait à la charge.

La solution la plus efficace consisterait à descendre et à décourager l'envahisseur une fois pour toutes. Maintenant qu'il y pensait, c'était sûrement la vieille femme au regard perçant qui occupait l'appartement du rez-de-chaussée. Elle avait déjà tenté d'engager la conversation à plusieurs reprises. Faire l'anguille étant sa spécialité, il avait toujours réussi à couper court. Mais si la brave dame refusait de comprendre le message, il n'hésiterait pas à passer en mode offensif. Quelques réflexions grossières devraient faire l'affaire. Ensuite, la rumeur se répandrait comme une traînée de poudre : le nouveau locataire du troisième n'était qu'un rustre dépourvu de toute éducation. Ainsi les autres occupants de l'immeuble seraient avertis qu'il valait mieux le laisser tranquille.

Lorsque Preston jeta un coup d'œil par le judas, il ne vit pas la vieille femme au regard d'aigle mais une jolie brune aux cheveux courts, avec de grands yeux verts qui avaient la couleur de la mer par temps clair.

Reconnaissant la locataire d'en face, Preston se demanda ce qu'elle pouvait bien lui vouloir. Comme elle lui avait fichu une paix royale pendant une semaine, il en avait conclu qu'elle persisterait dans cette louable attitude jusqu'à la fin de son séjour. Et il s'était même félicité d'avoir trouvé en elle une voisine idéale.

Déçue qu'elle vienne tout gâcher par ce regrettable changement d'attitude, il ouvrit d'un geste brusque. Puis il se planta dans l'encadrement de la porte, signifiant ostensiblement qu'il n'avait aucune intention de la laisser entrer.

— Oui ?

Résolue à briser la glace, Cybil salua son nouveau voisin avec sa cordialité coutumière.

— Bonjour !

Vu de près, il était encore mieux que de loin. Un visage long et mince, à l'ossature marquée, une bouche sensuelle quoique sévère, des yeux d'un bleu froid, presque transparent.

— Je suis Cybil Campbell, de l'appartement d'en face, précisat-elle gaiement en désignant la porte derrière elle.

Il se contenta de hausser les sourcils.

— Ah oui ?

Cet homme-là n'était pas un bavard, de toute évidence. Cybil continua à sourire. Tout en regrettant que le regard dissuasif de son voisin reste dardé sur elle. S'il avait détourné les yeux, ne seraitce qu'un instant, elle aurait eu le temps de jeter un discret coup d'œil sur l'appartement derrière lui. Sans avoir l'air de l'espionner ouvertement.

Ce qui, après tout, n'avait jamais été son genre.

— Je vous ai entendu jouer du saxophone, tout à l'heure. Je travaille à domicile et les sons se baladent, dans l'immeuble.

343

Preston hocha la tête sans faire de commentaire. Si elle était venue lui demander de mettre une sourdine, la voisine du 3A n'était pas dans son jour de chance. Il ne transigeait pas sur grand-chose dans la vie. Et sur sa musique, il faisait encore moins de concessions que sur le reste : il jouait quand il voulait et comme il voulait.

La fille était jeune, de toute évidence. Il ne lui donnait pas plus de vingt-cinq ans. Le nez, attendrissant, n'était pas tout à fait en trompette, mais pas loin. Elle avait une bouche pleine et sensuelle. Détail appréciable : de jolis pieds fins, avec des orteils gaiement peints en rose.

— En général, j'oublie d'allumer ma chaîne hi fi quand je travaille, poursuivit-elle, nullement découragée par son silence. Du coup, j'apprécie de vous entendre jouer. Votre sax me tient compagnie. Ralph et Sissy, eux, donnaient dans le Vivaldi à outrance. Notez que je n'ai rien contre. Bien au contraire. Mais à haute dose, les violons peuvent devenir monotones.

Comme il continuait à la regarder fixement en se demandant jusqu'où elle pousserait son monologue, sa voisine lui sourit avec une bonne humeur inaltérée.

— Naturellement, vous ignorez qui étaient Ralph et Sissy. Il s'agissait de vos prédécesseurs, en fait, les anciens locataires du 3B. Ils ont déménagé dans un trou perdu depuis que Ralph a eu une liaison avec une employée de chez Saks. Enfin... la liaison, il ne l'a pas eue, à proprement parler. Mais l'idée lui a trotté dans la tête. Du coup, Sissy a exigé qu'ils quittent New York séance tenante. D'après Mme Wolinsky, le couple est condamné à brève échéance. Mais pour ma part, je suis moins pessimiste. Je persiste à penser qu'ils ont leurs chances. Quoi qu'il en soit...

Elle s'interrompit pour reprendre son souffle. Et lui tendre par la même occasion une assiette jaune canari sur laquelle elle avait empilé une montagne de cookies.

— ... je vous ai apporté ça. Ils sont faits maison.

Il baissa un instant les yeux sur son offrande, ce qui laissa une fraction de seconde à Cybil pour découvrir la pièce derrière lui. Vide, constata-t-elle, consternée. Totalement et entièrement vide. C'était bien ce qu'elle pensait : un musicien désargenté. Et le malheureux n'avait même pas les moyens de s'offrir un canapé.

Le regard bleu froid revint perforer le sien.

— Et pourquoi ?

— Pourquoi quoi ? s'enquit-elle, décontenancée.

— Pourquoi les cookies ?

— Oh, c'est tout simple ! Je viens d'en faire un bon kilo. Il m'arrive de me mettre à la pâtisserie lorsque j'ai l'impression d'avoir des toiles d'araignées dans la tête et que mon cerveau refuse de fonctionner. Et si je garde tout pour moi, je me jette dessus et c'est la fin des haricots. Alors je distribue ! Vous n'aimez pas les cookies ?

— Je n'ai rien contre.

Elle lui fourra l'assiette dans les mains.

— Alors, faites-vous plaisir. Et bienvenue ici, parmi nous. Si vous avez besoin de quoi que ce soit, n'hésitez pas. Je suis généralement dans les parages. Et je connais tout le monde depuis trois ans que je vis ici. Donc si vous vous demandez qui est qui dans l'immeuble, n'hésitez pas à me poser la question.

— Sûrement pas, non.

Sur ces paroles aimables, il recula d'un pas et elle se retrouva face au battant clos.

Cybil demeura un instant clouée sur place par la stupéfaction. Elle était quasiment certaine d'avoir vécu jusqu'à l'âge mûr de vingt-quatre ans sans que personne, jamais, lui ferme une porte au nez. Et l'expérience n'était pas de celles qu'elle avait envie de renouveler.

A deux doigts de tambouriner chez lui pour exiger qu'il lui rende ses cookies sur l'heure, elle réussit à se contenir in extremis. Tournant les talons, elle réintégra son appartement au pas de charge. Bon, elle savait tout ce qu'il y avait à savoir sur le locataire du 3B désormais : il était effectivement très beau, effectivement bâti comme un dieu.

Mais il était à peu près aussi supportable qu'un gamin grognon de deux ans en besoin urgent d'une fessée et d'une bonne sieste.

Résolument imbuvable, le M. Mystère.

Eh bien, tant pis pour lui. S'il voulait se mettre tout l'immeuble à dos, c'était son problème. Elle ne le dérangerait plus dans sa grincheuse solitude.

Cybil se maîtrisa suffisamment pour ne pas faire claquer sa porte. Mais, une fois à l'abri des regards, elle se défoula en faisant quelques horribles grimaces. Puis elle tira la langue en direction de l'appartement d'en face et agita les doigts à hauteur de ses tempes.

Le nouveau visage
de la collection Or

◆

AMOURS D'AUJOURD'HUI

Afin de mieux exprimer sa modernité et de vous séduire encore davantage, votre collection Or a changé de couverture et de nom depuis le 1er mars 1995.

Rassurez-vous, les romans, eux, ne changent pas, et vous pourrez retrouver dans la collection **Amours d'Aujourd'hui** tous vos auteurs préférés.

Comme chaque mois, en effet, vous y attendent des héros d'aujourd'hui, aux prises avec des passions fortes et des situations difficiles...

**COLLECTION
AMOURS D'AUJOURD'HUI :**
Quand l'amour guérit des blessures de la vie...

Chère lectrice,

Vous nous êtes fidèle depuis longtemps?
Vous venez de faire notre connaissance?

C'est pour votre plaisir que nous avons
imaginé un rendez-vous chaque mois
avec vos auteurs préférés, vos
AUTEURS VEDETTE dans les
collections Azur et Horizon.

Les AUTEURS VEDETTE vous
donneront rendez-vous pour de
nouveaux livres vedette.

Pour les reconnaître, cherchez
l'étoile... Elle vous guidera!

Éditions Harlequin

HARLEQUIN

LE FORUM DES LECTEURS ET LECTRICES

CHERS(ES) LECTEURS ET LECTRICES,

VOUS NOUS ETES FIDÈLES DEPUIS LONGTEMPS?

VOUS VENEZ DE FAIRE NOTRE CONNAISSANCE?

SI VOUS AVEZ DES COMMENTAIRES, DES CRITIQUES À
FORMULER, DES SUGGESTIONS À OFFRIR, N'HÉSITEZ
PAS... ÉCRIVEZ-NOUS À:

> LES ENTERPRISES HARLEQUIN LTÉE.
> 498 RUE ODILE
> FABREVILLE, LAVAL, QUÉBEC.
> H7R 5X1

C'EST AVEC VOS PRÉCIEUX COMMENTAIRES QUE NOUS
ALLONS POUVOIR MIEUX VOUS SERVIR.

DE PLUS, SI VOUS DÉSIREZ RECEVOIR UNE OU
PLUSIEURS DE VOS SÉRIES HARLEQUIN PRÉFÉRÉE(S)
À VOTRE DOMICILE, NE TARDEZ PAS À CONTACTER LE
SERVICE D'ABONNEMENT; EN APPELANT AU
(514) 875-4444 (RÉGION DE MONTRÉAL) OU 1-800-667-4444
(EXTÉRIEUR DE MONTRÉAL) OU TÉLÉCOPIEUR
(514) 523-4444 OU COURRIER ELECTRONIQUE:
AQCOURRIER@ABONNEMENT.QC.CA OU EN ÉCRIVANT À:

> ABONNEMENT QUÉBEC
> 525 RUE LOUIS-PASTEUR
> BOUCHERVILLE, QUÉBEC
> J4B 8E7

MERCI, À L'AVANCE, DE VOTRE COOPÉRATION.

BONNE LECTURE.

HARLEQUIN.

VOTRE PASSEPORT POUR LE MONDE DE L'AMOUR.

COLLECTION HORIZON

Des histoires d'amour romantiques qui vous mènent au bout du monde!

Découvrez la passion et les vives émotions qu'apportent à la Collection Horizon des auteurs de renommée internationale!

Captivantes, voire irrésistibles, ces histoires d'amour vous iront assurément droit au coeur.

Surveillez nos trois nouveaux titres chaque mois!

Composé et édité par les
*éditions*Harlequin
Achevé d'imprimer en avril 2005

BUSSIÈRE
GROUPE CPI

à Saint-Amand-Montrond (Cher)
Dépôt légal : mai 2005
N° d'imprimeur : 50815 — N° d'éditeur : 11284

Imprimé en France

— Vous ne connaissez aucune ballade écossaise ? interrogea-t-il, douloureusement surpris. Quel genre de chanteuse êtes-vous donc ?

— Réaliste, monsieur MacGregor.

Ravie, Cat répétait dans le salon désert. Daniel avait pris l'habitude de venir s'asseoir à une table quand il n'y avait personne, et de commenter son répertoire en faisant de l'esprit.

— Ce qui veut dire que vous ne pouvez pas chanter de variétés ?

Il lui envoya un regard brillant sous ses sourcils broussailleux.

— Il y a quelques airs écossais qui peuvent déchirer le cœur. Avec votre voix, n'importe quel homme ayant du sang écossais pourrait tomber amoureux de vous.

Délibérément, elle passa une main dans ses cheveux.

— De toute façon, ils tombent tous amoureux de moi.

Eclatant de rire, il donna un coup de poing sur la table.

— Vous êtes une petite insolente, Cat Farrell. Qu'attendez-vous pour embobiner mon petit-fils ?

C'était encore une question typique du personnage. Cat lui adressa un sourire malicieux.

— Mais c'est vous qui m'intéressez. Pourquoi prendre du menu fretin quand on peut pêcher le gros poisson ?

Le large visage de Daniel rosit de plaisir. Dardant sur elle ses yeux rusés, bleus comme un ciel d'été, il se frotta la barbe.

— Je vous donnerai de beaux enfants.

— Vous voulez dire que c'est moi qui vous les donnerai. Je vous ai compris, monsieur MacGregor.

Elle se pencha vers lui et l'embrassa sur la joue.

— Vous ne serez pas heureux tant que vous n'aurez pas assez d'arrière-petits-enfants pour remplir un auditorium.

— C'est Anna qui en veut.

Comme sa femme n'était pas là, il tira un cigare de sa poche.

— Elle se fait un sang d'encre pour Duncan.

— Pour quelqu'un qui se fait tant de souci, votre femme paraît bien sereine, fit remarquer Cat en riant.

Elle gratta une allumette et adressa un regard rieur à Daniel pendant qu'il faisait rougeoyer son cigare.

— Si vous vous enfuyez avec moi, nous n'aurons aucun souci, dit-elle.

— Encore en train de séduire mon grand-père ?

Duncan entra à grands pas. Il avait la même sensation, chaque fois qu'il les voyait tous les deux. Ce qui arrivait souvent.

— Je lui aurais proposé de m'emmener à Venise si vous n'étiez pas arrivé.

Elle n'eut pas le temps de rire. Duncan l'attrapa par le cou et lui donna un baiser à lui couper le souffle.

Daniel donna un autre coup de poing sur la table.

— Voilà qui me plaît ! Continue comme ça, mon garçon. Ne la laisse pas te filer entre les doigts !

— Je l'ai attrapée, dit calmement Duncan.

Il hocha la tête. Il commençait à croire qu'il avait envie de la garder.

— Le salon ouvre dans vingt minutes, grand-père, murmura-t-il en gardant les yeux rivés sur Cat. Va jouer ailleurs, maintenant.

— Ce n'est pas bien de parler de cette façon à ton grand-père, dit Cat d'un air sévère.

— C'est parce qu'il veut te voler à moi.

Il la prit fermement dans ses bras. Elle essaya de se libérer.

— Il y a quelqu'un qui doit se préparer pour travailler, dit-elle.

— Je suis le patron, tu te souviens ? Excuse-nous, grand-père, je dois parler affaires avec ce jeune talent.

Il entraîna Cat vers sa loge en criant par-dessus son épaule :

— Au fait, grand-mère va bientôt arriver. Tu ferais mieux de faire disparaître ton cigare !